CIRCUITS ET MACHINES ÉLECTRIQUES

Réal-Paul BOUCHARD, *M.Sc.A., B.Sc.A., B.A., ing.*

Guy OLIVIER, *Ph.D., M.Sc.A., B.Sc.A., ing.*

Professeurs titulaires

Département de génie électrique
et de génie informatique

Section Électrotechnique

Éditions de l'École Polytechnique de Montréal

DIFFUSION

Diffusion exclusive, Amérique du Nord:

Coopérative étudiante de Polytechnique
École Polytechnique de Montréal
Campus de l'Université de Montréal
C.P. 6079, succursale Centre-ville
Montréal (Québec)
CANADA H3C 3A7
Tél.: (514) 340-4067
Télécopieur: (514) 340-4543
Serveur WEB: http://www.polymtl.ca

Diffusion exclusive, Europe et Afrique:

Technique et Documentation - Lavoisier
11, rue Lavoisier
F 75384 Paris Cedex 08
FRANCE
Tél.: (33) (1) 42.65.39.95
Télécopieur: (33) (0) 1.47.40.67.02
Télex: TDL 632 020 F
Minitel: 36.14 LAVOISIER
Serveur WEB: http://www.Lavoisier.fr

Circuits et machines électriques, *Réal-Paul BOUCHARD et Guy OLIVIER*

Page de couverture: Françoise Guitton

Dépôt légal: 3ᵉ trimestre 1995
Bibliothèque nationale du Québec
Bibliothèque nationale du Canada

ISBN 2-553-00428-1
Imprimé au Canada
Réimpression Hiver 1999

Avant-propos

*Si je ne peux vous convaincre d'apprendre un
raisonnement pour sa beauté, il faut que je
m'adresse à vous à un niveau inférieur et que je
vous dise que vous pouvez en tirer de l'argent...
Et si vous n'êtes pas encore persuadés, je devrai
descendre plus bas encore et vous dire que vous
ne pourrez réussir le cours sans lui.*

Professeur Millard (M.I.T.)

Enseigner les rudiments de l'analyse de circuits et de machines électriques constitue une tâche difficile non pas tant à cause de la complexité intrinsèque de la matière, mais plutôt à cause du niveau d'abstraction exigé de la part des étudiants. En effet, l'électricité échappe à tous nos sens et ne se comprend pas de façon intuitive. Il faut constamment faire appel à des analogies, à des modèles ou à des circuits équivalents. Si, de plus, la matière ne présente que peu ou pas du tout d'intérêt pour les étudiants, le défi à relever est de taille. L'ouvrage *Circuits et machines électriques* a été développé dans le but de remédier à une telle situation. À l'origine, il devait permettre aux étudiants d'accorder davantage d'attention aux propos de l'enseignant en leur évitant la tâche fastidieuse de tout noter. Avec les années, les simples notes de cours ont évolué jusqu'à constituer cet ouvrage.

Circuits et machines électriques est utilisé à l'École Polytechnique de Montréal pour l'enseignement des notions de base de l'électricité aux étudiants des programmes de génie mécanique et de génie des matériaux. Ce cours se donne habituellement dans la deuxième année d'un programme qui en compte quatre, sur une période de quinze semaines à raison de trois heures par semaine. Il est complété par un ensemble de séances de travaux pratiques. Cet ouvrage pourrait aussi convenir à un cours d'introduction pour les étudiants d'un programme de génie informatique en partie axé sur les aspects matériels. Il a également servi lors de cours intensifs s'adressant à des ingénieurs de l'industrie et faisant un rappel rapide des notions de base d'électrotechnique. De plus, à notre surprise, plusieurs étudiants du programme de génie électrique y ont eu recours pour réviser des notions devenues floues.

La matière couverte est vaste. On fait d'abord une révision des notions de base vues dans les cours de physique pour ensuite présenter les théorèmes fondamentaux. Suit une étude du régime sinusoïdal qui débouche sur l'étude des circuits triphasés. La dernière partie est consacrée au transformateur et au moteur asynchrone. Les développements théoriques ont été maintenus au strict minimum et de nombreux exemples résolus explicitent les points importants. Un grand nombre d'exercices permettent aux étudiants de vérifier leur compréhension des sujets traités. Les réponses à la plupart de ces exercices se retrouvent en annexe. Nous avons également inclus, à la fin de l'ouvrage, le texte des principales séances de travaux pratiques, et ce pour deux raisons. Premièrement, les étudiants peuvent facilement consulter le chapitre qui traite du sujet; deuxièmement, ce texte fournit aux lecteurs non inscrits à l'École Polytechnique des suggestions sur la façon de traiter ces sujets en laboratoire.

Remerciements

Ce volume est le fruit du travail soutenu de plusieurs professeurs du Département de génie électrique et de génie informatique de l'École Polytechnique de Montréal. De 1978 à 1994, neuf versions de ce texte ont paru sous forme de polycopié destiné aux étudiants du cours 3.201 «Circuits et machines électriques». MM. L. A. Dessaint, Y. Gervais et R.-P. Bouchard ont rédigé la première édition. Par la suite, MM. R.-P. Bouchard et M. Giroux ont apporté des améliorations aux quatre éditions suivantes. MM. C. Nerguizian et C. Akyel ont préparé la sixième édition publiée en 1987. À partir de 1992, nous avons remanié le texte et y avons incorporé de nombreux exemples et problèmes, dont plusieurs proviennent soit du *Recueil de problèmes* édité en 1986 par C. Nerguizian (École Polytechnique, n° 1332), soit des examens des dernières années.

Que tous ceux, professeurs et chargés de cours, qui ont participé à la rédaction de ces polycopiés et à l'enseignement du cours 3.201 en soient ici chaleureusement remerciés.

Afin de regrouper dans un seul ouvrage tous les documents se rapportant au cours 3.201, les textes des séances de travaux pratiques du cours «Circuits et machines électriques» figurent en annexe. À part quelques ajouts portant principalement sur l'utilisation d'analyseurs de puissance, ces textes sont semblables à ceux publiés en 1990 par MM. R.-P. Bouchard et C. Pinon (École Polytechnique, n° 1671).

Nous voulons également souligner l'aide apportée par le Service pédagogique et plus particulièrement par les Éditions de l'École Polytechnique qui ont dirigé la production de ce livre.

Enfin, nous tenons à remercier tous les étudiants qui, par leurs commentaires et suggestions, nous ont inspirés de modifier ces textes année après année.

École Polytechnique de Montréal, le 5 juillet 1995
Réal-Paul BOUCHARD
Guy OLIVIER

Table des matières

Chapitre 3
THÉORÈMES FONDAMENTAUX

Chapitre 4
ANALYSE DES CIRCUITS   69

Chapitre 5
FONCTIONS PÉRIODIQUES   91

Chapitre 1

ÉLÉMENTS
D'UN CIRCUIT ÉLECTRIQUE

1.1 INTRODUCTION

Avant d'aborder l'analyse des circuits et le comportement des éléments qui les composent, voyons quelques définitions et notions de base.

1.2 NOTIONS DE BASE ET DÉFINITIONS

La *différence de potentiel* ou *tension* E entre deux points se mesure par le travail nécessaire pour déplacer une charge unitaire d'un point à l'autre, en présence d'un champ électrique. C'est la variation d'énergie (W) par unité de charge (Q).

$$E = \frac{dW}{dQ}$$

On peut définir le *volt* (V) comme la différence de potentiel entre deux points lorsque le travail nécessaire pour déplacer une charge de 1 C (coulomb: $6,24 \bullet 10^{18}$ électrons) d'un point à un autre est égal à 1 J (joule):

$$1 V = \frac{1 J}{1 C}$$

La différence de potentiel ou tension E_{AB} est égale au potentiel du point A (E_A) moins le potentiel du point B (E_B):

$$E_{AB} = E_A - E_B = -E_{BA}$$

Un *courant électrique* existe dans un conducteur chaque fois qu'une charge Q se déplace d'un point à un autre dans ce conducteur. Le courant I se définit comme la variation de charge par unité de temps:

$$I = \frac{dQ}{dt}$$

Si la charge se déplace d'une façon uniforme à raison de 1 C/s (coulomb par seconde), le courant qui circule dans le conducteur est de 1 A (ampère):

$$1 \text{ A} = \frac{1 \text{ C}}{1 \text{ s}}$$

La *puissance électrique instantanée* p correspond à la variation d'énergie par unité de temps. Elle est aussi égale au produit de la tension instantanée et du courant instantané:

$$p(t) = \frac{dW}{dt} = \frac{dW}{dQ} \cdot \frac{dQ}{dt} = e(t)\, i(t)$$

On obtient la *puissance électrique moyenne* P en intégrant la puissance instantanée:

$$P = \frac{1}{T} \int_0^T e(t)\, i(t)\, dt$$

En courant continu, la puissance P est égale à E • I.

L'unité de la puissance est le *watt* (W).

L'*énergie* W correspond à l'intégrale de la puissance pendant un temps donné:

$$W = \int_{t_1}^{t_2} p\, dt$$

L'unité de l'énergie est le *joule*. Ainsi:

$$1 \text{ W} = \frac{1 \text{ J}}{1 \text{ s}}$$

1.3 CONVENTION DES LETTRES

On utilise les lettres minuscules e, i et p pour représenter des valeurs instantanées de tension, de courant ou de puissance.

Les lettres majuscules E et I représentent des valeurs continues (indépendantes du temps) ou efficaces de tension et de courant, alors que la lettre majuscule P représente une valeur continue ou moyenne de puissance.

1.4 TYPES D'ÉLÉMENTS

On peut classer les divers éléments en deux catégories principales: *éléments passifs* et *éléments actifs*.

Un élément est passif lorsqu'il ne peut pas fournir d'énergie. C'est le cas pour une résistance, une inductance ou un condensateur non chargé ou sans condition initiale.

Un élément est actif lorsqu'il peut fournir de l'énergie. C'est le cas d'une source de tension ou d'une source de courant.

1.5 SOURCES DE TENSION ET DE COURANT

Selon leur mode de fonctionnement, on définit deux types de sources d'énergie: les *sources de tension* et les *sources de courant*.

1.5.1 Source de tension idéale

Une source de tension est dite idéale lorsqu'elle fournit une tension constante à une charge variable. La caractéristique tension-courant de cette source idéale est une droite horizontale (fig. 1.1). Théoriquement,

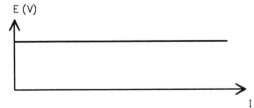

Figure 1.1 Caractéristique tension-courant d'une source de tension idéale.

on pourrait obtenir n'importe quelle valeur de courant de source en faisant varier la résistance de charge R_c. À la limite, cette source devrait fournir un courant infini si elle était court-circuitée, c'est-à-dire que $R_c = 0$.

1.5.2 Source de tension réelle

Toute source de tension réelle possède une résistance interne en série, appelée résistance de source R_s. Cette résistance a pour effet de diminuer la tension de la source à mesure que l'appel de courant augmente. Ainsi, la caractéristique tension-courant d'une source de tension réelle est une droite non pas horizontale, mais de pente négative: $m = -R_s$ (fig. 1.2). Les extrémités de cette droite constituent deux points limites importants: le point $(0, E_{av})$, qui définit la valeur à vide de la source ou la tension à ses bornes lorsqu'elle ne débite aucun courant, et le point $(I_{cc}, 0)$, qui donne la valeur du courant que débiterait la source si elle était court-circuitée.

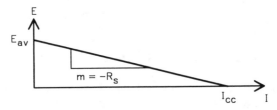

Figure 1.2 Caractéristique tension-courant
d'une source de tension réelle.

On représente schématiquement les sources de tension réelles telles que les piles, les accumulateurs et les blocs d'alimentation par une source idéale et une résistance de source (fig. 1.3).

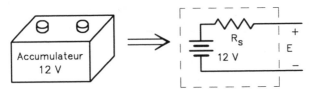

Figure 1.3 Représentation schématique
d'une source de tension réelle.

1.5.3 Sources de courant idéale et réelle

Par définition, une source de courant idéale peut fournir un courant constant quelle que soit la valeur de la charge R_c branchée à ses bornes. Toutefois, alors qu'on représente les imperfections d'une source de tension réelle par une résistance de source placée en série, on représente celles d'une source de courant réelle par une résistance shunt (R_{sh}) placée en parallèle. Cette résistance shunt court-circuite une partie du courant débité par la source et destiné à la charge.

La caractéristique tension-courant d'une source de courant idéale est une droite verticale et celle d'une source réelle est une droite de pente $m = -R_{sh}$ (fig. 1.4).

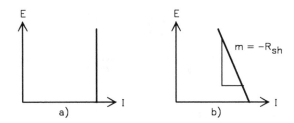

Figure 1.4 Caractéristiques tension-courant:
a) d'une source de courant idéale;
b) d'une source de courant réelle.

Il importe de comprendre que la résistance série d'une source de tension réelle doit être petite tandis que la résistance shunt d'une source de courant réelle doit être grande afin que leur caractéristique tension-courant respective se rapproche le plus possible du cas idéal.

1.6 ÉLÉMENTS PASSIFS

Les éléments passifs agissent de deux façons: certains dissipent de l'énergie et d'autres emmagasinent de l'énergie pour la restituer par la suite.

1.6.1 Résistance

Relation tension-courant

Tous les éléments de la nature opposent une certaine résistance au passage du courant électrique. On définit ces éléments comme isolants, semi-conducteurs ou bons conducteurs selon leur degré de résistance. La loi qui relie la résistance, le courant et la tension pour un élément d'un circuit électrique, établie par Georg Ohm, s'énonce comme suit:

$$E = R I$$

La figure 1.5 présente la convention des signes du courant et de la tension pour une résistance.

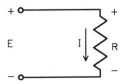

Figure 1.5 Convention des signes du courant
et de la tension pour une résistance.

La résistance transforme l'énergie électrique en chaleur. Ce phénomène est connu sous le vocable d'*effet Joule*. La puissance dissipée se calcule au moyen des relations suivantes:

$$P = E I$$
$$= R I^2$$
$$= E^2 / R$$

En électronique, on emploie couramment des résistances dont la valeur peut varier de quelques ohms à plusieurs mégohms. Par contre, en électrotechnique, on tente généralement de minimiser la valeur des résistances parce qu'elles causent des pertes considérables d'énergie sous forme de chaleur.

La résistance d'un fil de métal de résistivité ρ est déterminée par:

$$R = \frac{\rho \ell}{A}$$

où:
ℓ = la longueur
A = la section du fil

Le tableau 1.1 donne des valeurs de résistivité valables à 0°C seulement. La résistivité ρ des métaux et de la plupart des conducteurs augmente avec la température. La relation entre la résistivité et la température est sensiblement linéaire pour des intervalles de quelques centaines de degrés. On peut alors définir un coefficient donnant la variation de la résistance en fonction de la température. Ce coefficient, appelé α, est positif si la résistance augmente avec la température et négatif si elle diminue; il est nul si la résistance ne varie pas. Pour la plupart des métaux, dont le cuivre et l'aluminium, le coefficient α est positif. Toutefois, il est négatif pour le carbone et les semi-conducteurs tels que le silicium et le germanium. Le constantan, un alliage de cuivre et de nickel, possède un coefficient α à toutes fins utiles nul.

Tableau 1.1 Coefficient thermique α et résistivité ρ en ohms-mètre, à 0°C, de certains matériaux

Matériau	α	ρ à 0°C
Aluminium	0,00427	$2,7 \cdot 10^{-8}$
Argent	0,0038	$1,6 \cdot 10^{-8}$
Carbone	-0,0005	$3,5 \cdot 10^{-5}$
Constantan	0,000008	$5,0 \cdot 10^{-7}$
Cuivre	0,00393	$1,7 \cdot 10^{-8}$
Fer	0,0055	$1,0 \cdot 10^{-7}$
Nickel	0,006	$7,8 \cdot 10^{-8}$
Or	0,0034	$2,4 \cdot 10^{-8}$
Tungstène	0,0045	$5,5 \cdot 10^{-8}$

On peut déterminer la valeur d'une résistance à n'importe quelle température, si on connaît déjà la valeur de cette résistance à 20°C et le coefficient thermique α, grâce à la relation suivante:

$$R = R_{20} (1 + \alpha (T - 20))$$

Les fils de cuivre ronds sont d'un usage très répandu et sont normalisés en Amérique du Nord par le système *American Wire Gage*. Ce système assigne un numéro AWG, compris entre 4/0 et 36, à différentes grosseurs de fils de cuivre en fonction de leur diamètre. Les diamètres ont été choisis de façon à ce que le passage d'une unité AWG à la précédente corresponde à une augmentation de la section de près de 26 %. Ainsi, diminuer de trois unités AWG équivaut approximativement à doubler la section du fil. La relation exacte d'un diamètre au suivant a été proposée par J.R. Brown et acceptée en 1857. Elle correspond à la racine 39e de 92, 92 étant le rapport entre 0,46 po, le diamètre du fil n° 4/0 et 0,005 po, le diamètre du fil n° 36. (39 est le nombre d'intervalles entre les n°s 4/0 et 36):

$$^{39}\sqrt{92} = {}^{39}\sqrt{0,460 \, / \, 0,005} = 1,1229322$$

$$1,1229322^2 \approx 1,26$$

$$(1,1229322^2)^3 \approx 1,26^3 = 2,00$$

Sachant que la résistance par 1000 m d'un fil de cuivre rond n° 15 (AWG) est d'environ 10 Ω, on peut connaître, avec une précision raisonnable, la résistance équivalente d'un fil de n'importe quel numéro AWG et de n'importe quelle longueur sans l'usage d'un tableau. Le tableau 1.3 (p. 26) donne les valeurs précises des résistances des fils de cuivre ronds à 20°C.

En Europe et dans les pays utilisant le système métrique, on exprime le calibre des fils en fonction du diamètre en millimètres.

L'exemple 1.1 illustre le calcul de la résistance d'un fil de cuivre.

Exemple 1.1   Résistance d'un fil de cuivre

Quelle est la résistance d'un fil de cuivre n° 21 de 1000 m de longueur?

Solution:

Nous avons vu précédemment qu'une diminution de trois unités AWG double la section du fil et que la résistance par 1000 m de fil n° 15 est d'environ 10 Ω. Si on passe d'un fil n° 15 à un fil n° 18, la section diminue de moitié et la résistance double; on obtient 20 Ω par 1000 m. Si on passe ensuite d'un fil n° 18 à un fil n° 21, on obtient 40 Ω par 1000 m. Ce résultat correspond à l'information donnée au tableau 1.3, soit des résistances de 10,5 Ω/1000 m pour du fil n° 15 et de 42 Ω/1000 m pour du fil n° 21.

Résistances en série et résistances en parallèle

On dit de résistances qu'elles sont en série lorsqu'un même courant les traverse; des résistances sont dites en parallèle lorsqu'elles ont la même tension à leurs bornes. Ainsi, on peut voir à la figure 1.6 que les résistances R_1 et R_2 sont en série puisque le même courant circule à travers elles; quant aux résistances R_3 et R_4, elles sont en parallèle parce que toutes deux sont raccordées entre les deux mêmes points: A et B.

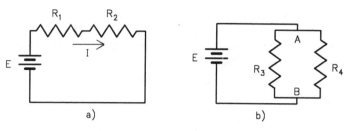

Figure 1.6 Exemples de circuits
a) en série;
b) en parallèle.

Pour faciliter la résolution d'un circuit électrique, on peut remplacer N résistances en série par une résistance équivalente égale à la somme des N résistances.

La résistance équivalente $R_{éq}$ de N résistances en parallèle correspond à l'inverse de la somme des inverses des N résistances, comme dans la relation suivante:

$$\frac{1}{R_{éq}} = \frac{1}{R_1} + \frac{1}{R_2} + \ldots + \frac{1}{R_N}$$

Par ailleurs, on peut exprimer les éléments résistifs suivant leur conductance G, dont l'unité est le *siemens* (S), telle que:

$$G = \frac{1}{R}$$

Les conductances en parallèle s'additionnent de la même manière que les résistances en série.

Puissance fournie et puissance dissipée dans un circuit

Les sources de tension et de courant sont essentiellement des sources d'énergie; en vertu du principe de conservation de l'énergie, la puissance totale fournie par ces sources doit être égale à la puissance totale dissipée par les résistances.

Énergie dissipée dans une résistance pendant une période Δt

L'énergie dissipée dans une résistance pendant une période Δt est égale à l'intégrale de la puissance dans celle-ci pendant la période spécifiée:

$$W_R = \int_{t_1}^{t_2} P_R(t)\, dt = \int_{t_1}^{t_2} e(t)\, i(t)\, dt$$

1.6.2 Condensateur

Un condensateur est un élément de circuit qui emmagasine de l'énergie sous forme de champ électrique.

On peut construire un condensateur élémentaire en réunissant deux plaques conductrices séparées par un isolant de permittivité ϵ. Cet ensemble, branché aux bornes d'une source, emmagasine de l'énergie sous forme de champ électrique. L'unité de capacité d'un condensateur est le *farad* (F). Dans le cas particulier d'un condensateur formé de deux plaques conductrices de même surface, on obtient la capacité par la formule:

$$C = \epsilon \, \frac{A}{d}$$

où:

A = la surface d'une plaque

d = la distance entre les deux plaques

Dans le système métrique, la constante de permittivité ϵ est exprimée en farad par mètre. En pratique, on utilise différents types de condensateurs. Leur capacité peut varier de quelques picofarads (10^{-12} F) à quelques millifarads (10^{-3} F).

Relation tension-courant

La relation tension-courant pour un condensateur s'exprime ainsi:

$$i_c = C \, \frac{de_c}{dt}$$

La figure 1.7 présente la convention des signes du courant et de la tension pour un condensateur.

La relation tension-courant du condensateur mène aux conclusions suivantes:

1. Un courant circule dans le condensateur seulement lorsque la tension à ses bornes varie.

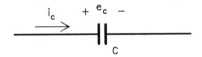

Figure 1.7 Convention des signes du courant et de la tension pour un condensateur.

2. La tension aux bornes d'un condensateur ne peut varier d'une quantité finie en un temps nul (dt → 0), car ceci nécessiterait un courant et une puissance infiniment grande.

On peut remanier l'expression de la relation tension-courant du condensateur de façon à mettre en évidence la tension e_c:

$$e_c(t_2) = \frac{1}{C} \int_{t_1}^{t_2} i_c(t)\, dt + e(t_1)$$

où le terme $e(t_1)$ représente les conditions initiales, c'est-à-dire la tension aux bornes du condensateur au début de l'intervalle considéré.

L'exemple 1.2 illustre le calcul de la tension aux bornes d'un condensateur.

Exemple 1.2   Tension aux bornes d'un condensateur

Évaluer la tension aux bornes d'un condensateur de 4 μF initialement déchargé, à l'instant t = 3 s, si le courant $i_c(t)$ prend la forme donnée à la figure 1.8.

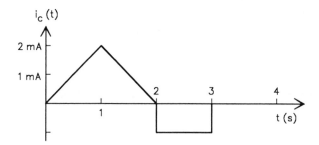

Figure 1.8 (ex. 1.2)   Allure du courant dans le condensateur.

Solution:

$$e(3) = \frac{1}{C} \int_0^3 i_c(t)\, dt + 0$$

$$= \frac{1}{C} \int_0^1 2t\, dt + \frac{1}{C} \int_1^2 4 - 2t\, dt + \frac{1}{C} \int_2^3 -1\, dt$$

$$= \frac{1}{4 \cdot 10^{-6}} (0{,}002 - 0{,}001) = 250 \text{ V}$$

Énergie emmagasinée ou fournie par un condensateur

Un condensateur ne dissipe pas d'énergie sous forme de chaleur comme le fait une résistance; il reçoit ou restitue de l'énergie provenant d'une source. La quantité d'énergie qu'un condensateur peut emmagasiner à un instant t est:

$$W_c(t) = 1/2 \; C \; e_c^2(t)$$

C'est la convention de signes du condensateur qui permet de savoir si cette énergie est emmagasinée ou restituée par le condensateur. Si le courant et la tension du condensateur sont de même signe, le condensateur reçoit de l'énergie; à l'inverse, si les signes sont contraires, le condensateur fournit de l'énergie.

Condensateurs en parallèle et condensateurs en série

La capacité équivalente de N capacités en parallèle s'obtient en additionnant les valeurs des N capacités.

La capacité équivalente de N capacités en série s'obtient de la même façon que la résistance équivalente de N résistances en parallèle:

$$\frac{1}{C_{éq}} = \frac{1}{C_1} + \frac{1}{C_2} + \; ... \; + \frac{1}{C_N}$$

1.6.3 Inductance

Une inductance est un élément qui emmagasine de l'énergie sous forme de champ magnétique. L'unité de mesure de l'inductance est le *henry* (H).

L'inductance L d'un solénoïde de longueur ℓ et de surface A, constitué d'un nombre N de tours de fil enroulé autour d'un noyau de perméabilité μ, est donnée par la relation:

$$L = \mu \; N^2 \; A \, / \, \ell$$

Les inductances utilisées en électronique et en électrotechnique ont des valeurs variant entre quelques microhenrys et quelques henrys.

Relation tension-courant

La relation tension-courant pour une inductance s'exprime ainsi:

$$e_L = L \, \frac{di_L}{dt}$$

La figure 1.9 représente la convention de signes du courant et de la tension pour une inductance.

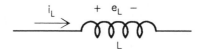

Figure 1.9 Convention de signes du courant
et de la tension pour une inductance.

Les déductions suivantes découlent de la relation tension-courant d'une inductance:

1. Une tension apparaît aux bornes d'une inductance seulement lors d'une variation de courant dans celle-ci.

2. L'intensité du courant ne peut varier instantanément (dt → 0) d'une quantité finie dans une inductance, car cela nécessiterait une tension et une puissance infiniment grande.

Cette propriété de l'inductance de s'opposer aux variations de courant peut s'observer couramment, lors de gestes bien familiers. Par exemple, lorsqu'on débranche un appareil électrique comme une bouilloire, ou plus particulièrement un moteur, une étincelle surgit entre les prises. L'effet combiné de l'inductance du circuit et de la variation brusque de courant provoque une tension suffisamment grande pour que le courant parvienne à circuler momentanément dans l'air sous forme d'un plasma conducteur: l'arc électrique.

On peut remanier l'expression de la relation tension-courant d'une inductance de façon à mettre le courant en évidence:

$$i_L(t_2) = \frac{1}{L} \int_{t_1}^{t_2} e_L(t) \, dt + i(t_1)$$

L'exemple 1.3 illustre le calcul de la tension aux bornes d'une inductance.

Exemple 1.3   Tension aux bornes d'une inductance

Déterminer la tension aux bornes d'une inductance de 2 H dont le courant $i_L(t)$ est de la forme donnée à la figure 1.10.

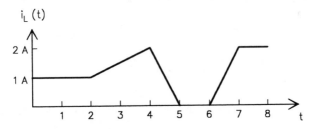

Figure 1.10 (ex. 1.3) Allure du courant dans une inductance.

Solution:

On obtient la tension $e_L(t)$ aux bornes de l'inductance (fig. 1.11) en dérivant le courant $i_L(t)$ et en multipliant le résultat par la valeur de l'inductance.

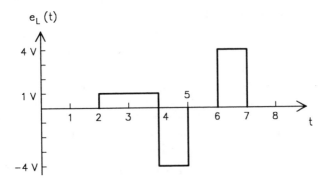

Figure 1.11 (ex. 1.3) Allure de la tension
aux bornes de l'inductance.

Énergie emmagasinée ou fournie par une inductance

Tout comme le condensateur, la bobine idéale ne dissipe pas d'énergie mais l'emmagasine ou la restitue. Cette quantité d'énergie est donnée par:

$$W_L(t) = 1/2 \, L \, i_L^2(t)$$

Pour déterminer s'il y a absorption ou restitution d'énergie, on procède de la même façon que pour le condensateur: si le courant et la tension de l'inductance sont de même signe, celle-ci reçoit de l'énergie; si les signes sont contraires, elle fournit de l'énergie.

Inductances en série et inductances en parallèle

Tout comme les résistances, les inductances peuvent s'additionner lorsqu'elles sont en série et se regrouper comme suit lorsqu'elles sont en parallèle:

$$\frac{1}{L_{éq}} = \frac{1}{L_1} + \frac{1}{L_2} + \dots + \frac{1}{L_N}$$

1.7 ÉLÉMENTS RÉELS

Les résistances utilisées en pratique, particulièrement celles faites de fil enroulé comme c'est le cas pour la plupart des éléments chauffants, ont en fait une certaine composante inductive en série. Toutefois, cette composante inductive est généralement peu ou pas significative à 50 ou 60 Hz.

Les condensateurs utilisés dans les systèmes de distribution électrique comportent une résistance de décharge en parallèle avec le condensateur lui-même. L'effet de cette résistance en régime permanent est habituellement négligeable, tout comme celui de l'inductance série. L'utilisation d'une telle résistance a pour but de décharger le condensateur dans un laps de temps raisonnable lors de la mise hors tension; c'est une question de sécurité.

Par contre, les inductances comportent une composante résistive série non négligeable due à la résistance du fil utilisé pour fabriquer la bobine. À haute fréquence, un effet de capacité parasite entre les spires peut devenir significatif.

L'exemple 1.4 montre comment on détermine le graphe d'une tension aux bornes d'une inductance. Les exemples 1.5 et 1.6 illustrent divers calculs liés à la puissance, à l'énergie et au courant.

Exemple 1.4   Circuit inductif

Déterminer le graphe de la tension aux bornes d'une inductance de 5 H dont le courant est défini à la figure 1.12:

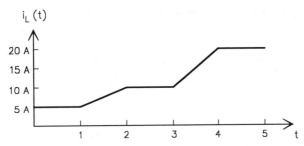

Figure 1.12 (ex. 1.4) Allure du courant dans l'inductance.

Solution:

$$e_L(t) = L \frac{di}{dt}$$

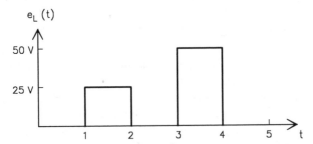

Figure 1.13 (ex. 1.4) Allure de la tension induite aux bornes de l'inductance.

Exemple 1.5   Circuit RC parallèle

Soit le système suivant:

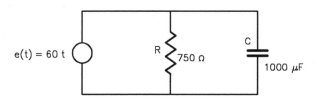

Figure 1.14 (ex. 1.5) Système physique.

À l'instant $t = 5$ s, calculer:

a) la puissance dissipée dans la résistance;
b) la puissance absorbée dans le condensateur;
c) la puissance totale dans les deux éléments;
d) l'énergie totale dissipée dans la résistance;
e) l'énergie emmagasinée dans le condensateur;
f) la puissance fournie par la source.

Solution:

a) $P = \dfrac{e^2}{R} = \dfrac{(60\ t)^2}{R} = \dfrac{(60 \bullet 5)^2}{750} = 120$ W

b) $P = e\ i = e\ (C\ de/dt)$
$= (60 \bullet 5)(1000 \bullet 10^{-6} \bullet 60) = 18$ W

c) $P = 120 + 18 = 138$ W

d) $W = \displaystyle\int_0^t \dfrac{e^2}{R}\ (t)\ dt = \int_0^5 \dfrac{(60\ t)^2}{750}$

$= \dfrac{60^2}{750} \displaystyle\int_0^5 t^2\ dt = \dfrac{60^2}{750} \left. \dfrac{t^3}{3} \right|_0^5 = 200$ J

e) $W = 1/2\ C\ e^2$
$= 1/2\ (1000 \bullet 10^{-6})(60 \bullet 5)^2 = 45$ J

f) $i_{R(5)} = \dfrac{300\ V}{750\ \Omega} = 0{,}4$ A

$i_{C(5)} = 1000\ \mu F \bullet 60\ V/s = 60$ mA

$P_{s(5)} = 300 \bullet (0{,}4 + 0{,}06) = 138$ W

Exemple 1.6   **Lampe au tungstène**

Sachant qu'une lampe incandescente usuelle de 100 W à 120 V a un filament fait de tungstène et que ce dernier atteint une température de l'ordre de 2575 °C, calculer le courant de la lampe à l'instant d'allumage et lorsque le filament est chaud. La lampe est alimentée en courant continu. Représenter le courant entre l'instant de mise sous tension et l'instant auquel le régime permanent est atteint.

Solution:

Lorsque la lampe est chaude, elle consomme 100 W si elle est alimentée à 120 V. Donc:

$$I_\ell = \frac{100 \text{ W}}{120 \text{ V}} = 0,83 \text{ A}$$

À l'instant d'allumage, le filament est froid; calculons le rapport des résistances à chaud et à froid.

$$R_c = R_{20} \, (1 + \alpha \, (T - 20))$$

$$R_c / R_{20} = 1 + \alpha \, (T - 20) = 1 + 4,5 \cdot 10^{-3} \cdot 2555 = 12,5$$

Le courant à l'instant de mise sous tension est:

$$12,5 \cdot 0,83 = 10,4 \text{ A } !!!$$

Cela explique pourquoi les ampoules grillent habituellement à l'allumage.

Les figures 1.15 et 1.16 représentent la tension et le courant à la mise sous tension. Dans le premier cas, la tension est continue et dans le second, alternative. Le filament atteint sa température de régime après une cinquantaine de millisecondes.

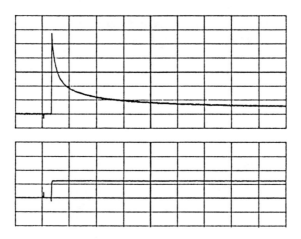

Figure 1.15 (ex. 1.6) Allure du courant et de la tension pour une lampe incandescente mise sous tension en continu.
Échelle horizontale: 5 ms/div
Échelle verticale: en haut, 2 A/div
en bas, 100 V/div

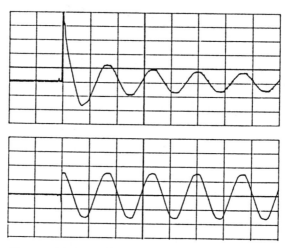

Figure 1.16 (ex. 1.6) Allure du courant et de la tension pour une lampe incandescente mise sous tension en alternatif.
Échelle horizontale: 10 ms/div
Échelle verticale: en haut, 2 A/div
en bas, 100 V/div

EXERCICES

1.1 a) Calculer l'énergie dans une inductance de 100 mH, à l'instant
t = 30 ms, si le courant $i_L(t)$ prend la forme fournie à la figure
1.17.

b) Déterminer la tension aux bornes de l'inductance entre 0 et
30 ms.

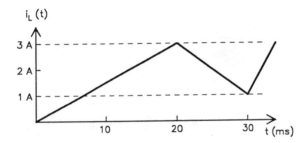

Figure 1.17 Allure du courant de l'exercice 1.1.

1.2 Dans le circuit suivant (fig. 1.18), calculer l'énergie emmagasinée
dans l'inductance et dans le condensateur.

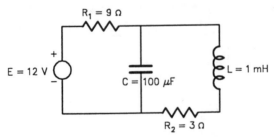

Figure 1.18 Circuit de l'exercice 1.2.

1.3 Un condensateur de 2 μF est alimenté par le courant i(t) suivant:

    i(t) = 0   pour   t < 0
    i(t) = 2 t A pour   0 ≤ t ≤ 4 ms
    i(t) = 10 mA pour   t ≥ 4 ms

À t = 0, la tension e_c est de -8 V. Faire un graphe approximativement à l'échelle de $e_c(t)$ en fonction du temps. Calculer l'énergie emmagasinée dans le condensateur à t = 6 ms.

1.4 En régime permanent, quelle est l'énergie emmagasinée dans le condensateur et dans l'inductance du circuit suivant (fig. 1.19)? Quelle est la puissance dissipée dans chacune des deux résistances? Quelle puissance chaque source fournit-elle?

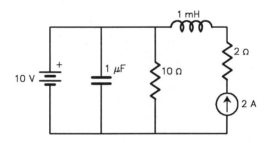

Figure 1.19 Circuit de l'exercice 1.4.

1.5 Déterminer la résistance équivalente au circuit suivant (fig. 1.20), ainsi que la puissance fournie par la source.

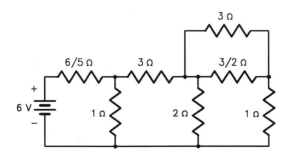

Figure 1.20 Circuit de l'exercice 1.5.

1.6 Dans le circuit de la figure 1.21, le condensateur est initialement déchargé et le courant i(t) a la forme indiquée à la figure 1.22.

a) Tracer un diagramme approximativement à l'échelle montrant la tension aux bornes des trois éléments et aux bornes de la source. Indiquer sur un circuit la polarité de chacune des tensions.

b) Calculer la puissance pour les trois éléments et la source à t = 9 ms.

c) À t = 9 ms, quelle est l'énergie emmagasinée dans le condensateur et dans l'inductance?

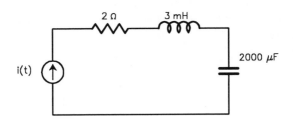

Figure 1.21 Circuit de l'exercice 1.6.

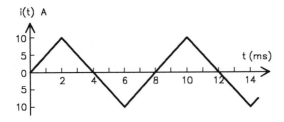

Figure 1.22 Courant de l'exercice 1.6.

1.7 Un condensateur de 10 μF est chargé par une source de courant de 10 μA. À l'instant de la mise sous tension, le condensateur est déjà chargé à -10 V.

a) Combien de temps faudra-t-il pour que la tension aux bornes du condensateur atteigne +10 V?

b) Tracer la courbe de l'énergie emmagasinée par le condensateur entre 0 et 20 s.

c) Tracer la courbe de la tension de la source entre 0 et 20 s.

d) Sur le tracé précédent, identifier les intervalles de temps durant lesquels la source fournit et absorbe de l'énergie.

1.8 En régime permanent, quelle est l'énergie emmagasinée dans l'ensemble des condensateurs de la figure 1.23?

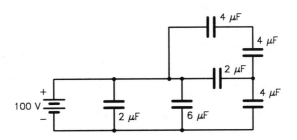

Figure 1.23 Circuit de l'exercice 1.8.

1.9 En régime permanent, quelle est l'énergie totale emmagasinée dans l'ensemble des inductances de la figure 1.24?

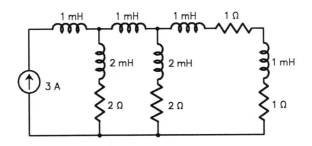

Figure 1.24 Circuit de l'exercice 1.9.

1.10 Si le filament d'une ampoule commerciale de 100 W à 115 V atteint une température de 2575°C, quelle est la résistance de l'ampoule: a) à l'instant de sa mise sous tension? b) lorsqu'elle a atteint sa température de fonctionnement?

1.11 La figure 1.25 illustre un circuit composé d'une inductance, d'une résistance et d'un condensateur. Ces trois composants sont raccordés en série à une source de courant alternatif.

a) Calculer la fréquence et la période du courant.

b) Déterminer analytiquement la tension aux bornes de chacun des trois éléments et de la source. (Négliger les constantes d'intégration.) Exprimer les trois tensions aux bornes des éléments sous forme cosinusoïdale. Analytiquement, faire la somme des trois tensions précédentes afin d'obtenir la tension de la source.

c) Sur un même graphique et pour deux cycles du courant, tracer les trois tensions aux bornes des éléments.

d) Toujours sur le même graphique, faire l'addition de ces trois tensions et vérifier que la tension de la source est bien celle calculée précédemment. Quel est le déphasage de ces quatre tensions par rapport au courant?

e) Évaluer, pour t = 5 ms, l'énergie emmagasinée par le condensateur et par l'inductance.

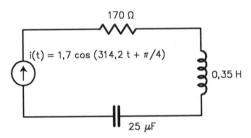

170 Ω

i(t) = 1,7 cos (314,2 t + π/4)

0,35 H

25 μF

Figure 1.25 Circuit de l'exercice 1.11.

Tableau 1.2 La tension, le courant, la puissance et l'énergie
des éléments d'un circuit électrique

Élément	Unité	Symbole graphique	Relation tension-courant	Puissance	Énergie
Résistance	ohm (Ω)		$e = R\,i$ $i = e/R$	$P = Ri^2$ $= e^2/R$	$W = \displaystyle\int_{t1}^{t2} p\,dt$
Inductance	henry (H)		$e = L\,di/dt$ $i(t) = \dfrac{1}{L}\displaystyle\int_{t1}^{t2} e(t)dt + i(t1)$	$p = e\,i$	$W = \dfrac{1}{2}Li^2(t)$
Condensateur	farad (F)		$i = C\,de/dt$ $e(t) = \dfrac{1}{C}\displaystyle\int_{t1}^{t2} i(t)dt + e(t1)$	$p = e\,i$	$W = \dfrac{1}{2}Ce^2(t)$
Source de tension	volt (V)		$e = e$ spécifiée quel que soit i	$p = e\,i$	$W = \displaystyle\int_{t1}^{t2} p\,dt$
Source de courant	ampère (A)		$i = i$ spécifié quelle que soit e	$p = e\,i$	$W = \displaystyle\int_{t1}^{t2} p\,dt$
Court-circuit			$e = 0$ quel que soit i	$p = 0$	$W = 0$
Circuit ouvert			$i = 0$ quelle que soit e	$p = 0$	$W = 0$

Tableau 1.3   Caractéristiques des fils de cuivre ronds
utilisés en Amérique du Nord

Calibre AWG	Diamètre mm	Section mm²	Résistance à 20°C Ω/m	Masse g/m
4/0	11,68	107,2	0,000161	953
3/0	10,40	85,0	0,000203	756
2/0	9,27	67,4	0,000256	600
1/0	8,25	53,5	0,000322	478
1	7,35	42,4	0,000406	377
2	6,54	33,6	0,000513	299
3	5,83	26,67	0,000647	237
4	5,19	21,15	0,000815	188
5	4,62	16,77	0,001023	149
6	4,11	13,30	0,00130	118,2
7	3,66	10,55	0,00163	93,8
8	3,26	8,37	0,00206	74,4
9	2,91	6,63	0,00260	59,0
10	2,59	5,26	0,00328	46,8
11	2,30	4,17	0,00414	37,1
12	2,05	3,31	0,00521	29,4
13	1,83	2,63	0,00656	23,4
14	1,63	2,08	0,00828	18,5
15	1,45	1,65	0,0104	14,7
16	1,29	1,31	0,0132	11,6
17	1,15	1,04	0,0166	9,24
18	1,02	0,823	0,0210	7,32
19	0,912	0,653	0,0264	5,81
20	0,813	0,519	0,0332	4,61
21	0,724	0,412	0,0419	3,66
22	0,643	0,324	0,0532	2,88
23	0,574	0,259	0,0666	2,30
24	0,511	0,205	0,0842	1,82
25	0,455	0,162	0,106	1,44
26	0,404	0,128	0,135	1,14
27	0,361	0,102	0,169	0,908
28	0,320	0,0804	0,214	0,715
29	0,287	0,0647	0,266	0,575
30	0,254	0,0507	0,341	0,450
31	0,226	0,0401	0,430	0,357
32	0,203	0,0324	0,532	0,288
33	0,180	0,0255	0,676	0,227
34	0,160	0,0201	0,856	0,179
35	0,142	0,0159	1,086	0,141
36	0,127	0,0127	1,362	0,113

Chapitre 2

LOIS DE KIRCHHOFF

2.1 DÉFINITIONS TOPOLOGIQUES D'UN CIRCUIT ÉLECTRIQUE

Nous avons étudié au chapitre 1 les caractéristiques et les relations qui définissent les principaux éléments d'un circuit électrique. Voyons maintenant les lois qui régissent un tel circuit, dont les deux plus importantes ont été établies par le physicien allemand Gustav Kirchhoff. Avant de les énoncer, définissons quelques termes couramment employés lors de l'analyse de circuits.

Le *nœud* consiste en un point de connexion reliant deux ou plusieurs éléments. On appelle *nœud principal* un nœud qui relie au moins trois éléments. Une *branche* désigne une portion de circuit comprise entre deux nœuds et contenant au moins un élément. Enfin, on appelle *boucle* un ensemble de branches formant un chemin fermé sur lui-même, alors qu'on nomme *maille* une boucle simple qui n'est pas traversée par d'autres branches. Les mailles apparaissent comme les fenêtres du circuit.

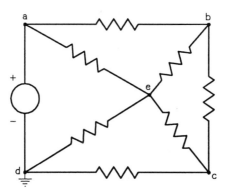

Figure 2.1 Circuit comportant des nœuds, des branches, des boucles et des mailles.

On peut retrouver ces différentes caractéristiques dans le circuit illustré à la figure 2.1:

- 5 nœuds: a, b, c, d, e;
- 8 branches: ab, bc, cd, da, ae, be, ce, de;
- 13 boucles: aeb, bec, ced, dea, abcd, abce, abed, bcde, cdae, abcde, bcdae, cdabe, dabce;
- 4 mailles ou fenêtres parmi les 13 boucles: abe, bec, ced, dea.

2.2 LOI DE KIRCHHOFF RELATIVE AUX TENSIONS

Habituellement appelée *loi des boucles*, la loi de Kirchhoff relative aux tensions se définit comme suit: *La somme algébrique de toutes les tensions aux bornes des éléments d'une boucle est nulle.*

Pour faciliter la compréhension et l'application de la loi des boucles, nous ne considérerons que des circuits composés de sources de tension, de sources de courant et de résistances.   Dans ces cas particuliers, la loi des boucles stipule que la somme algébrique des tensions des sources est égale à la somme des chutes de tension dans les résistances.

Par exemple, si on considère le circuit de la figure 2.2, on peut exprimer l'équation des tensions dans la boucle comme suit:

$$E_1 - R_1 I - R_2 I - E_2 = 0$$

ou

$$E_1 - E_2 = R_1 I + R_2 I$$

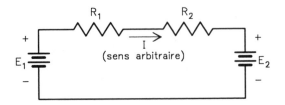

Figure 2.2 Circuit constitué d'une boucle.

L'exemple 2.1 illutre l'application de la loi des boucles.

Exemple 2.1 Loi des boucles

Soit le circuit de la figure 2.3. Nous pouvons appliquer la loi des boucles pour chacune des deux mailles:

Maille de gauche:

$$+E_1 - R_1 \bullet I_1 + E_3 - R_2 \bullet (I_1 - I_2) = 0$$

Maille de droite:

$$-R_2 \bullet (I_2 - I_1) - E_3 - (R_3 + R_4) \bullet I_2 + E_2 = 0$$

La solution de ce système de deux équations à deux inconnues permet d'obtenir les valeurs de I_1 et de I_2 et de calculer la tension aux bornes de chaque élément.

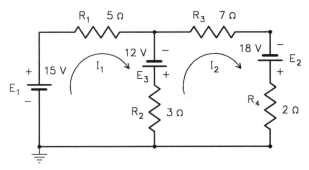

Figure 2.3 (ex. 2.1) Circuit à deux mailles.

2.3 LOI DE KIRCHHOFF RELATIVE AUX COURANTS

La loi de Kirchhoff relative aux courants, communément appelée *loi des nœuds*, s'énonce comme suit: *La somme des courants qui entrent dans un nœud doit être égale à la somme des courants qui en sortent.* S'il n'en était pas ainsi, les charges s'accumuleraient dans le nœud, ce qui est physiquement impossible puisque le nœud est un embranchement conducteur. Au nœud N par exemple (fig. 2.4), nous pouvons écrire l'équation des courants comme suit:

$$I_A = I_B + I_C$$

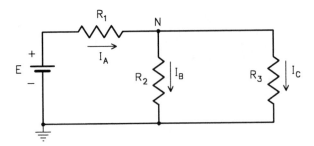

Figure 2.4 Circuit ayant plusieurs embranchements à un nœud.

L'exemple 2.2 illustre l'application de la loi des nœuds.

Exemple 2.2   Loi des nœuds

Soit le circuit de la figure 2.5. Nous pouvons appliquer la loi des nœuds pour les nœuds 1 et 2:

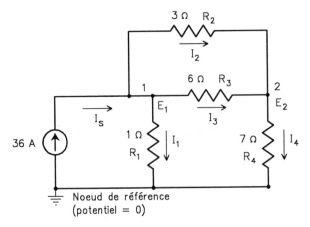

Figure 2.5 (ex. 2.2) Circuit à trois mailles.

Au nœud 1:

$$I_s = I_1 + I_2 + I_3$$

$$= \left(\frac{E_1}{R_1}\right) + \left(\frac{E_1 - E_2}{R_2}\right) + \left(\frac{E_1 - E_2}{R_3}\right)$$

Au nœud 2:

$$I_2 + I_3 = I_4$$

$$\left(\frac{E_1 - E_2}{R_2}\right) + \left(\frac{E_1 - E_2}{R_3}\right) = \left(\frac{E_2}{R_4}\right)$$

On obtient les valeurs de E_1 et de E_2 en résolvant ces deux équations.

2.4 DIVISEUR DE TENSION

Des résistances en série placées aux bornes d'une source de tension forment un diviseur de tension.

Considérons un circuit électrique comprenant trois résistances en série (R_1, R_2 et R_3) et une source de tension (E_s) (fig. 2.6).

D'après la loi des boucles:

$$E_s = E_1 + E_2 + E_3$$

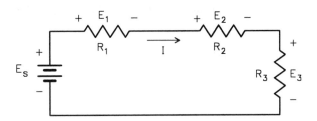

Figure 2.6 Circuit avec des résistances en série formant un diviseur de tension.

Pour obtenir la tension aux bornes de chacune des résistances formant le diviseur de tension, on peut procéder comme suit: d'abord déterminer le courant circulant dans le circuit et ensuite appliquer la loi d'Ohm à chaque résistance.

Le courant, commun aux trois résistances, est:

$$I = \frac{E_s}{R_{éq}} = \frac{E_s}{R_1 + R_2 + R_3}$$

La tension aux bornes de chaque résistance est égale au produit $R \bullet I$ propre à chaque résistance:

$$E_1 = R_1 I = \frac{R_1 E_s}{R_1 + R_2 + R_3} = \frac{R_1}{R_1 + R_2 + R_3} E_s$$

$$E_2 = R_2 I = \frac{R_2 E_s}{R_1 + R_2 + R_3} = \frac{R_2}{R_1 + R_2 + R_3} E_s$$

$$E_3 = R_3 I = \frac{R_3 E_s}{R_1 + R_2 + R_3} = \frac{R_3}{R_1 + R_2 + R_3} E_s$$

On peut voir que chaque résistance produit une chute de tension directement proportionnelle à la valeur de cette résistance par rapport à la somme des valeurs des résistances du diviseur de tension.

De façon générale, la tension aux bornes de la i^e résistance d'un groupe de N résistances en série s'exprime par l'équation suivante:

$$E_i = E_s \frac{R_i}{\displaystyle\sum_{n=1}^{N} R_n}$$

Le diviseur de tension est utile lorsqu'on mesure des tensions continues élevées à l'aide d'un voltmètre dont les échelles sont peu élevées.

2.5 DIVISEUR DE COURANT

Lorsque des résistances en parallèle sont placées aux bornes d'une source de courant (I_s), elles constituent un diviseur de courant.

Considérons un circuit composé de deux résistances en parallèle (fig. 2.7).

Puisque R_1 et R_2 sont en parallèle, elles ont la même tension à leurs bornes. On peut poser les relations:

$$E = R_1 I_1 = R_2 I_2 = R_{éq} I_s$$

Du fait que:

$$R_{éq} = \frac{R_1 R_2}{R_1 + R_2}$$

il s'ensuit que:

$$E = R_1 I_1 = R_2 I_2 = \frac{R_1 R_2}{R_1 + R_2} I_s$$

On obtient donc:

$$I_1 = I_s \frac{R_2}{R_1 + R_2}$$

$$I_2 = I_s \frac{R_1}{R_1 + R_2}$$

On constate que le courant de la source se répartit dans des résistances en parallèle de façon inversement proportionnelle aux valeurs ohmiques de ces résistances.

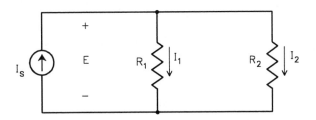

Figure 2.7 Circuit composé de résistances en parallèle formant un diviseur de courant.

L'exemple 2.3 fait la démonstration du calcul des divers courants dans un diviseur de courant. L'exemple 2.4 illustre le calcul des tensions et des courants dans un circuit électrique.

Exemple 2.3   Courants dans un diviseur de courant

Montrer que les valeurs des courants I_1, I_2 et I_3 dans un diviseur de courant à trois résistances (fig. 2.8) sont:

$$I_1 = I_s \frac{R_2 R_3}{R_1 R_2 + R_2 R_3 + R_3 R_1}$$

$$I_2 = I_s \frac{R_3 R_1}{R_1 R_2 + R_2 R_3 + R_3 R_1}$$

$$I_3 = I_s \frac{R_1 R_2}{R_1 R_2 + R_2 R_3 + R_3 R_1}$$

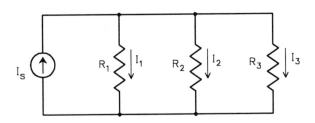

Figure 2.8 Trois résistances en parallèle formant un diviseur de courant.

Solution:

D'après la loi des nœuds:

$$I_s = I_1 + I_2 + I_3$$

Il est plus simple d'employer les conductances lorsqu'on doit résoudre ce type de problème pour un diviseur de courant comportant plusieurs résistances. Ainsi, le courant qui traverse la n^e résistance d'un ensemble de N résistances en parallèle est:

$$I_i = I_s \frac{G_i}{\sum\limits_{n=1}^{N} G_n}$$

Exemple 2.4   Tensions et courants dans un circuit électrique

Soit le circuit suivant (fig. 2.9). Déterminer la tension aux bornes de R_A, le courant dans R_B, le courant fourni par la source de 10 V et la tension aux bornes de la source de 10 A.

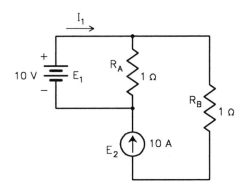

Figure 2.9 (ex. 2.4) Circuit à deux mailles.

Solution:

$E_{R_A} = 10$ V   (La résistance est directement raccordée aux bornes de la source de 10 V.)

$I_{R_B} = 10$ A   (Le courant de la source de courant traverse la résistance R_B.)

$I_1 = 10$ V / R_A + 10 A = 20 A

$E_2 = 10$ V - R_B • 10 A = 0 V

Vérifions la solution en effectuant un bilan énergétique. La source de tension fournit 200 W (10 V • 20 A). Par ailleurs, les résistances R_A et R_B dissipent chacune 100 W (1 Ω • 10²). On peut donc affirmer que la source de courant ne fournit ou n'absorbe aucune puissance, car la tension à ses bornes est nulle.

EXERCICES

2.1 Déterminer les courants I_1 et I_2 du circuit de la figure 2.3 ainsi que la tension aux bornes de chaque élément.

2.2 Déterminer les tensions E_1 et E_2 du circuit de la figure 2.5.

2.3 Trouver la tension E ou le courant I de chacun des circuits ci-dessous (fig. 2.10).

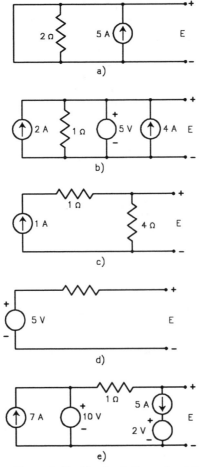

Figure 2.10 Circuits de l'exercice 2.3.

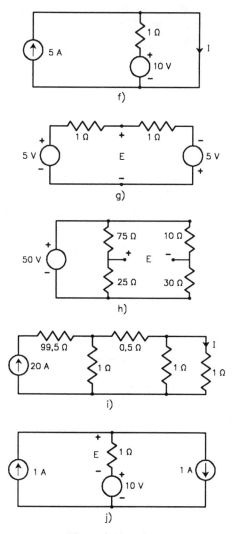

Figure 2.10 (suite)

2.4 Pour chacun des circuits suivants (fig. 2.11), déterminer le courant I_x, la tension E_{ab} et la puissance absorbée ou fournie par la source située dans la branche de droite.

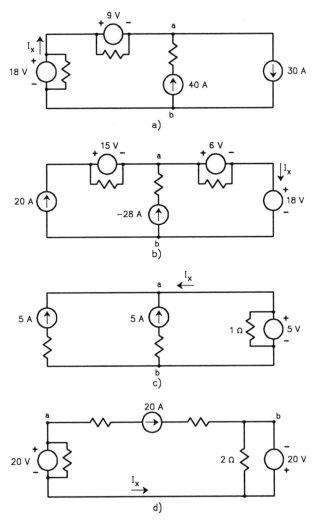

Figure 2.11 Circuits de l'exercice 2.4.

2.5 Les circuits suivants (fig. 2.12) ne peuvent pas fonctionner, car ils violent les principes fondamentaux de l'électricité. Expliquer.

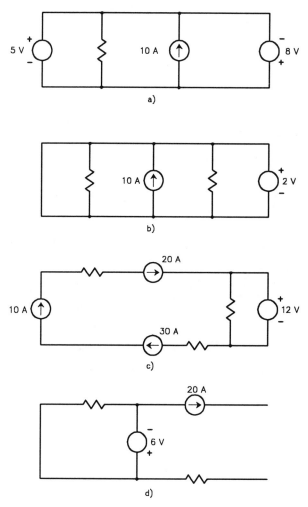

Figure 2.12 Circuits de l'exercice 2.5.

Chapitre 3

THÉORÈMES FONDAMENTAUX

3.1 INTRODUCTION

Ce chapitre présente des théorèmes qui simplifient l'analyse des circuits électriques. Ce sont des outils qui permettent de remplacer une partie ou la totalité du circuit par un circuit équivalent composé d'une résistance et d'une source de tension ou de courant. De plus, ils rendent possible l'étude d'un circuit alimenté par plusieurs sources: on traite chaque source à tour de rôle et on combine ensuite leurs effets individuels pour obtenir le comportement de l'ensemble du circuit.

3.2 THÉORÈME DE THÉVENIN

Le théorème de Thévenin s'énonce comme suit: *Tout circuit contenant des éléments linéaires actifs et passifs et compris entre deux bornes peut être remplacé par une source de tension dite de Thévenin* (E_{th}), *en série avec une résistance dite de Thévenin* (R_{th}) (fig. 3.1).

On obtient la tension de Thévenin en mesurant ou en calculant, en circuit ouvert, la tension entre les deux bornes du circuit. La résistance de Thévenin est la résistance mesurée entre les deux bornes lorsqu'on a remplacé toutes les sources du circuit par ce qui annule leur effet. Annuler les sources consiste à remplacer une source de tension par un court-circuit et une source de courant par un circuit ouvert.

La procédure suivante, en trois étapes, permet d'obtenir l'équivalent de Thévenin de tout circuit complexe:

1. Tracer le circuit de Thévenin.

2. Mesurer ou calculer la tension en circuit ouvert entre les bornes A et B du circuit. C'est la *tension de Thévenin* (E_{th}). Attention à la polarité de la source.

3. Après avoir annulé toutes les sources du circuit, mesurer ou calculer la résistance équivalente vue des bornes A et B du circuit. C'est la *résistance de Thévenin* (R_{th}).

Figure 3.1 Représentation d'un circuit complexe
par un circuit simple, dit de Thévenin.

L'exemple 3.1 illustre l'application du théorème de Thévenin dans le calcul de la tension et de la puissance.

Exemple 3.1   Application du théorème de Thévenin

Soit le circuit de la figure 3.2. À l'aide du théorème de Thévenin, calculer la tension aux bornes de la résistance R_c ainsi que la puissance dissipée par cette dernière.

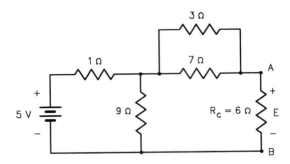

Figure 3.2 (ex. 3.1) Circuit comportant
plusieurs résistances.

Solution:

La première étape consiste à enlever les éléments, ici la résistance R_c, qui ne doivent pas faire partie du circuit de Thévenin et qui seront remis en place lorsqu'on aura déterminé l'équivalent de Thévenin (fig. 3.3).

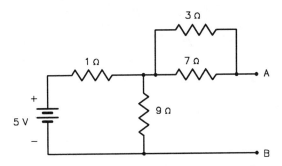

Figure 3.3 (ex. 3.1) Ensemble des éléments pour lesquels on veut déterminer le circuit de Thévenin.

Les résistances de 3 Ω et de 7 Ω n'ont qu'une seule de leurs bornes de raccordée. Aucun courant n'y circule. Par conséquent, la tension à la borne flottante est la même que celle à la borne raccordée. On peut négliger ces deux résistances pour l'instant. Il s'ensuit que la tension entre les points A et B est la même que celle aux bornes de la résistance de 9 Ω.

Les résistances de 1 Ω et de 9 Ω forment un diviseur de tension. Alors, on a:

$$E_{th} = 5 \frac{9}{1+9} = 4,5 \text{ V}$$

On détermine la résistance de Thévenin en remplaçant la source de tension par un court-circuit (fig. 3.4).

L'examen de la figure 3.4 permet de constater que les résistances de 3 Ω et de 7 Ω, d'une part, et celles de 1 Ω et de 9 Ω, d'autre part, sont

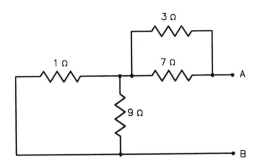

Figure 3.4 (ex. 3.1) Circuit de la figure 3.3 dans lequel on a remplacé la source de tension par un court-circuit.

en parallèle. En les regroupant, on obtient deux résistances en série de 2,1 Ω et de 0,9 Ω (fig. 3.5). On peut remplacer des dernières par une seule résistance de 3 Ω (fig. 3.6). C'est la résistance de Thévenin.

À ce point, le circuit de Thévenin est entièrement défini. Si on y raccorde la résistance de charge, il devient possible de déterminer la tension, le courant et la puissance de la charge (fig. 3.7). La tension aux bornes de la résistance R_c est:

$$E = 4,5 \ \frac{6}{3+6} = 3 \ V$$

La puissance dissipée par cette résistance est:

$$P = \frac{E^2}{R_c} = \frac{3^2}{6} = 1,5 \ W$$

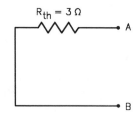

Figure 3.5 Regroupement des résistances en parallèle.

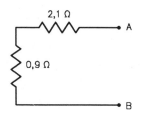

Figure 3.6 Résistance de Thévenin.

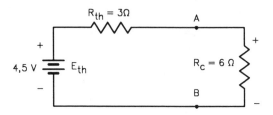

Figure 3.7 Circuit simplifié.

3.3 THÉORÈME DE NORTON

Le théorème de Norton s'énonce comme suit: *Tout circuit contenant des éléments linéaires actifs et passifs et compris entre deux bornes peut être remplacé par une source de courant dite de Norton (I_N) en parallèle avec une résistance dite de Norton (R_N)* (fig. 3.8).

On obtient le courant de Norton en mesurant ou en calculant le courant de court-circuit qui circulerait dans un conducteur de résistance nulle reliant les deux bornes du circuit. La résistance de Norton se calcule de la même façon que la résistance de Thévenin, c'est-à-dire qu'on évalue la résistance équivalente du circuit obtenue après l'annulation de toutes les sources de tension et de courant.

La procédure suivante, en trois étapes, permet d'obtenir l'équivalent de Norton de tout circuit complexe:

1. Tracer le circuit de Norton.

2. Mesurer ou calculer le courant circulant dans le court-circuit obtenu en joignant les deux bornes A et B du circuit; le courant obtenu est le courant de Norton. Attention au sens de la source.

3. Après avoir annulé toutes les sources, mesurer ou calculer la résistance équivalente vue des bornes A et B du circuit. Cette résistance équivalente est la résistance de Norton.

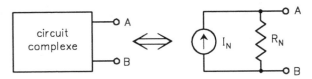

Figure 3.8 Représentation d'un circuit complexe par son équivalent de Norton.

L'exemple 3.2 illustre le calcul du courant et de la puissance à l'aide du théorème de Norton.

Exemple 3.2   Calcul du courant et de la puissance à l'aide du théorème de Norton

Soit le circuit de la figure 3.9. Déterminer le courant et la puissance dans la résistance de 3 Ω en exprimant le reste du circuit, compris entre les points A et B, par son équivalent de Norton.

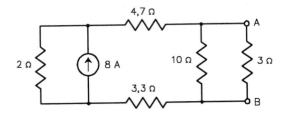

Figure 3.9 (ex. 3.2) Circuit pour lequel on veut déterminer l'équivalent de Norton.

Solution:

Déterminons d'abord le courant de Norton en enlevant la résistance de 3 Ω et en reliant les bornes A et B par un court-circuit (fig. 3.10).

Comme la résistance de 10 Ω est en parallèle avec un court-circuit, elle n'influe en rien sur la répartition du courant. Il est possible de l'enlever et de remplacer les résistances de 4,7 Ω et de 3,3 Ω par une seule résistance de 8 Ω (fig. 3.11). Les résistances de 2 Ω et de 8 Ω qui restent forment un diviseur de courant. On a alors:

$$I_N = (8\,A)\,\frac{2\,\Omega}{2\,\Omega + 8\,\Omega} = 1,6\,A$$

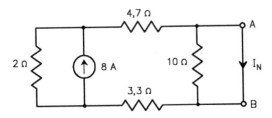

Figure 3.10 (ex. 3.2) Charge court-circuitée.

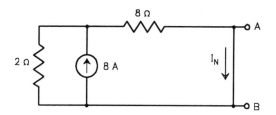

Figure 3.11 (ex. 3.2) Regroupement de résistances en série.

Évaluons maintenant la résistance de Norton en remplaçant dans le circuit de la figure 3.9 la source de courant de 8 A par ce qui l'annule, c'est-à-dire un circuit ouvert. On obtient successivement les circuits représentés aux figures 3.12 et 3.13. Finalement:

$$R_N = 5 \ \Omega$$

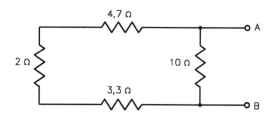

Figure 3.12 (ex. 3.2) Annulation de la source de courant.

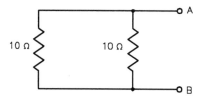

Figure 3.13 (ex. 3.2) Regroupement de résistances en série.

Transposons ces valeurs dans le circuit de Norton et raccordons la résistance de 3 Ω. On obtient un circuit simplifié (fig. 3.14). Le courant et la puissance recherchés sont:

$$I = 1,6 \frac{5}{5+3} = 1,0 \text{ A}$$

$$P = R I^2 = 3 \bullet 1,0^2 = 3 \text{ W}$$

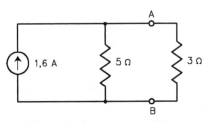

Figure 3.14 Circuit simplifié.

3.4 ÉQUIVALENCE ENTRE THÉVENIN ET NORTON

Des relations simples permettent de transformer un circuit de Thévenin en un circuit de Norton et vice versa (fig. 3.15). On les obtient en appliquant le théorème de Norton à un circuit de Thévenin (fig. 3.16).

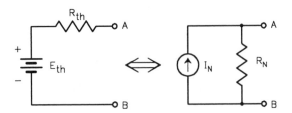

Figure 3.15 Équivalence Thévenin-Norton.

Par inspection:

$$I_N = \frac{E_{th}}{R_{th}}$$

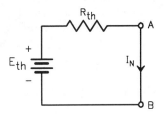

Figure 3.16 Circuit de Thévenin court-circuité.

On obtient la résistance de Norton en remplaçant par un court-circuit la source de tension du circuit de Thévenin (fig. 3.17). Il en résulte que:

$$R_N = R_{th}$$

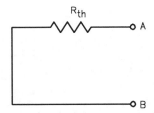

Figure 3.17 Annulation de la source de Thévenin.

La tension de l'équivalent de Thévenin d'un circuit de Norton (fig. 3.15) correspond à la différence de potentiel aux bornes de la résistance de Norton. On obtient:

$$E_{th} = R_N I_N$$

Les trois relations précédentes permettent de passer à volonté d'un circuit équivalent de Thévenin à son équivalent de Norton ou vice versa. Elles permettent de remplacer en tout temps, dans un circuit, une résistance reliée en série à une source de tension par une résistance reliée en parallèle à une source de courant ou l'inverse:

$$R_N = R_{th} = \frac{E_{th}}{I_N}$$

On peut calculer la résistance de Thévenin à partir de la tension en circuit ouvert (E_{th}) et du courant de court-circuit (I_N). Cette méthode s'avère très utile lorsque les résistances du circuit étudié ne forment pas une combinaison simple de résistances en série et en parallèle.

3.5 TRANSFERT MAXIMAL DE PUISSANCE

La puissance dissipée dans une résistance est nulle lorsque cette résistance est égale à zéro. C'est aussi le cas lorsque la valeur de la résistance tend vers l'infini. Par contre, entre ces deux extrêmes, la puissance dissipée dans une résistance R_c est non nulle et atteint un maximum (fig. 3.18).

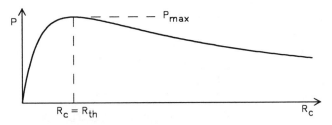

Figure 3.18 Allure de la puissance dissipée
dans R_c en fonction de R_c.

Puisque:
$$P = R_c I^2$$

et que:
$$I = \frac{E_{th}}{R_{th} + R_c}$$

on obtient:
$$P = \frac{(E_{th})^2 R_c}{(R_{th} + R_c)^2}$$

Pour un circuit donné, E_{th} et R_{th} sont fixes et la puissance dissipée dans R_c n'est fonction que de R_c elle-même.

On peut obtenir la valeur de la résistance R_c pour laquelle la puissance est maximale en considérant que, pour ce point, la dérivée de la puissance en fonction de R_c, doit être nulle. On obtient:

$$\frac{dP}{dR_c} = E_{th}^2 \left[\frac{1}{(R_{th} + R_c)^2} - \frac{2 R_c}{(R_{th} + R_c)^3} \right] = 0$$

$$\frac{1}{(R_{th} + R_c)^2} = \frac{2 R_c}{(R_{th} + R_c)^3}$$

$$2 R_c = R_{th} + R_c$$

$$R_c = R_{th}$$

Le transfert maximal de puissance, ou la puissance maximale dissipée dans R_c, survient lorsque la résistance de la charge est égale à la résistance équivalente du circuit alimentant la charge. La valeur de cette puissance maximale est:

$$P_{max} = \frac{E_{th}^2 R_c}{(R_{th} + R_c)^2}$$

lorsque: $R_c = R_{th}$

$$P_{max} = \frac{E_{th}^2 R_{th}}{(R_{th} + R_{th})^2}$$

$$= \frac{E_{th}^2}{4 R_{th}}$$

L'exemple 3.3 illustre comment calculer la puissance maximale dissipée dans une résistance.

Exemple 3.3   Puissance maximale dissipée dans une résistance

Reprenons le circuit de l'exemple 3.1. Dans ce circuit, la puissance transmise dans R_c est maximale lorsque $R_c = R_{th} = 3 \ \Omega$:

$$P_{max} = \frac{E_{th}^2}{4 R_{th}}$$

$$= \frac{(4,5 \ V)^2}{4 \ (3 \ \Omega)} = 1,7 \ W$$

3.6 THÉORÈME DE SUPERPOSITION

Le théorème de superposition est très utile pour résoudre un circuit linéaire contenant plusieurs sources d'énergie. Ce théorème s'énonce comme suit: *Le courant et la tension relatifs à un élément quelconque d'un circuit linéaire à plusieurs sources d'énergie sont les sommes algébriques des effets produits par chaque source agissant séparément.* Pour connaître les effets d'une source d'énergie agissant seule, il suffit d'annuler les autres sources du circuit pour ensuite analyser le circuit normalement. On répète ce processus autant de fois qu'il y a de sources d'énergie. On obtient l'effet global en calculant la somme des effets particuliers pour chacune des sources.

$$E_{\text{effet global}} = E_{\text{effet}_1} + E_{\text{effet}_2} + \cdots$$

$$I_{\text{effet global}} = I_{\text{effet}_1} + I_{\text{effet}_2} + \cdots$$

Par contre, ce théorème ne peut pas être utilisé pour calculer la puissance dissipée dans une résistance. La puissance ne peut être déterminée qu'à partir de la tension véritable aux bornes de la résistance et du courant véritable qui la traverse.

L'exemple 3.4 permet de constater que, si on tente de déterminer la puissance dissipée à partir des tensions et des courants de chacune des sources, on obtient une valeur fausse.

Exemple 3.4   Application du théorème de superposition

Soit le circuit de la figure 3.19. Déterminer la tension aux bornes de la résistance de 7 Ω à l'aide du théorème de superposition. Démontrer que ce théorème ne peut pas être utilisé pour le calcul de la puissance.

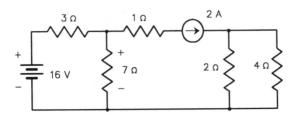

Figure 3.19 (ex. 3.4) Circuit pour lequel le théorème de superposition peut s'appliquer.

Solution:

Pour connaître la tension E_1 due à la source de tension de 16 V seule, éliminons la source de courant de 2 A en la remplaçant par un circuit ouvert (fig. 3.20).

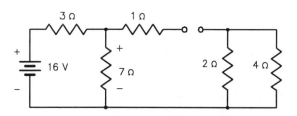

Figure 3.20 (ex. 3.4) Annulation de la source de courant.

Les résistances de 1 Ω, de 2 Ω et de 4 Ω n'ont qu'une seule de leurs extrémités reliée au circuit et sont de ce fait négligeables. On obtient le circuit simplifié (fig. 3.21).

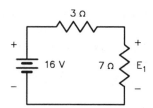

Figure 3.21 (ex. 3.4) Circuit simplifié.

Ainsi:
$$E_1 = (16\,V)\,\frac{7\,\Omega}{7\,\Omega + 3\,\Omega} = 11,2\ V$$

Pour connaître la tension E_2 due à la source de courant de 2 A, remplaçons la source de tension par un court-circuit (fig. 3.22).

$$I_2 = \frac{(2\,A)\,(3\,\Omega)}{3\,\Omega + 7\,\Omega} \quad \text{(diviseur de courant)}$$
$$= 0,6\ A$$

$$E_2 = -(7\,\Omega)\,I_2 = -7 \bullet 0,6 = -4,2\ V$$

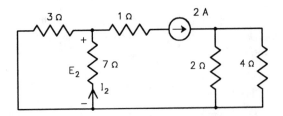

Figure 3.22 (ex. 3.4) Annulation de la source de tension.

Il ne reste plus qu'à additionner E_1 et E_2 pour obtenir la tension réelle E due à l'ensemble des deux sources.

$$E = E_1 + E_2 = 11,2 - 4,2 = 7,0 \text{ V}$$

$$I = \frac{7,0 \text{ V}}{7 \Omega} = 1,0 \text{ A}$$

La puissance dissipée dans la résistance de 7 Ω correspond au produit de la tension et du courant:

$$P_{7 \Omega} = 7,0 \bullet 1,0 = 7,0 \text{ W}$$

Au lieu de calculer la puissance de façon correcte comme nous venons de le faire, qu'aurions-nous obtenu si nous avions commis l'erreur d'additionner les puissances présumément dissipées en considérant chacune des sources séparément?

Puissance de la première source:

$$\frac{(11,2 \text{ V})^2}{7 \Omega} = 17,9 \text{ W}$$

Puissance de la seconde source:

$$\frac{(-4,2 \text{ V})^2}{7 \Omega} = 2,5 \text{ W}$$

soit une puissance totale de 20,4 W. Cette valeur est *tout à fait* fausse.

ATTENTION:

Le théorème de superposition ne peut et ne doit être utilisé que pour les tensions et les courants.

Exemple 3.5   Circuit du type pont de Wheatstone

Évaluer le circuit équivalent de Thévenin entre les bornes A et B du circuit suivant (fig. 3.23).

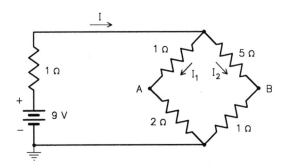

Figure 3.23 (ex. 3.5) Circuit du type pont de Wheatstone.

Solution:

Ce problème est plutôt difficile. Il est impossible de calculer directement la résistance de Thévenin. Il faut déterminer le circuit équivalent en calculant la source de Thévenin et la source de Norton entre les points A et B. Par la suite, on obtient R_{th} en divisant E_{th} par I_N.

Premièrement, calculons le courant fourni par la source:

$$I = 9 / [1\,\Omega + ((1\,\Omega + 2\,\Omega) \,/\!/\, (5\,\Omega + 1\,\Omega))]$$
$$= 9 / (1\,\Omega + 2\,\Omega) = 3\ A$$

Si on utilise la règle du diviseur de courant, on obtient I_1 et I_2:

$$I_1 = I\ \frac{6\,\Omega}{3\,\Omega + 6\,\Omega} = 3 \bullet 2/3 = 2\ A$$

$$I_2 = 3 - 2 = 1\ A$$

Les tensions des points A et B (par rapport à la masse) sont:

$$E_A = 2\,\Omega \bullet 2\,A = 4\ V$$
$$E_B = 1\,\Omega \bullet 1\,A = 1\ V$$

et

$$E_{AB} = E_A - E_B = (4 - 1)\ V = 3\ V$$

E_{AB} est la tension de Thévenin recherchée.

Il faut maintenant déterminer le courant qui circule dans le court-circuit qui relie les points A et B. On obtient le circuit suivant (fig. 3.24):

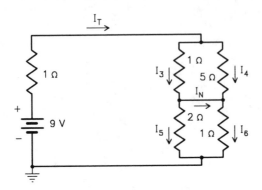

Figure 3.24 (ex. 3.5) Circuit de la figure 3.23 avec les points A et B reliés ensemble.

On détermine le courant I_T par inspection:

$$I_T = 9\,V \: / \: (1\,\Omega + 1\,\Omega \: // \: 5\,\Omega + 2\,\Omega \: // \: 1\,\Omega) = 3,6\,A$$

Si on reprend la règle du diviseur de courant, on a:

$$I_3 = 3,6 \cdot (5\,\Omega \: // \: 6\,\Omega) = 3\,A$$
$$I_4 = 0,6\,A$$
$$I_5 = 1,2\,A$$
$$I_6 = 2,4\,A$$

Le courant I_N s'obtient en appliquant la loi des nœuds au nœud A ou B. Ainsi, au point A:

$$I_N = I_3 - I_5 = 3\,A - 1,2\,A = 1,8\,A$$

Finalement:

$$R_{th} = E_{th} \: / \: I_N = 3\,V \: / \: 1,8\,A = 1\ 2/3\ \Omega$$

Exemple 3.6   Représentation simplifiée d'un circuit d'automobile

Soit le circuit représentant de façon très simplifiée l'alimentation électrique d'une automobile (fig. 3.25).

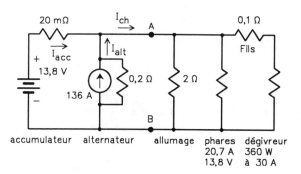

Figure 3.25 (ex. 3.6) Circuit simplifié de l'alimentation électrique d'une automobile.

1. Calculer la résistance équivalente de la charge vue par l'accumulateur et l'alternateur (c'est-à-dire à la droite des points A et B).

2. Quels sont les équivalents de Norton et de Thévenin du circuit de l'alternateur et de l'accumulateur (à gauche des points A et B)?

3. Quel est le courant fourni par l'alternateur? Quel est le courant fourni ou reçu par l'accumulateur?

4. Au démarrage, l'alternateur et toutes les charges à l'exception de l'allumage ne sont pas raccordés et le démarreur demande 200 A (fig. 3.26). Par superposition, déterminer la tension aux bornes de l'allumage.

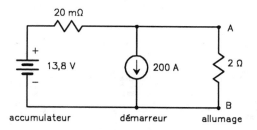

Figure 3.26 (ex. 3.6) Circuit simplifié d'une automobile au démarrage.

Solution:

1. La résistance équivalente s'obtient par l'addition des charges:

$$R_{\text{dégivreur}} = 360\,\text{W} \;/\; 30\,\text{A}^2 = 0,4\ \Omega$$
$$R_{\text{phares}} = 13,8\,\text{V} \;/\; 20,7\,\text{A} = 0,67\ \Omega$$
$$R_{\text{allumage}} = 2\ \Omega$$

La résistance équivalente est égale aux trois résistances précédentes en parallèle sans toutefois négliger la résistance des fils du dégivreur (0,1 Ω):

$$R_{\text{éq}} = (0,4\,\Omega + 0,1\,\Omega) \;/\!/\; 0,67\,\Omega \;/\!/\; 2\,\Omega = 0,25\ \Omega$$

2. L'équivalent de Thévenin ou de Norton de l'ensemble accumulateur-alternateur s'obtient plus facilement en remplaçant d'abord le circuit de l'alternateur par son équivalent de Thévenin ou le circuit de l'accumulateur par son équivalent de Norton.

Optons pour la première possibilité, remplacer le circuit de l'alternateur par son équivalent de Thévenin.

On peut remplacer l'alternateur par une source de tension de 27,2 V en série avec une résistance de 0,2 Ω. Une fois ce calcul fait, la tension entre les points A et B (sans charge) se détermine aisément.

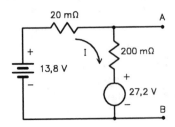

Figure 3.27 (ex. 3.6) Circuit à vide.

$$I = (13,8\,\text{V} - 27,2\,\text{V}) \;/\; (200\,\text{m}\Omega + 20\,\text{m}\Omega) = -60,9\ \text{A}$$

Le courant circule alors de l'alternateur vers l'accumulateur qui est en train de se faire recharger. La tension de Thévenin est:

$$E_{\text{th}} = 27,2\,\text{V} - 0,2\,\Omega \bullet 60,9\,\text{A} = 15,0\ \text{V}$$

On calcule la résistance de Thévenin ou de Norton en éliminant les sources:

$$R_{th} = 20\,m\Omega \mathbin{/\mkern-6mu/} 200\,m\Omega = 18,18\,m\Omega$$

et

$$I_N = E_{th} / R_{th} = 825\,A$$

3. On peut déterminer les courants de l'accumulateur et de l'alternateur en ajoutant au circuit à vide (fig. 3.27) la résistance de charge équivalente calculée en 1. On obtient le circuit en charge de la figure 3.28.

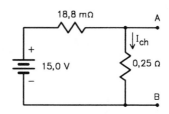

Figure 3.28 (ex. 3.6) Circuit en charge.

Dès lors, on calcule le courant et la tension de charge:

$$I_{charge} = 15,0\,V / (250 + 18,8)\,m\Omega = 56\,A$$

et

$$E_{AB} = 56\,A \bullet 0,25\,\Omega = 14,0\,V$$

Si on revient au circuit initial (fig. 3.25), on peut écrire:

$$I_{all} = 136\,A - (14,0\,V / 0,2\,\Omega) = 66\,A$$

et

$$I_{acc} = I_{ch} - I_{all} = 56 - 66 = -10\,A$$

L'alternateur fournit donc 56 A à la charge. De plus, il recharge l'accumulateur en lui fournissant un courant de 10 A.

4. Premièrement, on détermine la contribution de l'accumulateur en remplaçant la source de courant par un circuit ouvert:

$$E_{AB1} = 13,8 \bullet (2 / 2,02)\,\Omega = 13,7\,V$$

Deuxièmement, on remplace la source de tension par un court-circuit:

$$E_{AB2} = -2\,\Omega \bullet 200\,A \bullet (20\,m\Omega / 2,02\,\Omega) = -3,96\,V$$

La tension aux bornes de l'allumage correspond donc à la somme des tensions E_{AB1} et E_{AB2}.

$$E_{AB} = E_{AB1} + E_{AB2} = 13,66 - 3,96 = 9,70 \text{ V}$$

Remarque: Même s'il se base sur certaines hypothèses simplificatrices, ce problème décrit bien le circuit électrique d'une automobile.

EXERCICES

3.1 Le pont de Wheatstone peut permettre de mesurer une résistance inconnue R_x à partir de la relation $R_1 \bullet R_{pot} = R_2 \bullet R_x$ valable seulement lorsque les points A et B sont à la même tension. Démontrer cette égalité. En général, on utilise le pont de Wheatstone dans des appareils de mesure et d'instrumentation.

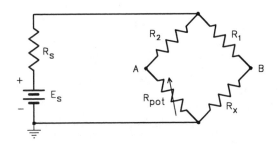

Figure 3.29 Circuit typique d'un pont de Wheatstone.

3.2 a) Trouver le circuit de Thévenin aux bornes de la résistance R pour le circuit donné à la figure 3.30.

b) Trouver la valeur de la résistance R pour laquelle le transfert de puissance est maximal.

c) Calculer cette puissance maximale.

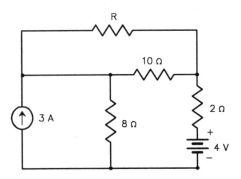

Figure 3.30 Circuit de l'exercice 3.2.

3.3 Pour le circuit ci-dessous (fig. 3.31), calculer le circuit équivalent de Norton pour la partie du circuit à gauche des points A et B.

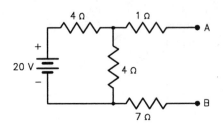

Figure 3.31 Circuit de l'exercice 3.3.

3.4 a) Par superposition, trouver l'équivalent de Thévenin vu du point A (et de la masse) pour le circuit ci-dessous (fig. 3.32).

b) Quelle est la valeur de R qui permet d'obtenir un transfert maximal de puissance?

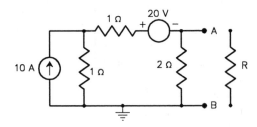

Figure 3.32 Circuit de l'exercice 3.4.

3.5 À partir du circuit ci-dessous (fig. 3.33) et suivant le théorème de superposition, calculer la contribution de chacune des trois sources au courant qui circule dans la résistance de 3 Ω.

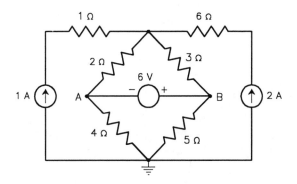

Figure 3.33 Circuit de l'exercice 3.5.

3.6 À l'aide du circuit équivalent de Thévenin et de la méthode de superposition, calculer la tension aux bornes de R.

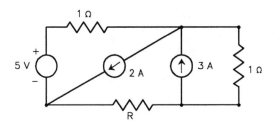

Figure 3.34 Circuit de l'exercice 3.6.

3.7 Calculer l'équivalent de Norton du circuit ci-dessous (fig. 3.35) entre les points A et B par la méthode de superposition. Quelle est la puissance maximale disponible à la résistance de charge R_c?

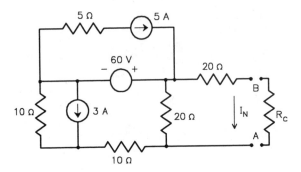

Figure 3.35 Circuit de l'exercice 3.7.

3.8 Soit le circuit ci-dessous (fig. 3.36). Suivant la méthode de superposition:

a) Calculer l'équivalent Thévenin vu des bornes A et B si on enlève la résistance R_c.

b) Quel serait l'équivalent de Norton vu des mêmes bornes?

c) Quelle devrait être la valeur de R_c pour qu'ait lieu un transfert maximal de puissance?

d) Quelle devrait être la valeur de R_c pour que cette résistance dissipe le quart de la puissance maximale calculée en c)?

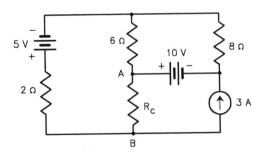

Figure 3.36 Circuit de l'exercice 3.8.

3.9 Soit le circuit ci-dessous (fig. 3.37). Déterminer par la méthode de superposition:

a) la tension E_{AB}
b) le courant I_x à travers la source de 5 V
c) la tension E_x aux bornes de la source de courant
d) la puissance fournie ou absorbée par la source de 10 V
e) l'équivalent de Thévenin vu des bornes A et B du circuit
f) la puissance fournie à une résistance de charge de 15 Ω si cette dernière était branchée entre les bornes A et B du circuit

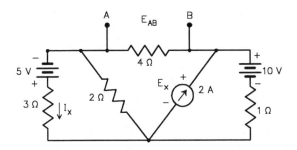

Figure 3.37 Circuit de l'exercice 3.9.

3.10 Soit le circuit ci-dessous (fig. 3.38). Calculer la différence de potentiel E_{AB} en utilisant le principe de superposition. Calculer le circuit équivalent de Thévenin et le circuit équivalent de Norton vus des points A et B, en conservant la résistance de 4 Ω.

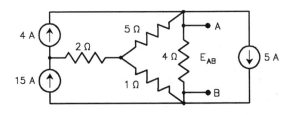

Figure 3.38 Circuit de l'exercice 3.10.

3.11 Soit le circuit ci-dessous (fig. 3.39).

a) Quelle serait la tension mesurée par un voltmètre dont la borne positive est reliée au point B et la borne négative, au point A?

b) Quel serait le courant mesuré par un ampèremètre dont la borne positive est reliée au point B et la borne négative, au point A?

c) Trouver le circuit de Thévenin par rapport aux bornes A et B.

d) Quel est le circuit de Norton pour les bornes A et B?

e) Pour quelle valeur de résistance R_c a-t-on un transfert maximal de puissance? Quelle est cette puissance?

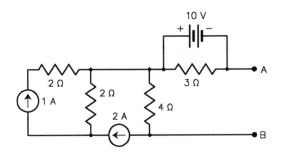

Figure 3.39 Circuit de l'exercice 3.11.

3.12 Soit le circuit ci-dessous (fig. 3.40).

a) On désire remplacer l'ensemble des composantes à droite des points A et B par leur équivalent de Thévenin. Quelle est la résistance de Thévenin? En utilisant le principe de superposition, déterminer la tension de Thévenin.

b) En régime permanent, quel est l'équivalent de Norton du circuit à gauche des points A et C?

c) En régime permanent, quelle est la puissance dissipée par la résistance de 48 Ω? (Ce calcul se fait sans résoudre le circuit!)

d) En régime permanent, quelle est l'énergie emmagasinée dans l'inductance?

e) En régime permanent, est-ce que la source de 8 V fournit ou absorbe de la puissance? Combien?

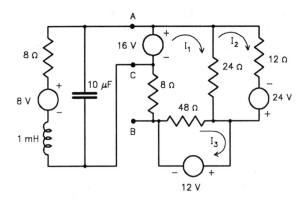

Figure 3.40 Circuit de l'exercice 3.12.

3.13 Soit le circuit ci-dessous (fig. 3.41).

a) En utilisant le théorème de superposition, calculer le courant dans la résistance de 10 Ω.

b) Calculer la puissance fournie par chaque source.

c) Calculer la puissance dissipée dans chaque résistance.

d) Calculer l'équivalent de Thévenin entre les bornes A et B.

e) Déterminer la valeur de la charge qu'on devrait brancher entre les points A et B pour que la puissance dissipée dans cette résistance soit maximale; calculer cette puissance.

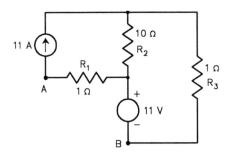

Figure 3.41 Circuit de l'exercice 3.13.

3.14 Le circuit de la figure 3.42 peut être simplifié en celui de la figure 3.43. Calculer le Thévenin et le Norton du circuit vus des bornes A et B. Tenir compte de la résistance de 32 Ω.

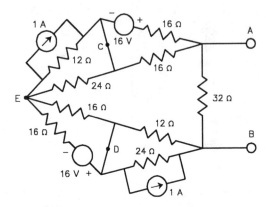

Figure 3.42 Circuit de l'exercice 3.14.

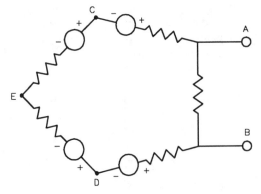

Figure 3.43 Circuit équivalent simplifié de la figure 3.42.

Chapitre 4

ANALYSE DES CIRCUITS

4.1 INTRODUCTION

Les théorèmes de Thévenin et de Norton s'avèrent utiles lorsqu'il s'agit d'analyser un élément ou un groupe d'éléments particuliers puisqu'ils permettent de synthétiser le reste du circuit sous forme d'une source de tension ou de courant et d'une résistance. Toutefois, dans les cas où il importe de connaître les courants et les tensions de tous les éléments d'un circuit, il devient laborieux de se servir de ces deux théorèmes. À partir des deux lois de Kirchhoff, nous développerons deux méthodes générales, soit la méthode des mailles et celle des nœuds, qui permettent de calculer tous les courants ou toutes les tensions d'un circuit en les exprimant sous forme d'un système d'équations linéaires.

4.2 MÉTHODE DES MAILLES

Au chapitre 3, nous avons défini la boucle comme un ensemble de branches d'un circuit formant un chemin fermé. Nous avons aussi vu que la maille est une boucle simple, c'est-à-dire une boucle qui ne contient pas d'autres boucles. L'application de la loi des boucles à chaque maille d'un circuit permet de caractériser chacune d'elles par un courant circulatoire particulier. L'ensemble de ces courants circulatoires forme un système d'inconnues. Grâce à la résolution de ce système de N équations à N courants circulatoires inconnus, on peut déterminer le courant à travers n'importe quel élément par simple superposition des courants circulatoires. L'exemple 4.1 illustre cette méthode.

Exemple 4.1   Introduction à la méthode des mailles

Évaluer les courants à travers chaque résistance du circuit ci-dessous (fig. 4.1).

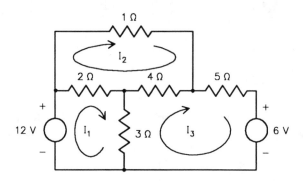

Figure 4.1 (ex. 4.1) Circuit comprenant deux sources et cinq résistances.

Solution:

Le circuit comprend trois mailles dans lesquelles circulent les courants I_1, I_2 et I_3. Pour simplifier l'écriture des équations, il est préférable de définir tous les courants dans le même sens, habituellement le sens horaire. L'application de la loi des boucles à ces trois mailles permet d'écrire un système de trois équations à trois inconnues:

$$(2\,\Omega)\,(I_1 - I_2) + (3\,\Omega)\,(I_1 - I_3) = 12 \text{ V}$$

$$(2\,\Omega)\,(I_2 - I_1) + (1\,\Omega)\,I_2 + (4\,\Omega)\,(I_2 - I_3) = 0 \text{ V}$$

$$(3\,\Omega)\,(I_3 - I_1) + (4\,\Omega)\,(I_3 - I_2) + (5\,\Omega)\,I_3 = -6 \text{ V}$$

Lorsqu'on résout ces trois équations, on obtient:

$$I_1 = 3,55 \text{ A}$$

$$I_2 = 1,52 \text{ A}$$

$$I_3 = 0,90 \text{ A}$$

On peut trouver les courants véritables dans chaque résistance à l'aide du théorème de superposition. Ainsi, le courant dans la résistance de 1 Ω est le courant I_2 lui-même, tandis que les courants dans les résistances de 3 Ω et de 4 Ω sont respectivement $(I_1 - I_3)$ et $(I_2 - I_3)$, soit 2,65 A et 0,62 A, et ainsi de suite. Une fois qu'on connaît la valeur de tous les courants, on peut déterminer les différentes tensions.

Pour pouvoir utiliser la méthode des mailles, le circuit doit être planaire. Si le circuit est non planaire, les équations décrivant les courants circulatoires ne sont pas indépendantes. Un circuit est dit *planaire* s'il peut être dessiné dans un plan sans que des branches indépendantes ne s'entrecoupent. Ainsi, on ne peut pas résoudre le circuit de la figure 4.2 par la méthode des mailles. Par contre, même s'il apparaît non planaire à première vue, le circuit de la figure 4.3 peut être redessiné sous forme planaire (fig. 4.4) et résolu par la méthode des mailles.

L'exemple 4.2 illustre l'application de la méthode des mailles à un circuit planaire d'apparence non planaire.

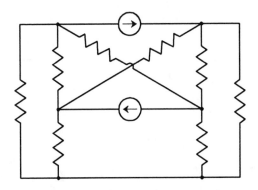

Figure 4.2 Circuit non planaire.

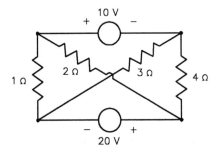

Figure 4.3 Circuit planaire
mais d'apparence non planaire.

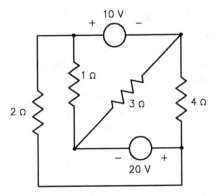

Figure 4.4 Circuit de la figure 4.3
redessiné sous forme planaire.

Exemple 4.2 Circuit planaire

Déterminer les courants dans le circuit de la figure 4.3.

Solution:

Si on utilise la méthode des mailles et qu'on pose des courants circulatoires dans le sens horaire (fig. 4.5), on obtient le système d'équations suivant:

$$(1\,\Omega)(I_1 - I_3) + (3\,\Omega)(I_1 - I_2) = -10 \text{ V}$$
$$(4\,\Omega)I_2 + (3\,\Omega)(I_2 - I_1) = -20$$
$$(2\,\Omega)I_3 + (1\,\Omega)(I_3 - I_1) = 20 \text{ V}$$

Lorsqu'on solutionne ces trois équations, on trouve:

$$I_1 = -5 \text{ A}$$
$$I_2 = -5 \text{ A}$$
$$I_3 = +5 \text{ A}$$

La valeur négative de courant signifie que le sens du courant est opposé au sens choisi. Ainsi, les courants I_1 et I_2 circulent dans le sens antihoraire alors que I_3 circule effectivement dans le sens horaire.

Si on tient compte des signes et des orientations, on obtient les courants véritables dans chaque élément (fig. 4.6).

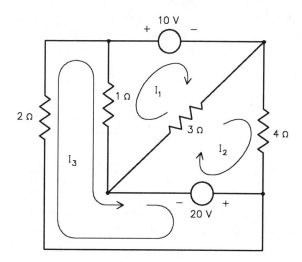

Figure 4.5 (ex. 4.2) Courants arbitraires de maille.

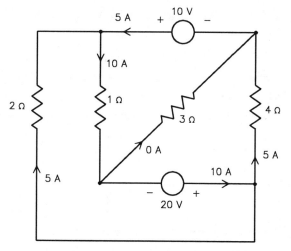

Figure 4.6 (ex. 4.2) Courants véritables dans chacun des éléments.

Chaque fois qu'on applique la loi des boucles aux mailles d'un circuit, on doit tenir compte des tensions aux bornes de chaque élément. La tension aux bornes d'une source de courant réelle peut prendre n'importe quelle valeur. Pour cette raison, lorsqu'on utilise la méthode des mailles, il faut convertir toutes les sources de courant réelles en sources de tension réelles. Rappelons qu'on représente toujours une source de courant réelle par une source de courant idéale et une résistance shunt en parallèle, tandis qu'on représente une source de tension réelle par une source de tension idéale et une résistance en série. Nous avons vu au chapitre 3 que les transformations entre source de courant et source de tension réelles se font suivant les relations:

$$R_s = R_{sh}$$

et

$$E = R_{sh} \cdot I$$

L'exemple 4.3 illustre l'application de la méthode des mailles à un circuit comprenant des sources de tension et des sources de courant.

Exemple 4.3   Application de la méthode des mailles

Résoudre le circuit ci-dessous (fig. 4.7) à l'aide de la méthode des mailles.

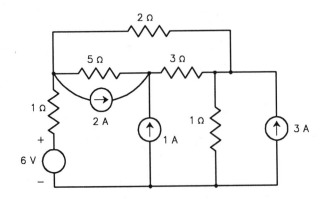

Figure 4.7 (ex. 4.3) Circuit comprenant des sources de tension et des sources de courant.

Solution:

Avant d'appliquer la méthode des mailles à ce circuit, on doit convertir en sources de tension toutes les sources de courant qu'il est possible de convertir. On peut alors définir les trois courants circulatoires (fig. 4.8).

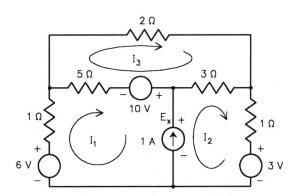

Figure 4.8 (ex. 4.3) Sources de tension et courants de maille correspondant au circuit de la figure 4.7.

On ne peut convertir la source de courant de 1 A puisqu'elle ne possède aucune résistance shunt. On désigne par E_x la tension aux bornes de cette source de courant.

Selon la loi des boucles, on peut poser:

$$(1\,\Omega)\,I_1 + (5\,\Omega)\,(I_1 - I_3) + E_x = 6\,V + 10\,V$$

$$(1\,\Omega)\,I_2 + (3\,\Omega)\,(I_2 - I_3) - E_x = -3\,V$$

$$(2\,\Omega)\,I_3 + (5\,\Omega)\,(I_3 - I_1) + (3\,\Omega)\,(I_3 - I_2) = -10\,V$$

Si on met E_x en évidence dans la première équation et si on le remplace dans la deuxième équation par la relation ainsi obtenue, la deuxième et la troisième équations deviennent respectivement:

$$6\,I_1 + 4\,I_2 - 8\,I_3 = 13$$

$$-5\,I_1 - 3\,I_2 + 10\,I_3 = -10$$

Dans la branche centrale de la figure 4.8, on peut poser:

$$I_2 = I_1 + 1\,A$$

Si on substitue cette valeur à I_2 dans les deux équations précédentes, ces dernières deviennent:

$$10 \, I_1 - 8 \, I_3 = 9 \text{ V}$$

$$-8 \, I_1 + 10 \, I_3 = -7 \text{ V}$$

Il en résulte que:

$$I_1 = 0{,}944 \text{ A}$$

$$I_2 = 1{,}944 \text{ A}$$

$$I_3 = 0{,}056 \text{ A}$$

4.2.1 Équations de mailles exprimées sous forme matricielle

Les équations de mailles peuvent s'exprimer directement, par inspection, sous forme matricielle. L'équation matricielle a la forme générale suivante, laquelle caractérise entièrement un circuit à N mailles et à N courants circulatoires.

$$
\begin{bmatrix}
+R_{11} & -R_{12} & - \cdots\cdots & -R_{1N} \\
-R_{21} & +R_{22} & - \cdots\cdots & -R_{2N} \\
\vdots & \vdots & \vdots & \vdots \\
-R_{N1} & -R_{N2} & - \cdots\cdots & +R_{NN}
\end{bmatrix}
\begin{bmatrix}
I_1 \\
I_2 \\
\vdots \\
I_N
\end{bmatrix}
=
\begin{bmatrix}
E_{11} \\
E_{22} \\
\vdots \\
E_{NN}
\end{bmatrix}
$$

où:

R_{ii} = somme des résistances de la maille i

R_{ij} = somme des résistances communes aux mailles i et j ($R_{ij} = R_{ji}$)

E_{ii} = somme algébrique des sources de tension de la maille i (La valeur d'une source de tension est positive si elle produit un courant dans le sens du courant circulatoire et négative autrement.)

Il est intéressant de noter que si les courants circulatoires sont tous tracés dans le même sens (horaire ou antihoraire), la matrice des résistances a une diagonale composée de valeurs positives tandis que les autres valeurs, situées de part et d'autre de la diagonale, sont négatives.

La forme matricielle fournit un moyen rapide de calculer les courants circulatoires. Ainsi, les équations de l'exemple 4.2 peuvent s'écrire:

$$
\begin{bmatrix} 4 & -3 & -1 \\ -3 & 7 & 0 \\ -1 & 0 & 3 \end{bmatrix}
\begin{bmatrix} I_1 \\ I_2 \\ I_3 \end{bmatrix} =
\begin{bmatrix} -10 \\ -20 \\ 20 \end{bmatrix}
$$

4.2.2 Étapes à suivre lors de l'application de la méthode des mailles

1. S'assurer que le circuit est planaire.

2. Transformer toutes les sources de courant ayant une résistance R_{sh} en parallèle en sources de tension ayant une résistance R_s en série. Dans le cas d'une source de courant idéale qui ne peut être convertie, désigner la tension aux bornes de celle-ci comme étant une tension inconnue E_x.

3. Définir un courant circulatoire dans chaque maille suivant le sens horaire.

4. Appliquer la loi des boucles à chaque maille. Un circuit de N mailles est entièrement caractérisé par un système de N équations à N courants circulatoires inconnus ou par une équation matricielle dont la matrice des résistances est de dimensions N x N.

5. Déduire les courants de branches par superposition des courants circulatoires.

6. À partir des courants de branches, calculer les tensions de nœuds.

Exemple 4.4   Méthode des mailles sous forme matricielle

Soit le circuit de la figure 4.9. Calculer par la méthode des mailles la valeur des courants I_a, I_b, ..., I_f dans chacune des résistances du circuit.

Solution:

On transforme d'abord les sources de courant en sources de tension.

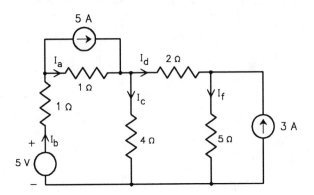

Figure 4.9 (ex. 4.4) Circuit à trois sources.

On obtient (fig. 4.10):

$$\begin{bmatrix} 6\,\Omega, & -4\,\Omega \\ -4\,\Omega, & 11\,\Omega \end{bmatrix} \begin{bmatrix} I_1 \\ I_2 \end{bmatrix} = \begin{bmatrix} 10\,V \\ -15\,V \end{bmatrix}$$

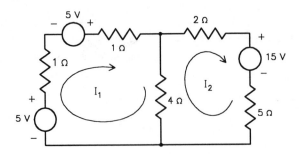

Figure 4.10 (ex. 4.4) Circuit avec sources de tension.

La résolution de ce système donne:

$I_1 = 1\ A$

$I_2 = -1\ A$

On peut en déduire que:

$$I_b = I_1 = 1 \text{ A}$$

$$I_a = -5 \text{ A} + I_b = -5 + 1 = -4 \text{ A}$$

$$I_c = I_1 - I_2 = 1 - (-1) = 2 \text{ A}$$

$$I_d = I_2 = -1 \text{ A}$$

$$I_f = I_d + 3 \text{ A} = 2 \text{ A}$$

4.3 MÉTHODE DES NŒUDS

La méthode des nœuds est à la loi des nœuds ce que la méthode des mailles est à la loi des boucles. En appliquant la loi de Kirchhoff relative aux courants à chaque nœud principal d'un circuit, on peut déterminer les courants et les tensions de tous les éléments du circuit. Rappelons qu'un nœud principal est un point de connexion où se raccordent au moins trois éléments. Ainsi, après avoir repéré les N nœuds principaux d'un circuit, on assigne à chacun d'eux une tension E_1, E_2 jusqu'à E_{N-1} en prenant soin de désigner l'un d'entre eux comme nœud de référence. Habituellement, on choisit comme nœud de référence le nœud relié à la masse. Par définition, le potentiel de ce nœud est nul.

L'application de la loi des nœuds aux $(N-1)$ tensions inconnues assignées aux $(N-1)$ nœuds principaux résulte en un système de $(N-1)$ équations à $(N-1)$ inconnues caractérisant le circuit entier. Il est nécessaire de transformer toutes les sources réelles de tension en sources réelles de courant. De plus, la valeur des éléments résistifs doit s'exprimer en siemens plutôt qu'en ohms.

L'exemple 4.5 illustre la méthode des nœuds.

Exemple 4.5   Méthode des nœuds

Soit le circuit ci-dessous (fig. 4.11). Évaluer la tension aux bornes de chacun des éléments du circuit en utilisant la méthode des nœuds.

Ce circuit comporte trois nœuds principaux. On désigne le nœud relié à la masse comme nœud de référence. Les tensions des deux autres nœuds principaux deviennent E_1 et E_2. Il faut convertir toutes les sources réelles de tension en sources réelles de courant (fig. 4.12) et remplacer les résistances par leur conductance équivalente.

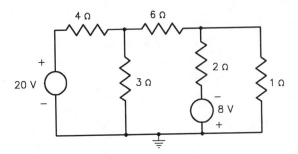

Figure 4.11 (ex. 4.5) Circuit de l'exemple 4.5.

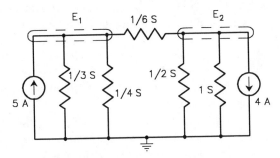

Figure 4.12 (ex. 4.5) Sources de courant et tensions de nœud
correspondant au circuit de la figure 4.11.

Le circuit ainsi obtenu comporte deux nœuds principaux et deux
tensions inconnues, d'où un système de deux équations à deux inconnues:

$$E_1 (1/3 \ S + 1/4 \ S) + (E_1 - E_2)(1/6 \ S) = 5 \ A$$

$$E_2 (1 \ S + 1/2 \ S) + (E_2 - E_1)(1/6 \ S) = -4 \ A$$

Lorsqu'on résout ce système, on obtient les tensions à chacun des
deux nœuds:

$$E_1 = 6,3 \ V$$

$$E_2 = -1,77 \ V$$

On détermine par la suite les courants à travers chaque élément
(fig. 4.13).

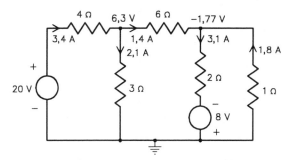

Figure 4.13 (ex. 4.5) Courant à travers les divers éléments.

4.3.1 Équations de nœuds exprimées sous forme matricielle

Les équations de nœuds peuvent s'exprimer directement, par inspection, sous forme matricielle. L'équation matricielle comprend une matrice des conductances de dimensions $(N - 1) \times (N - 1)$ et caractérise un circuit entier de N nœuds principaux et de $(N - 1)$ tensions inconnues. Cette équation se présente sous la forme suivante:

$$
\begin{bmatrix}
+G_{11} & -G_{12} & - & \cdots & -G_{1N} \\
-G_{12} & +G_{22} & - & \cdots & -G_{2N} \\
\vdots & \vdots & \vdots & \vdots & \vdots \\
-G_{N1} & -G_{N2} & - & \cdots & +G_{NN}
\end{bmatrix}
\begin{bmatrix}
E_1 \\
E_2 \\
\vdots \\
E_N
\end{bmatrix}
=
\begin{bmatrix}
I_{11} \\
I_{22} \\
\vdots \\
I_{NN}
\end{bmatrix}
$$

où:
G_{ii} = somme des conductances reliées au nœud i
G_{ij} = somme des conductances communes aux nœuds i et j $(G_{ij} = G_{ji})$
I_{ii} = somme algébrique des sources de courant reliées au nœud i (La valeur de la source de courant est positive si le courant circule de la source vers le nœud; elle est négative autrement.)

La méthode des nœuds est un outil plus puissant que la méthode des mailles, car elle permet également de résoudre des circuits non planaires. Reprenons le circuit non planaire de la figure 4.2, auquel la méthode des mailles ne s'appliquait pas. Ce même circuit (fig. 4.14) peut par contre être traité par la méthode des nœuds. L'équation matricielle qui le caractérise s'obtient facilement:

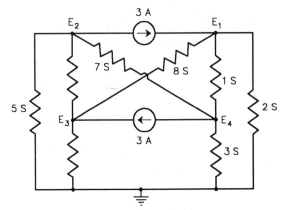

Figure 4.14 Circuit non planaire.

$$\begin{bmatrix} 11\,S, & 0, & -8\,S, & -1\,S \\ 0, & 18\,S, & -6\,S, & -7\,S \\ -8\,S, & -6\,S, & 18\,S, & 0 \\ -1\,S, & -7\,S, & 0, & 11\,S \end{bmatrix} \begin{bmatrix} E_1 \\ E_2 \\ E_3 \\ E_4 \end{bmatrix} = \begin{bmatrix} +3\,A \\ -3\,A \\ +3\,A \\ -3\,A \end{bmatrix}$$

4.3.2 Étapes à suivre lors de l'application de la méthode des nœuds

1. Transformer toutes les sources de tension ayant une résistance en série R_s en sources de courant ayant une résistance R_{sh} en parallèle égale à R_s. Dans le cas d'une source de tension idéale qui ne peut être convertie, désigner le courant parcourant celle-ci par I_x.

2. Désigner un nœud de référence et définir la tension à chaque nœud principal par rapport à cette référence.

3. Appliquer la loi des nœuds à chaque nœud principal. Un circuit de N nœuds est entièrement caractérisé par un système de (N – 1) équations à (N – 1) tensions inconnues ou par une équation matricielle dont la matrice des conductances est de dimensions (N – 1) x (N – 1).

4. Déduire les tensions aux bornes d'un élément quelconque en soustrayant les tensions des deux nœuds principaux auxquels l'élément est raccordé.

Exemple 4.6 Solution comparative

Soit le circuit ci-dessous (fig. 4.15). Résoudre le circuit en posant par inspection les équations matricielles correspondant:
  a) à la méthode des nœuds;
  b) à la méthode des mailles.

S'assurer que les deux méthodes donnent les mêmes résultats en calculant le courant dans chacune des résistances.

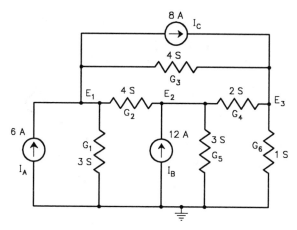

Figure 4.15 (ex. 4.6) Circuit de l'exemple 4.6.

Solution:

a) Méthode des nœuds:

$$
\begin{bmatrix}
G_1 + G_2 + G_3 & -G_2 & -G_3 \\
-G_2 & G_2 + G_4 + G_5 & -G_4 \\
-G_3 & -G_4 & G_3 + G_4 + G_6
\end{bmatrix}
\begin{bmatrix}
E_1 \\
E_2 \\
E_3
\end{bmatrix}
=
\begin{bmatrix}
I_A - I_C \\
I_B \\
I_C
\end{bmatrix}
$$

$$
\begin{bmatrix}
11, & -4, & -4 \\
-4, & 9, & -2 \\
-4, & -2, & 7
\end{bmatrix}
\begin{bmatrix}
E_1 \\
E_2 \\
E_3
\end{bmatrix}
=
\begin{bmatrix}
-2 \\
+12 \\
+8
\end{bmatrix}
$$

Sous forme matricielle abrégée, cette équation peut s'écrire:

$$\left[\; G \; \right] \left[\; E \; \right] = \left[\; I \; \right]$$

Donc:

$$\left[\; E \; \right] = \left[\; G^{-1} \; \right] \left[\; I \; \right]$$

où

$$\left[\; G^{-1} \; \right] = \begin{bmatrix} 0,179 & 0,109 & 0,134 \\ 0,109 & 0,185 & 0,116 \\ 0,134 & 0,116 & 0,252 \end{bmatrix}$$

Il s'ensuit que:

$$E_1 = 2,02 \; V$$
$$E_2 = 2,93 \; V$$
$$E_3 = 3,14 \; V$$

b) Méthode des mailles:

Toutes les sources de courant doivent devenir des sources de tension.

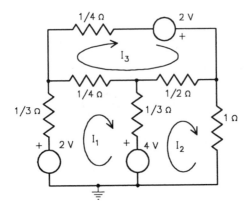

Figure 4.16 (ex. 4.6) Circuit modifié.

D'après la loi d'Ohm:

$$\left[R \right] \left[I \right] = \left[E \right]$$

on peut écrire que:

$$\begin{bmatrix} 11/12, & -1/3, & -1/4 \\ -1/3, & 11/6, & -1/2 \\ -1/4, & -1/2, & 1 \end{bmatrix} \begin{bmatrix} I_1 \\ I_2 \\ I_3 \end{bmatrix} = \begin{bmatrix} -2 \\ +4 \\ +2 \end{bmatrix}$$

Si on résout comme précédemment:

$$\left[R^{-1} \right] = \begin{bmatrix} 1,39 & 0,401 & 0,547 \\ 0,401 & 0,748 & 0,474 \\ 0,547 & 0,474 & 1,39 \end{bmatrix}$$

et après multiplication, on obtient:

$$I_1 = -0,073 \text{ A}$$
$$I_2 = 3,14 \text{ A}$$
$$I_3 = 3,55 \text{ A}$$

Il ne reste plus qu'à vérifier si les deux méthodes conduisent aux mêmes résultats, en calculant les courants qui circulent dans les résistances R_2, R_4 et R_6.

$$I_{R_2} = (E_1 - E_2) / R_2 = I_1 - I_3$$
$$= -0,91 / 0,25 = -3,64 \text{ A}$$

Le courant réel circule du nœud 2 vers le nœud 1.

$$I_{R_4} = (E_2 - E_3) / R_4 = I_2 - I_3$$
$$= -0,042 \text{ A}$$

Le courant réel circule du nœud 3 vers le nœud 2.

$$I_{R_6} = E_3 / R_6 = I_2 = 3,14 \text{ A}$$

De façon similaire, on peut vérifier les deux solutions pour les trois autres résistances en prenant d'abord soin de reconvertir les trois sources de tension en sources de courant.

EXERCICES

4.1 Montrer que le circuit étudié à l'exemple 4.1 peut être résolu par la méthode des nœuds. Vérifier si la réponse est la même que celle déjà obtenue par la méthode des mailles.

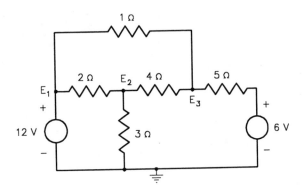

Figure 4.17 Circuit de l'exercice 4.1.

4.2 Dans le circuit ci-dessous (fig. 4.18), déterminer, par la méthode des mailles, le courant qui traverse la résistance de 4 Ω.

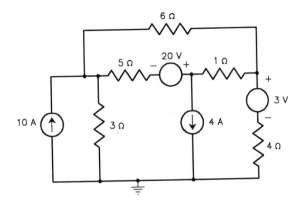

Figure 4.18 Circuit de l'exercice 4.2.

4.3 Pour le circuit de la figure 4.19, écrire par inspection la solution matricielle:

    a) par la méthode des mailles

    b) par la méthode des nœuds

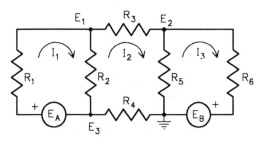

Figure 4.19 Circuit de l'exercice 4.3.

4.4 Soit le circuit de la figure 4.20.

a) Le circuit est-il planaire?

b) *Par inspection*, établir le système matriciel qui permettrait de résoudre ce circuit par la méthode des nœuds.

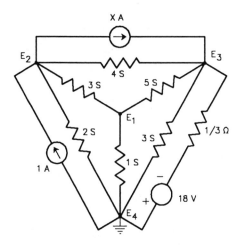

Figure 4.20 Circuit de l'exercice 4.4.

4.5 Le circuit de la figure 4.21 peut se diviser en deux sections de part et d'autre des points A et B.

a) Calculer l'équivalent de Norton de la section de gauche.

b) Par superposition, calculer l'équivalent de Thévenin de la section de droite. Vérifier si les valeurs calculées et celles de la figure 4.22 sont bien les mêmes.

c) Trouver la valeur du courant I_5 et celle de la tension E_{AB} lorsque les deux sections sont jointes.

d) En revenant au circuit initial, déterminer les quatre autres courants de maille ainsi que la puissance dissipée dans chacune des résistances. Évaluer la puissance fournie ou absorbée par chacune des sources et s'assurer que le théorème de la conservation de l'énergie se vérifie.

e) Dans le circuit de la figure 4.21, remplacer la source de courant et sa résistance shunt par leur équivalent de Thévenin et poser les équations matricielles qui permettent de résoudre le circuit par la méthode des mailles. Sans inverser la matrice des impédances, montrer que les valeurs obtenues précédemment sont justes.

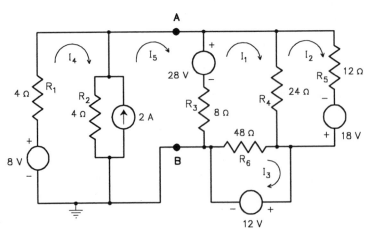

Figure 4.21 Circuit de l'exercice 4.5.

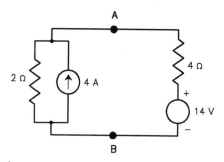

Figure 4.22 Équivalent de Norton-Thévenin du circuit de la figure 4.21.

4.6 Soit le circuit de la figure 4.23.

a) Établir les matrices.
b) Calculer la matrice inverse.
c) Calculer les courants I_1 à I_5.
d) Vérifier si la somme des puissances individuelles dans les résistances est égale à la somme des puissances fournies par les sources.

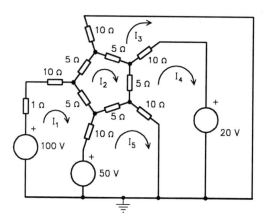

Figure 4.23 Circuit de l'exercice 4.6.

4.7 Calculer les tensions E_1 à E_5 dans le circuit suivant (fig. 4.24).

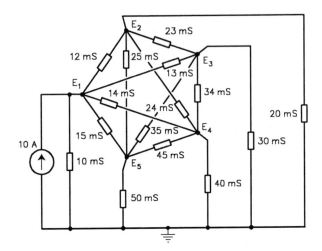

Figure 4.24 Circuit de l'exercice 4.7.

Chapitre 5

FONCTIONS PÉRIODIQUES

5.1 INTRODUCTION

Une *fonction périodique* est une fonction qui vérifie la relation
$f(t) = f(t + nT)$, où n est un nombre entier quelconque et T, la période
mesurée en unités de temps. Les figures 5.1 et 5.2 présentent deux
types de fonctions périodiques.

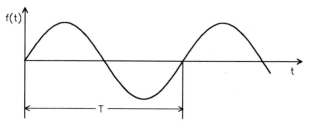

Figure 5.1 Fonction périodique de forme sinusoïdale.

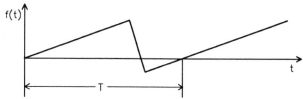

Figure 5.2 Fonction périodique de forme triangulaire.

5.2 VALEUR CRÊTE ET AMPLITUDE

La *valeur crête* d'une onde périodique f(t) correspond à la valeur maximale, positive ou négative, atteinte durant une période.

La valeur *crête à crête* correspond à l'écart maximal d'amplitude atteint durant une période.

Habituellement, on réserve le terme *amplitude* à la définition, en régime permanent, de la valeur crête d'une onde périodique.

5.3 VALEUR MOYENNE D'UNE FONCTION PÉRIODIQUE

La *valeur moyenne* d'une fonction périodique f(t) est définie par la relation suivante:

$$F_{moy} = \frac{1}{T} \int_{t}^{t+T} f(t) \, dt$$

5.4 VALEUR EFFICACE D'UNE FONCTION PÉRIODIQUE

Lorsque la tension est sinusoïdale, la *puissance moyenne* dissipée dans une résistance est égale à l'intégrale, sur une période, du produit du courant instantané et de la tension instantanée.

Pour une tension:

$$e(t) = E_{max} \cos(\omega t)$$

où

$$\omega = 2 \pi f$$
$$f = \text{fréquence en hertz}$$

le courant est:

$$i(t) = \frac{e(t)}{R} = \frac{E_{max}}{R} \cos(\omega t)$$

et la puissance moyenne dissipée est donnée par l'expression:

$$P = \frac{1}{T} \int_{0}^{T} e(t) \, i(t) \, dt = \frac{1}{T} \frac{E_{max}^2}{R} \int_{0}^{T} \cos^2(\omega t) \, dt = \frac{E_{max}^2}{2R}$$

Si on définit ainsi la *valeur efficace* F d'une fonction f(t):

$$F = \sqrt{\frac{1}{T} \int_t^{t+T} f(t)^2 \, dt}$$

la valeur efficace de e(t), notée E, est:

$$E = \sqrt{\frac{1}{T} \int_t^{t+T} E_{max}^2 \cos^2(\omega t) \, dt} = \frac{E_{max}}{\sqrt{2}}$$

et la puissance dissipée dans la résistance devient:

$$P = \frac{E^2}{R} = E \, I = R \, I^2$$

où I correspond à la valeur efficace du courant i(t).

Ces expressions sont les mêmes en courant alternatif qu'en courant continu, car la valeur efficace, en anglais «*rms*» (*Root Mean Square*), a été définie de façon à obtenir les mêmes relations en régime continu et en régime alternatif, peu importe la forme de la tension.

5.5 VALEUR MOYENNE REDRESSÉE D'UNE FONCTION PÉRIODIQUE

On détermine la *valeur moyenne redressée* d'une fonction périodique en considérant la valeur absolue de la fonction. Elle se définit par la relation suivante:

$$F_{mr} = \frac{1}{T} \int_t^{t+T} |f(t)| \, dt$$

5.6 FACTEUR DE FORME

Le *facteur de forme* se définit comme le rapport entre la valeur efficace et la valeur moyenne redressée.

$$\text{Facteur de forme} = \frac{F_{eff}}{F_{mr}} = \frac{\sqrt{\dfrac{1}{T} \int_t^{t+T} (f(t))^2 \, dt}}{\dfrac{1}{T} \int_t^{t+T} |f(t)| \, dt}$$

Ce facteur est très utile dans la conception des voltmètres.

Tableau 5.1 Formes d'onde, valeurs de E_{eff}, E_{moy}, E_{mr}
et facteur de forme correspondants

Formes d'onde	E_{eff}	E_{moy}	E_{mr}	E crête à crête	Facteur de forme
	A	A	A	0	1
	A	0	A	2 A	1
	$\dfrac{A}{\sqrt{2}}$	$\dfrac{A}{2}$	$\dfrac{A}{2}$	A	$\sqrt{2}$
	$\dfrac{A}{\sqrt{2}}$	0	$\dfrac{2A}{\pi}$	2 A	$\dfrac{\pi}{2\sqrt{2}}$
	$\dfrac{A}{2}$	$\dfrac{A}{\pi}$	$\dfrac{A}{\pi}$	A	$\dfrac{\pi}{2}$

5.7 HARMONIQUES

En général, les tensions des réseaux électriques sont à toutes fins utiles sinusoïdales. Par contre, les ondes de courant sont parfois loin de la forme sinusoïdale. Ce phénomène se produit entre autres dans les courants à vide des transformateurs et les courants appelés par les blocs d'alimentation des appareils électroniques.

Les séries de Fourier permettent un traitement mathématique simple des signaux déformés en décomposant ces derniers en une suite infinie de composantes sinusoïdales dont la fréquence est égale à n fois la fréquence du signal. On appelle *composant fondamental* ou simplement *fondamental* le terme à la fréquence du signal, tandis qu'on nomme *harmoniques* les termes à des fréquences plus élevées. En plus de ces termes sinusoïdaux, il peut exister un terme constant appelé *valeur moyenne* ou *valeur continue* du signal.

De façon générale, on peut écrire:

$$f(t) = A_o + \sum_{n=1}^{\infty} a_n \cos(n\omega t) + b_n \sin(n\omega t)$$

où

$$A_o = \frac{1}{T} \int_{t_o}^{t_o+T} f(t)\, dt$$

$$a_n = \frac{2}{T} \int_{t_o}^{t_o+T} f(t) \cos(n\omega t)\, dt$$

$$b_n = \frac{2}{T} \int_{t_o}^{t_o+T} f(t) \sin(n\omega t)\, dt$$

On peut aussi écrire la série sous la forme:

$$f(t) = A_o + \sum_{n=1}^{\infty} c_n \cos(n\omega t - \theta_n)$$

où

$$c_n = \sqrt{a_n^2 + b_n^2}$$

Dans le cas des courants et des tensions rencontrés dans les réseaux électriques alternatifs, la composante moyenne A_o est habituellement nulle. De plus, en raison de la symétrie des formes d'onde, seuls les termes impairs sont normalement présents.

Le courant fondamental circule de la source vers la charge tandis que les harmoniques sont générés par les charges non linéaires et circulent de ces charges vers les sources et vers les autres charges. Les harmoniques de courant sont à l'origine de plusieurs phénomènes indésirables: pertes additionnelles dans les lignes et les câbles, surchauffe des transformateurs et des moteurs, courant de neutre excessif, couples parasites à l'arbre des moteurs, destruction de condensateurs, perturbations dans les réseaux téléphoniques, etc. Dans les pires cas, il faut prévoir l'installation de filtres pour réduire les effets néfastes des harmoniques.

La figure 5.3 reproduit le courant à vide d'un transformateur. La figure 5.4 montre la décomposition du courant déformé de la figure 5.3 en ses composants. On peut voir que la valeur efficace de la composante fondamentale atteint 613 mA et les trois harmoniques les plus importants, le troisième, le cinquième et le septième, ont des valeurs efficaces respectives de 225 mA, 70 mA et 17 mA.

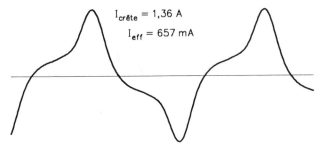

Figure 5.3 Courant de magnétisation d'un transformateur.

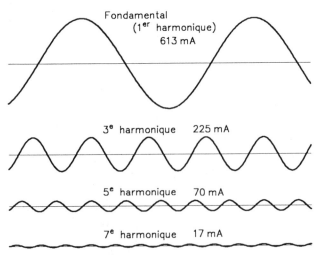

Figure 5.4 Décomposition du courant de la figure 5.3 en ses principaux harmoniques.

Certaines définitions sont utiles lors du traitement des signaux déformés. Plus précisément pour les courants, on peut écrire:

Valeur efficace:

$$I_{eff} = \sqrt{I_0^2 + I_1^2 + I_2^2 + \ldots + I_n^2}$$

où I_1 à I_n représentent les valeurs efficaces des harmoniques des rangs 1 à n.

Coefficient de distorsion:

$$d_f = \frac{\sqrt{I_{eff}^2 - I_1^2}}{I_1}$$

Facteur de crête:

$$F_c = \frac{I_{crête}}{I_{eff}}$$

Facteur de distorsion:

$$F_d = \frac{I_1}{I_{eff}}$$

Ces définitions s'appliquent tout aussi bien aux tensions qu'aux courants. Il suffit de remplacer I par E.

Exemple 5.1   Distorsion

À partir du courant dessiné à la figure 5.3, calculer la valeur efficace du courant, le coefficient de distorsion, le facteur de crête ainsi que le facteur de distorsion.

Solution:

$$I_{eff} = \sqrt{613^2 + 225^2 + 70^2 + 17^2} = 657 \text{ mA}$$

$$d_f = \frac{\sqrt{657^2 - 613^2}}{613} \bullet 100 = 39 \text{ \%}$$

$$F_c = 1,36 / 0,66 = 2,1$$

On tire la valeur crête du graphique de la figure 5.3.

$$F_d = 613 / 657 = 0,93$$

EXERCICES

5.1 Pour chaque courbe, calculer les valeurs moyennes des tensions e(t) (fig. 5.5).

a)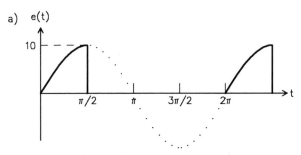

b)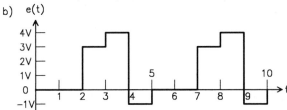

c)

d)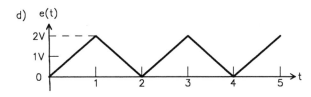

Figure 5.5 Courbes de l'exercice 5.1.

5.2 Calculer la valeur efficace de la tension e(t) suivante:

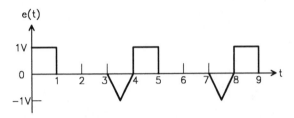

Figure 5.6 Courbe de l'exercice 5.2.

5.3 Calculer la valeur efficace du courant i(t) suivant:

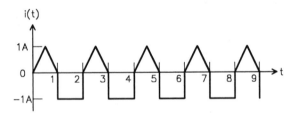

Figure 5.7 Courbe de l'exercice 5.3.

5.4 Supposer que le courant illustré à la figure 5.7 circule dans une résistance de 3 Ω. Démontrer que la puissance dissipée est égale à 2 W.

5.5 La tension disponible dans les prises de courant est sinusoïdale, avec une valeur efficace de 120 V et une fréquence de 60 Hz.

Dessiner à l'échelle l'allure de cette tension en indiquant sa valeur crête et sa période.

5.6 Soit les formes d'onde suivantes (fig. 5.8). Démontrer que la valeur efficace est:

$$A_{eff} = A\sqrt{\frac{\tau}{T}}$$

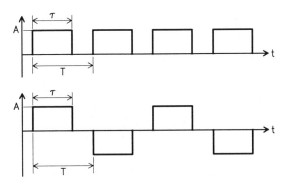

Figure 5.8 Formes d'onde de l'exercice 5.6.

5.7 On a mesuré le courant suivant:

$$i(t) = 43\cos(377t - 90°) + 6,3\cos(1885t - 90°)$$
$$+ 3,1\cos(2639t - 90°) + 0,6\cos(6409t - 270°)$$

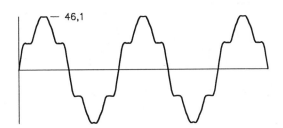

Figure 5.9 Forme de l'onde du courant de l'exercice 5.7.

a) Quelle est la fréquence fondamentale de ce courant?

b) Quelle est la valeur efficace du courant fondamental et du courant total?

c) Vérifier si la forme de l'onde correspond bien à celle de la figure 5.9.

d) Déterminer le facteur de crête, le coefficient de distorsion et le facteur de distorsion.

5.8 Un bloc d'alimentation d'ordinateur personnel fournit habituellement 140 W à l'ordinateur. Ce type d'alimentation appelle un courant
très déformé (fig. 5.10). La valeur efficace de ce courant est d'environ
2,5 A et son facteur de crête atteint 3,0. Le tableau 5.2 donne
l'amplitude relative des plus importants harmoniques.

Tableau 5.2 Importance des harmoniques
dans le courant fourni à un bloc d'alimentation

Harmonique	%
1	100
3	81
5	61
7	37
9	16
11	2
13	6
15	7

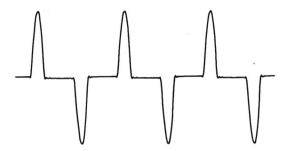

Figure 5.10 Forme de l'onde du courant appelé
par le bloc d'alimentation d'un ordinateur.

a) Calculer la valeur efficace et la valeur crête du courant fondamental.

b) Quelle est la valeur crête du courant?

c) Quel est le facteur de distorsion et le coefficient de distorsion?

d) Quelle est la fréquence du onzième harmonique?

e) Comment l'ordinateur utilise-t-il les 140 W qu'il reçoit du bloc
d'alimentation?

f) Combien d'ordinateurs peut-on installer sur la même prise de courant
sachant que, conformément au code d'électricité, le courant, en valeur
efficace, ne doit pas dépasser 12 A?

Chapitre 6

RÉGIME PERMANENT

6.1 INTRODUCTION

Lors de la mise sous tension d'un circuit électrique composé de résistances, de condensateurs et d'inductances, il s'écoule un laps de temps durant lequel les tensions et les courants évoluent vers leur valeur finale. À la fin de cette période, appelée *régime transitoire*, les tensions et les courants se stabilisent; ils conservent indéfiniment les valeurs atteintes. On appelle cet état stable *régime permanent*.

Le présent chapitre traite des circuits en régime permanent, c'est-à-dire longtemps après la période transitoire. Nous nous limiterons aux circuits alimentés par des sources sinusoïdales, et ce pour deux raisons: premièrement, l'énergie électrique que nous consommons est distribuée sous forme de tension alternative sinusoïdale à 50 ou 60 Hz; deuxièmement, tout signal périodique de forme quelconque peut se décomposer en une série de sinusoïdes dont les fréquences sont des multiples entiers de la fréquence fondamentale. L'étude du régime sinusoïdal est donc essentielle à une bonne compréhension des circuits électriques.

6.2 COMPORTEMENT DES ÉLÉMENTS PASSIFS EN RÉGIME SINUSOÏDAL

Cette section traite du comportement des éléments de circuits, résistance, inductance et condensateur, soumis à une excitation sinusoïdale définie par la relation:

$$e_s(t) = E_{max} \cos(\omega t + \theta)$$

6.2.1 Résistance

Pour une résistance:

$$e_s(t) = R\ i_R(t)$$

d'où

$$i_R(t) = \frac{E_{max}}{R}\ \cos(\omega t + \theta)$$

La figure 6.1 présente un tel courant.

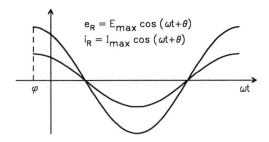

$$e_R = E_{max}\ \cos(\omega t + \theta)$$
$$i_R = I_{max}\ \cos(\omega t + \theta)$$

Figure 6.1 Relation entre l'onde de tension
et l'onde de courant pour une résistance.

Le courant a la même forme que la tension et est en phase avec celle-ci. L'opposition que fait la résistance au passage du courant, c'est-à-dire le rapport entre la tension instantanée et le courant instantané, correspond à la valeur de la résistance.

6.2.2 Inductance

Dans le cas d'une inductance:

$$e_s(t) = L\ \frac{di_L(t)}{dt}$$

En régime permanent:

$$i_L(t) = \frac{E_{max}}{\omega L}\ \sin(\omega t + \theta)$$

L'inductance laisse circuler un courant de même fréquence que la tension, mais dont l'amplitude est inversement proportionnelle à sa valeur propre. Cependant, le courant n'est plus en phase avec la tension, comme c'était le cas avec la résistance, mais en retard de 90° (fig. 6.2).

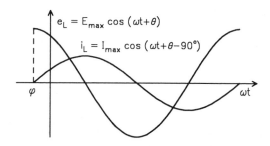

Figure 6.2 Relation entre l'onde de tension et l'onde de courant pour une inductance.

6.2.3 Condensateur

Pour un condensateur:

$$i_C(t) = \frac{C\ de_s(t)}{dt}$$
$$= -\omega\ C\ E_{max}\ \sin(\omega t + \theta)$$

Le courant dans le condensateur est de même fréquence que la tension et est proportionnel à la capacité du condensateur. De plus, ce courant est en avance de 90° sur la tension (fig. 6.3).

En résumé, l'opposition que présente une résistance au passage d'un courant sinusoïdal est égale à sa résistance exprimée en ohms; celle offerte par l'inductance correspond à ωL et celle du condensateur, à

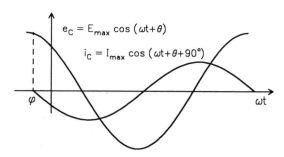

Figure 6.3 Relation entre l'onde de tension et l'onde de courant pour un condensateur.

$-1/\omega C$. Dans le cas d'une inductance et d'un condensateur, on désigne cette opposition par le terme *réactance*:

réactance inductive, notée $X_L = \omega L$

réactance capacitive, notée $X_C = -1/\omega C$

L'unité de réactance est aussi l'ohm.

En plus de s'opposer au passage du courant, les réactances se caractérisent par le fait que le courant qui les traverse n'est plus en phase avec la tension qui apparaît à leurs bornes. Dans le cas du condensateur, le courant est en avance de 90° sur la tension, alors qu'il est en retard de 90° pour une inductance.

Même si la réactance d'un condensateur a effectivement une valeur négative, il est de pratique courante de sous-entendre son signe et de parler de condensateurs de 10, 20 ou 33 Ω. C'est là une liberté que s'accordent les électrotechniciens!

L'exemple 6.1 montre comment on peut déterminer le courant dans une résistance, un condensateur et une inductance.

Exemple 6.1   Courant dans un circuit RLC parallèle

Considérons un circuit simple composé d'une résistance, d'un condensateur et d'une inductance raccordés tous les trois en parallèle et alimentés par une source de tension alternative (fig. 6.4). Évaluer la valeur efficace, la fréquence et la période de la tension, puis déterminer analytiquement le courant dans chacun des éléments et celui fourni par la source. Tracer chacun de ces courants et vérifier les résultats au moyen du graphique obtenu.

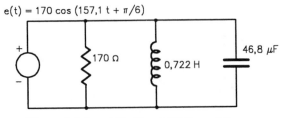

$e(t) = 170 \cos(157{,}1\,t + \pi/6)$

170 Ω   0,722 H   46,8 μF

Figure 6.4 (ex. 6.1) Circuit RLC parallèle.

$E = 170 / \sqrt{2}$

$\quad = 120$ V

$f = \omega / 2\pi$

$\quad = 157,1 / 2\pi$

$\quad = 25$ Hz

$T = 1 / f = 40$ ms

Note historique: Dans le Nord-Ouest québécois, jusqu'à la nationalisation des compagnies d'électricité au début des années 60, la distribution de l'électricité aux résidences se faisait à 120 V, 25 Hz. Certaines mines ont été alimentées à cette fréquence jusqu'au début des années 90.

Solution:

Calcul des courants:

$$i_R(t) = e(t) / R$$
$$= 170 \cos(157,1\,t + \pi/6) / 170$$
$$= 1 \cos(157,1\,t + \pi/6)$$

$$i_c(t) = C\,\frac{d\,e(t)}{dt}$$
$$= C\,\frac{d}{dt}\left[E \cos(\omega t + \theta)\right]$$
$$= -C\,\omega\,E\,(\sin\omega t + \theta)$$
$$= -46,8 \bullet 157,1 \bullet 170\,(\sin 157,1t + \pi/6)$$
$$= -1,25 \sin(157,1t + \pi/6)$$
$$= +1,25 \cos(157,1t + 2\pi/3)$$

$$i_L(t) = \int \frac{e(t)}{L}\,dt$$
$$= \frac{E}{L}\int \cos(\omega t + t)\,dt$$
$$= \frac{E}{L\,\omega}\sin(157,1t + \pi/6)$$
$$= \frac{170}{0,722 \bullet 157,1}\sin(157,1t + \pi/6)$$
$$= 1,50 \sin(157,1t + \pi/6)$$
$$= 1,50 \cos(157t - \pi/3)$$

$$i_S = i_R(t) + i_c(t) + i_L(t)$$
$$= 1 \cos(157t + \pi/6)$$
$$\quad + 1,25 \cos(157,1t + 2\pi/3)$$
$$\quad + 1,50 \cos(157,1t - \pi/3)$$

Comment faire cette addition?

Les relations trigonométriques suivantes permettent de la résoudre!

$$\cos(\alpha + \beta) = \cos\alpha \cos\beta - \sin\alpha \sin\beta$$
$$\cos^2\alpha + \sin^2\beta = 1$$

$$\begin{aligned}
i_s(t) &= 1 \cos(157,1t) \cos(\pi/6) - 1 \sin(157,1t) \sin(\pi/6) \\
&+ 1,25 \cos(157,1t) \cos(2\pi/3) - 1,25 \sin(157,1t) \sin(2\pi/3) \\
&+ 1,50 \cos(157,1t) \cos(-\pi/3) - 1,50 \sin(157,1t) \sin(-\pi/3) \\
&= 0,991 \cos(157,1t) - 0,284 \sin(157,1t)
\end{aligned}$$

En posant:
$$i_s(t) = A \cos\beta \cos\alpha - A \sin\beta \sin\alpha$$

on obtient par inspection:
$$\beta = 157,1$$
et
$$A \cos\alpha = 0,991$$
$$A \sin\alpha = 0,284$$

On peut poser:
$$A^2 \cos^2\alpha + A^2 \sin^2\alpha = 0,991^2 + 0,284^2$$

Il en résulte que:
$$A = 1,031$$
$$\alpha = 0,279 \text{ rad} \quad \text{ou} \quad 16,0°$$

Donc:
$$\begin{aligned}
i_s(t) &= 1,031 \cos(157,1t) \cos(16,0°) - 1,031 \sin(157,1t) \sin(16,0°) \\
&= 1,031 \left[\cos(157,1t) \cos(16,0°) - \sin(157,1t) \sin(16,0°) \right] \\
&= 1,031 \cos(157,1t + 16°)
\end{aligned}$$

La tension de source ainsi que les quatre courants sont reproduits à la figure 6.5. On obtient le courant de source en additionnant point par point les courants i_R, i_C et i_L. Le résultat de cette laborieuse opération correspond bien au courant i_s calculé précédemment.

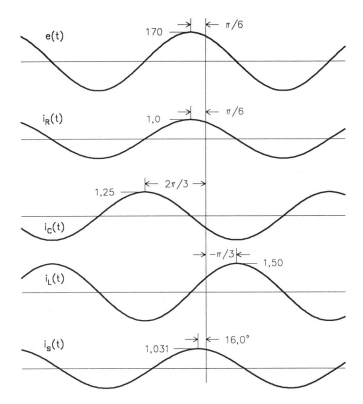

Figure 6.5 (ex. 6.1) Tension de source et courants.

6.3 PHASEURS

Dans un circuit composé de plusieurs résistances et de plusieurs éléments réactifs, les courants et les tensions de chacun de ces éléments ne sont pas en phase. Il devient très rapidement impossible de calculer l'amplitude et la phase des tensions et des courants à partir de relations trigonométriques. On peut toutefois contourner ce problème.

La théorie des phaseurs fournit un moyen simple de représenter des tensions et des courants sinusoïdaux. Un signal cosinusoïdal a(t), tension ou courant, peut s'exprimer sous la forme:

$$a(t) = A_{max} \cos(\omega t + \theta)$$
$$= \sqrt{2} \ A \cos(\omega t + \theta)$$

où A_{max} = valeur crête du signal
     A = valeur efficace

Si on fait appel à la relation d'Euler, on peut interpréter a(t) comme la partie réelle de la fonction complexe:

$$a(t) = \Re \left[A_{max} \ e^{j(\omega t + \theta)} \right]$$
$$= \Re \left[(A \ e^{j\theta}) \ (\sqrt{2} \ e^{j\omega t}) \right]$$

La forme complexe de a(t) a été intentionnellement divisée en deux termes. Le premier terme est complexe et constant, tandis que le second représente une rotation dans le plan complexe et contient aussi le facteur reliant la valeur efficace et la valeur crête de a(t).

Le premier terme est appelé **phaseur** $\overline{A}$:

$$\overline{A} = A \ e^{j\theta}$$

Pour simplifier l'écriture, les électrotechniciens écrivent tout simplement:

$$\overline{A} = A \ \underline{/\theta}$$

Le phaseur $\overline{A}$ constitue une transformée du signal a(t), qu'on obtient en remplaçant la fonction temporelle originale par une constante complexe qui conserve toutefois les attributs fondamentaux de a(t): sa valeur efficace et sa phase. Le terme $e^{j\omega t}$ indique une rotation à une vitesse angulaire ω. Cette rotation est commune à toutes les tensions et à tous les courants; il n'est donc pas nécessaire de répéter ce terme dans tous les développements mathématiques. Il suffit de se rappeler qu'*un phaseur est une représentation simplifiée d'une fonction cosinusoïdale.*

Cependant, un phaseur étant une constante complexe, on pourra utiliser l'algèbre des nombres complexes pour déterminer les courants et les tensions des circuits. Un résumé de l'algèbre complexe se retrouve à la fin de ce chapitre.

6.4 REPRÉSENTATION TEMPORELLE

Lorsqu'on veut définir une fonction périodique, telle une onde sinusoïdale, l'angle de décalage à l'origine et son signe (ou sa polarité) indiquent à quel moment (exprimé en radians ou en degrés électriques) la fonction passera ou est passée par son origine. Les figures 6.6 et 6.7 généralisent ce concept. Ainsi (fig. 6.6), un observateur placé sur l'axe vertical voit le temps s'écouler de sa droite vers sa gauche. Un événement à gauche de cet axe appartient au passé, alors qu'un événement à droite surviendra plus tard. La figure 6.7 représente aussi cette idée, mais dans le plan des phaseurs. Il est important de noter que le temps s'écoule dans le sens antihoraire pour un observateur placé sur l'axe horizontal.

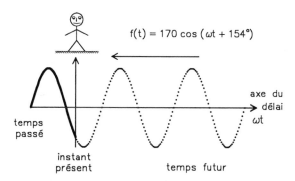

Figure 6.6 Représentation temporelle du passage du temps.

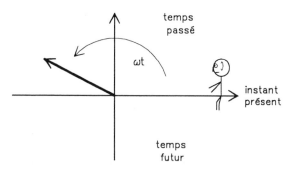

Figure 6.7 Représentation sous forme de phaseur
du passage du temps.

6.5 RÉACTANCES COMPLEXES

On peut se servir des phaseurs pour exprimer les relations reliant les tensions et les courants dans les éléments (sect. 6.2).

Pour une résistance:

$$e_R(t) = E_{max} \cos(\omega t + \theta)$$
$$i_R(t) = I_{max} \cos(\omega t + \theta)$$

Exprimées sous forme de phaseurs, ces équations deviennent:

$$\overline{E}_R = E \; \underline{/\theta}$$
$$\overline{I}_R = I \; \underline{/\theta}$$

et

$$\frac{\overline{E}_R}{\overline{I}_R} = \frac{E \; \underline{/\theta}}{I \; \underline{/\theta}}$$

$$= R \; \underline{/0°}$$

Pour une inductance:

$$\frac{\overline{E}_L}{\overline{I}_L} = \frac{E \; \underline{/\theta}}{I \; \underline{/\theta - \pi/2}}$$

$$= \frac{E \; \underline{/\theta}}{(E/\omega L) \; \underline{/\theta - \pi/2}}$$

$$= j \omega L$$

$$= j X_L$$

Pour un condensateur:

$$\frac{\overline{E}_C}{\overline{I}_C} = \frac{E \; \underline{/\theta}}{I \; \underline{/\theta + \pi/2}}$$

$$= \frac{E \; \underline{/\theta}}{E \omega C \; \underline{/\theta + \pi/2}}$$

$$= -j/(\omega C)$$

$$= j X_C$$

Les figures 6.8, 6.9 et 6.10 démontrent l'utilité des phaseurs pour représenter des signaux sinusoïdaux. Pour une résistance, l'onde de tension et celle du courant sont en phase. Le phaseur de tension et celui du courant ont ainsi le même angle (fig. 6.8). Dans les deux autres cas (fig. 6.9 et 6.10), il existe un déphasage de 90° entre les deux phaseurs.

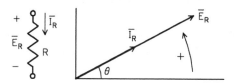

Figure 6.8 Tension et courant dans une résistance.

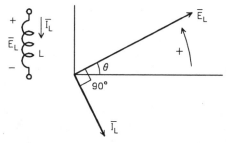

Figure 6.9 Tension et courant dans une inductance.

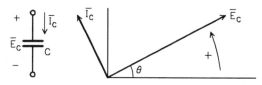

Figure 6.10 Tension et courant dans un condensateur.

6.6 IMPÉDANCE ET ADMITTANCE

Lorsqu'on raccorde en série ou en parallèle plusieurs éléments résistifs ou réactifs, on ne peut plus parler simplement de résistance ou de réactance. On utilise le terme impédance pour représenter un ensemble d'éléments comprenant une partie réelle et une partie imaginaire ou réactive.

$$\vec{Z} = R + jX = Z \angle \phi$$

Le symbole $\vec{Z}$ ne représente pas un phaseur mais un simple vecteur. (Pour que $\vec{Z}$ soit un phaseur, il faudrait qu'il représente une sinusoïde de fréquence angulaire ω.) Pour souligner cette nuance, on surmonte la lettre d'une flèche plutôt que d'un trait. Dans les schémas électriques, on représente l'impédance par un rectangle vide (fig. 6.11).

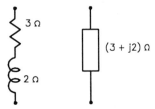

Figure 6.11 Symbole graphique d'une impédance.

Quelquefois, il est nécessaire de calculer l'impédance équivalente de deux impédances en parallèle. On doit alors faire intervenir la notion d'admittance pour faciliter les calculs:

$$\vec{Y} = 1 / \vec{Z} = G + jB$$

où:

Y = admittance en siemens
G = conductance, partie réelle de l'admittance
B = susceptance, partie imaginaire de l'admittance

Dans le cas des impédances, la loi d'Ohm s'écrit:

$$\overline{E} = \vec{Z}\,\overline{I}$$

ou

$$\overline{I} = \vec{Y}\,\overline{E}$$

6.7 CIRCUITS EN RÉGIME SINUSOÏDAL

Toutes les lois, tous les théorèmes et tous les principes vus aux chapitres précédents s'appliquent en régime sinusoïdal. Il suffit de remplacer les valeurs scalaires par les notions de phaseurs et d'impédance. Les exemples qui suivent démontrent la puissance de l'outil mathématique que constituent les phaseurs. C.P. Steinmetz a développé les phaseurs à la fin du siècle dernier et les a décrits dans un livre publié en 1897. Il utilisait l'expression *méthode de la manivelle*.

Exemple 6.2 Circuit RL série

L'impédance d'un circuit RL série (fig. 6.12) est donnée par:

$$\vec{Z} = R + j\omega L = Z \; \angle\phi$$

$$= \sqrt{R^2 + (\omega L)^2} \; \angle \tan^{-1} (\omega L / R)$$

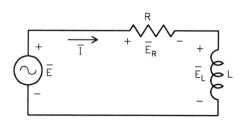

Figure 6.12 (ex. 6.2) Circuit RL série.

Si on soumet le circuit à une excitation sinusoïdale de la forme $E_{max} \cos(\omega t + \theta)$, le courant exprimé sous forme de phaseur est:

$$\overline{I} = \frac{\overline{E}}{\vec{Z}} = \frac{E \; \angle\theta}{Z \; \angle\phi} = \frac{E}{Z} \; \angle\theta - \phi$$

Le courant $\overline{I}$ (fig. 6.13) et la tension $\overline{E}_R$ sont en phase dans la résistance R, tandis que le courant $\overline{I}$ est en retard de 90° sur la tension $\overline{E}_L$ aux bornes de l'inductance. Il en résulte que la tension totale $\overline{E}$ est en avance d'un angle ϕ sur le courant $\overline{I}$.

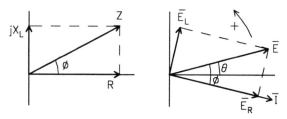

Figure 6.13 (ex. 6.2) Impédance et relation entre les phaseurs de tension et de courant pour un circuit RL.

Exemple 6.3 Circuit RC série

Soit le circuit RC série suivant (fig. 6.14). Déterminer $\overline{I}$, $\overline{E}_R$ et $\overline{E}_C$.

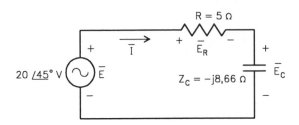

Figure 6.14 (ex. 6.3) Circuit RC série.

Comme dans l'exemple précédent, on peut poser les relations:

$$\vec{Z} = 5 - j8,66 = 10\ \underline{/-60°}\ \Omega$$

$$\overline{I} = \frac{\overline{E}}{\vec{Z}} = \frac{20\ \underline{/45°}}{10\ \underline{/-60°}} = 2\ \underline{/105°}\ A$$

Or:

$$\overline{E}_R = R\,\overline{I} = (5\ \Omega)\,(2\ \underline{/105°}\ A) = 10\ \underline{/105°}\ V$$

et

$$\overline{E}_C = \vec{Z}_C\,\overline{I} = (8,66\ \underline{/-90°})\,(2\ \underline{/105°})$$
$$= 17,32\ \underline{/15°}\ V$$

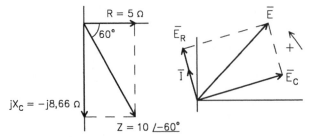

Figure 6.15 (ex. 6.3) Impédances et relation entre les phaseurs de tension et de courant pour le circuit RC.

Exemple 6.4 Circuit RLC série

Un circuit RLC (fig. 6.16), dont les impédances sont représentées sous forme graphique à la figure 6.17, est excité par un courant alternatif $i(t) = 5\sqrt{2}\cos(2t)$. Déterminer la tension entre les points a et b, sous forme de phaseur et sous forme temporelle.

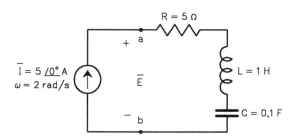

Figure 6.16 (ex. 6.4) Circuit RLC série.

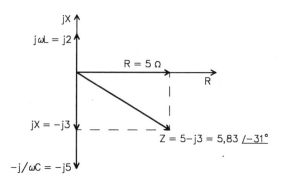

Figure 6.17 (ex. 6.4) Représentation graphique des impédances du circuit RLC (fig. 6.16).

$$\vec{Z}_{ab} = R + j(X_L + X_C)$$
$$= R + j(\omega L - 1/\omega C)$$
$$= 5 + j(2 - 5)\ \Omega = 5 - j3 = 5,83\ \underline{/-31°}\ \Omega$$

$$\vec{E} = \vec{Z}_{ab}\ \vec{I}$$
$$= 5,83\ \underline{/-31°}\ \Omega \cdot 5\ \underline{/0°}\ A$$
$$= 29,2\ \underline{/-31°}\ V$$

Le phaseur $\overline{E}$ (fig 6.18) représente le signal temporel:

$$e(t) = 29,2 \ \sqrt{2} \ \cos(2t - 31°)$$

NOTE: *Ne pas oublier que l'angle du cosinus est donné sous forme mixte: le premier terme est en radians par seconde et le second est en degrés! C'est une licence que se permettent couramment les ingénieurs électriciens!*

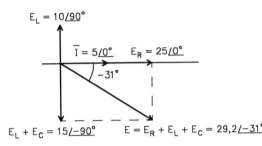

$E_L = 10\underline{/90°}$

$\overline{I} = 5\underline{/0°}$ $E_R = 25\underline{/0°}$

$-31°$

$E_L + E_C = 15\underline{/-90°}$ $E = E_R + E_L + E_C = 29,2\underline{/-31°}$ V

Figure 6.18 (ex. 6.4) Représentation dans le plan complexe des phaseurs de tension pour un circuit RLC série.

Exemple 6.5   Circuit RLC parallèle

Résoudre le problème de l'exemple 6.1 en utilisant les phaseurs. Vérifier si la réponse obtenue correspond à celle obtenue précédemment.

Solution:

Sous forme de phaseur:

$E_s = 120 \ \underline{/30°}$

$R = 170 \ \Omega$

$X_L = \omega L$
$\quad = 157,1 \bullet 0,722 \ H$
$\quad = 113 \ \Omega$

$X_C = -1 / \omega C$
$\quad = -1 / (157,1 \bullet 46,8 \bullet 10^{-6} \ F)$
$\quad = -136 \ \Omega$

$\overline{I}_R = \overline{E}_s / R$
$\quad = 120 \ \underline{/30°} / 170$
$\quad = 0,706 \ \underline{/30°} \ A$

$$\overline{I}_L = \overline{E}_s / jX_L$$
$$= 120 \underline{/30°} / j113$$
$$= 120 \underline{/30°} / 113 \underline{/90°}$$
$$= 1,058 \underline{/-60°} \text{ A}$$

$$\overline{I}_c = \overline{E}_s / jX_c$$
$$= 120 \underline{/30°} / -j136$$
$$= 120 \underline{/30°} / 136 \underline{/-90°}$$
$$= 0,882 \underline{/120°} \text{ A}$$

$$\overline{I}_s = \overline{I}_R + \overline{I}_L + \overline{I}_c$$
$$= 0,706 \underline{/30°} + 1,058 \underline{/-60°} + 0,882 \underline{/120°}$$
$$= 0,728 \underline{/16°}$$

Sous forme temporelle:

$$i_s(t) = \sqrt{2} \cdot 0,728 \cos(157,1t + 16°)$$
$$= 1,03 \cos(157,1t + 16°)$$

On obtient évidemment la même réponse que précédemment, mais la solution cette fois est beaucoup moins laborieuse.

On aurait pu calculer directement le courant $\overline{I}_s$ en utilisant la notion d'impédance:

où:
$$\overline{I}_s = \overline{E}_s / \vec{Z}$$
$$\vec{Z} = R \mathbin{/\mkern-5mu/} \vec{Z}_L \mathbin{/\mkern-5mu/} \vec{Z}_c$$
$$= 170 \mathbin{/\mkern-5mu/} j113 \mathbin{/\mkern-5mu/} -j136$$
$$= 170 \mathbin{/\mkern-5mu/} ((-j^2 113 \cdot 136) / (j113 - j136))$$
$$= 170 \mathbin{/\mkern-5mu/} j683$$
$$= (170 \cdot j683) / (170 + j683)$$
$$= 165 \underline{/14°} \ \Omega$$

et
$$\overline{I}_s = 120 \underline{/30°} / 165 \underline{/14°}$$
$$= 0,728 \text{ A}$$

Exemple 6.6   Influence de la fréquence

Déterminer le comportement du circuit de l'exemple 6.1 si on l'alimente cette fois à une fréquence de 60 Hz.

Solution:

$$X_L = 377 \cdot 0,722$$
$$= 272 \ \Omega$$

$$X_c = -1 / (377 \cdot 46,8 \cdot 10^{-6})$$
$$= -56,7 \ \Omega$$

$$\overline{I}_L = \overline{E}_s / jX_L$$
$$= 0,441 \ \underline{/-60°} \ A$$

$$\overline{I}_c = \overline{E}_s / jX_c$$
$$= 2,12 \ \underline{/120°} \ A$$

$$\overline{I}_s = \overline{I}_R + \overline{I}_L + \overline{I}_c$$
$$= 1,82 \ \underline{/97°} \ A$$

Exemple 6.7   Résonance

Dans l'exemple 6.5, à 25 Hz, le courant fourni par la source était en retard de 14° sur la tension (fig. 6.19); l'impédance équivalente des trois éléments présentait donc un caractère inductif. Par contre, dans l'exemple 6.6, à 60 Hz, le courant est en avance de 67° sur la tension (fig. 6.20); l'ensemble des éléments présente alors un caractère capacitif. Entre ces deux fréquences, il doit en exister une, dite *fréquence de résonance*, pour laquelle le courant fourni par la source est en phase avec la tension. À cette fréquence, le courant dans le condensateur a la même amplitude (fig. 6.21) que le courant dans l'inductance, mais ces deux courants sont en opposition de phase et leur somme est nulle. Pour bien mettre en évidence l'influence de la fréquence sur le comportement des éléments, nous avons tracé les courants des figures 6.19, 6.20 et 6.21 avec le même facteur d'échelle.

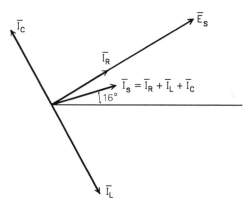

Figure 6.19 (ex. 6.7) Courants à 25 Hz.

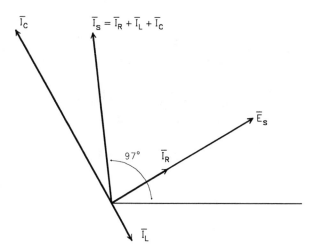

Figure 6.20 (ex. 6.7) Courants à 60 Hz.

Les relations suivantes permettent de déterminer la fréquence de résonance et le courant que fournit alors la source.

À la fréquence de résonance:

$$\omega_{rés} \, L = 1 \, / \, (\omega_{rés} \, C)$$

$$\omega_{rés} = 1 \, / \, \sqrt{L \, C}$$

$$= 1 \, / \, \sqrt{0,722 \, H \; \bullet \; 46,8 \bullet 10^{-6} \, F}$$

$$= 172 \; rad$$

$$f_{rés} = 27,4 \; Hz$$

$$X_L = -X_C$$

Si on calcule à nouveau les courants, on obtient:

$$\overline{I}_L = 0,97 \, \underline{/\text{-}60°}$$

$$\overline{I}_C = 0,97 \, \underline{/\text{+}120°}$$

$$\overline{I}_S = \overline{I}_R = 0,706 \, \underline{/30°}$$

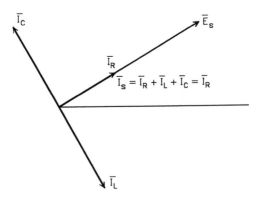

Figure 6.21 (ex. 6.7) Résonance à 27,4 Hz.

Exemple 6.8 Circuit RLC

Soit le circuit suivant (fig. 6.22). Déterminer le courant i(t) qui circule en régime permanent si l'expression de la tension de la source est:

$$e(t) = 10 \sqrt{2} \cos(500t + 15°)$$

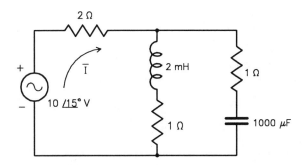

Figure 6.22 (ex. 6.8) Circuit de l'exemple 6.8.

Solution:

Pour l'inductance et le condensateur:

$$Z_L = j\omega L = j(500 \text{ rad/s})(2 \text{ mH}) = j \, 1 \, \Omega$$

$$Z_C = -j \frac{1}{\omega C} = -j \left(\frac{1}{(500)(1000 \, \mu F)} \right) = -j \, 2 \, \Omega$$

On peut simplifier la représentation du circuit en regroupant les éléments en impédances (fig. 6.23).

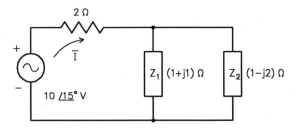

Figure 6.23 (ex.6.8) Circuit simplifié.

$$\vec{Z}_{éq} = 2 + \frac{Z_1 Z_2}{Z_1 + Z_2} = 2 + \frac{(1 + j1)(1 - j2)}{2 - j1}$$

$$= 2 + \frac{3 - j1}{2 - j1} = 2 + \frac{\sqrt{10} \; \angle{-18,4°}}{\sqrt{5} \; \angle{-26,6°}}$$

$$= 2 + 1,414 \angle{8,2°}$$

$$= (2 + 1,414 \cos 8,2°) + j(1,414 \sin 8,2°)$$

$$= 3,400 + j0,202 = 3,406 \angle{3,4°} \; \Omega$$

$$\vec{I} = \frac{\overline{E}}{\vec{Z}_{éq}} = \frac{10 \; \angle{15°}}{3,406 \; \angle{3,4°}} = 2,936 \; \angle{11,6°} \; A$$

$$i(t) = 2,936 \; \sqrt{2} \; \cos(500t + 11,6°) \; A$$

6.8 CIRCUITS EN RÉGIME CONTINU

Il est parfois nécessaire de connaître le comportement d'un circuit composé de résistances et d'éléments réactifs et alimenté par une source continue. Si, dans les équations de la réactance d'une inductance et d'un condensateur, ω tend vers zéro, la réactance des condensateurs devient très grande et celle des inductances, très faible. En courant continu, il devient possible de remplacer les inductances par des courts-circuits et les condensateurs par des circuits ouverts.

Exemple 6.9   Circuit RLC alimenté en courant continu

Soit le circuit de la figure 6.24. Déterminer le courant appelé de la source en régime permanent.

Solution:

Puisque le circuit est alimenté par une source à courant continu, le régime permanent s'obtient en remplaçant l'inductance par un court-circuit et le condensateur, par un circuit ouvert. Il en résulte que l'impédance équivalente du circuit devient égale à la somme des deux résistances R_1 et R_2. Donc:

$$Z_{cc} = R_1 + R_2 = 5 \; \Omega$$

de sorte que:

$$I = \frac{10 \; V}{5 \; \Omega} = 2 \; A$$

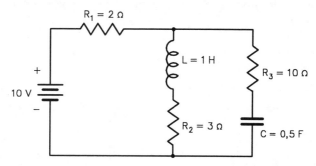

Figure 6.24 (ex. 6.9) Circuit série-parallèle.

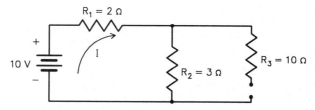

Figure 6.25 (ex. 6.9) Circuit équivalent en courant continu.

6.9 NOTIONS D'ALGÈBRE COMPLEXE

Afin de faciliter la compréhension du présent chapitre et des suivants, rappelons les principales notions de l'algèbre complexe.

6.9.1 Opérateur j

Afin d'éviter toute confusion avec les courants, les électriciens utilisent la lettre j plutôt que la lettre i dans l'expression des nombres complexes.

Par définition, $j = 1\ \underline{/90°} = \sqrt{-1}$.

Donc:
$$j^2 = -1$$
$$j^3 = -j$$
$$j^4 = 1$$

6.9.2 Représentation d'un nombre complexe

Si on considère un nombre complexe ou phaseur $\overline{A}$, de grandeur D et orienté à un angle θ par rapport à l'axe réel du plan complexe, on obtient a comme projection sur l'axe réel et jb comme projection sur l'axe en quadrature ou axe imaginaire.

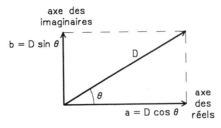

Figure 6.26   Représentation d'un nombre complexe dans le plan complexe.

6.9.3 Formes d'écriture d'un nombre complexe

Forme polaire: $\overline{A} = D \angle\theta$

Forme cartésienne
ou rectangulaire: $\overline{A} = a + jb$

Forme trigonométrique: $\overline{A} = D \cos\theta + j D \sin\theta$

Forme exponentielle: $\overline{A} = D\, e^{j\theta}$

$a = D \cos\theta = \Re\,[\overline{A}]$ (partie réelle de $\overline{A}$)

$b = D \sin\theta = \vartheta\,[\overline{A}]$ (partie imaginaire de $\overline{A}$)

$D = \sqrt{a^2 + b^2}$ (amplitude de $\overline{A}$)

$\theta = \text{arctg}\,(b/a)$ (argument ou angle de $\overline{A}$)

6.9.4 Opérations sur les nombres complexes

Les nombres complexes et les phaseurs s'additionnent, se soustraient, se multiplient et se divisent comme les nombres réels. Toutefois, il est plus simple d'effectuer des additions et des soustractions de nombres complexes s'ils sont exprimés sous forme cartésienne, tandis que les multiplications et les divisions s'effectuent plus facilement avec des nombres sous forme polaire. Si on a:

$$\overline{A} = a + jb = D \angle\theta$$
et
$$\overline{U} = u + jv = W \angle\beta$$

alors:

$$\overline{A} + \overline{U} = (a + u) + j(b + v)$$

$$\overline{A} - \overline{U} = (a - u) + j(b - v)$$

$$\overline{A} \bullet \overline{U} = (D \angle\theta)(W \angle\beta) = D \bullet W \angle\theta+\beta$$

$$\frac{\overline{A}}{\overline{U}} = \frac{D \angle\theta}{W \angle\beta} = \frac{D}{W} \angle\theta-\beta$$

6.9.5 Conjugué de $\overline{A}$, noté $\overline{A}^*$

$$\overline{A}^* = a - jb = D \angle-\theta = D\, e^{-j\theta}$$

6.9.6 Relation d'Euler

$$e^{j\theta} = \cos\theta + j \sin\theta$$

EXERCICES

6.1 Soit A = 4 + j5 et B = 6 + j9.
Calculer A + B, A − B, A • B et A / B.

6.2 Les extrémités des vecteurs $\vec{P}_1$, $\vec{P}_2$ et $\vec{P}_3$ (fig. 6.27) correspondent aux nombres complexes p_1, p_2 et p_3. Écrire ces nombres sous les formes:

    a) polaire
    b) cartésienne
    c) trigonométrique
    d) exponentielle

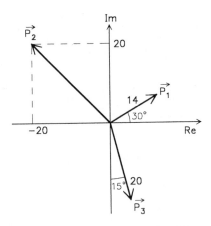

Figure 6.27 Vecteurs de l'exercice 6.2.

6.3 Soit C = 6 $e^{j\pi/4}$, D = 15 + j30 et X = 4 $\underline{/90°}$.
a) Calculer C • X, D / C, D • X, D + X et C − X.
b) Exprimer les réponses sous les formes polaire et cartésienne.
c) Représenter à l'aide de vecteurs, sur un même diagramme, les nombres C, D et X.

6.4 Écrire les nombres complexes A et B (fig. 6.28) sous les formes rectangulaire, polaire, trigonométrique et exponentielle.

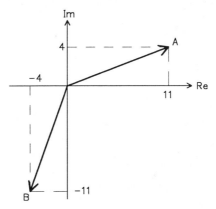

Figure 6.28 Vecteurs de l'exercice 6.4.

6.5 Soit les signaux:

$$e(t) = 5 \cos (10t + 30°)$$
$$f(t) = 6 \sqrt{2} \sin (377t + 45°)$$
$$g(t) = 10 \cos (200t + 23°)$$
$$h(t) = 11,3 \cos (314t - 165°)$$
$$i(t) = 7 \sin (2514t - 235°)$$

a) Quels sont les phaseurs correspondants?

b) Quelle est la fréquence de chaque signal?

c) Pourquoi ne doit-on pas tracer les phaseurs calculés en a) sur un même graphique?

6.6 Tracer à l'échelle les formes d'onde correspondant aux signaux de l'exercice 6.5.

6.7 Les fonctions temporelles suivantes (fig. 6.29) ont une valeur crête de 10 unités et une fréquence de 60 Hz. Exprimer ces fonctions sous les trois formes suivantes:

$$\overline{U} = A\ \underline{/\alpha}$$
$$u(t) = B \cos(\omega t + \beta)$$
$$u(t) = C \sin(\omega t + \gamma)$$

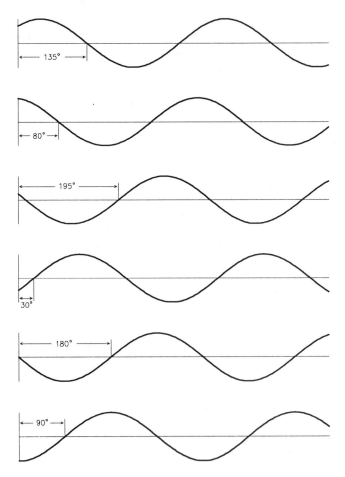

Figure 6.29 Fonctions temporelles de l'exercice 6.7.

6.8 Soit les circuits suivants (fig. 6.30). Exprimer, pour chacun, l'impédance équivalente sous les formes polaire et cartésienne.

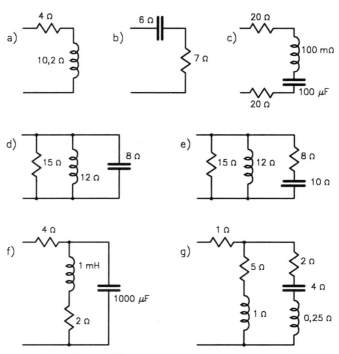

Figure 6.30 Circuits de l'exercice 6.8.

6.9 Déterminer les valeurs de X_1 et de R_1 pour lesquelles les deux circuits suivants (fig. 6.31) présentent la même impédance, la fréquence étant de 60 Hz.

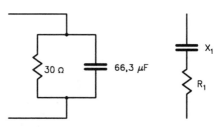

Figure 6.31 Circuits de l'exercice 6.9.

6.10 Démontrer que, dans le circuit de la figure 6.32, le courant fourni par la source est nul.

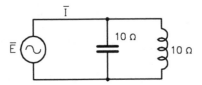

Figure 6.32 Circuit de l'exercice 6.10.

6.11 Trouver l'expression du courant en régime permanent dans le circuit RL série de la figure 6.33 si la tension de la source est de $120 \sqrt{2} \cos (2\pi 60t + 30°)$ V (tension d'une prise de courant). Tracer un diagramme des phaseurs.

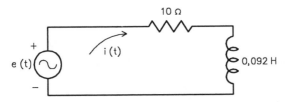

Figure 6.33 Circuit de l'exercice 6.11.

6.12 Calculer i(t) et $e_{cd}(t)$ en régime permanent pour le circuit de la figure 6.34.

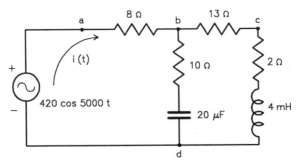

Figure 6.34 Circuit de l'exercice 6.12.

6.13 Dans un circuit RLC série, on dit qu'il y a résonance lorsque l'impédance totale du circuit est purement résistive. Ceci implique que:

$$\omega L = 1 / \omega C$$

a) Montrer que la condition de résonance se vérifie dans le circuit de la figure 6.35.

b) Évaluer les tensions en régime permanent aux bornes de R, de L et de C.

c) Représenter graphiquement les phaseurs $\overline{E}_R$, $\overline{E}_L$ et $\overline{E}_C$.

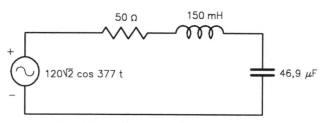

Figure 6.35 Circuit de l'exercice 6.13.

6.14 Soit le circuit de la figure 6.36. La tension de la source est:

$$e(t) = \sqrt{2}\; 480 \cos (377t + 30°)$$

a) Calculer les phaseurs $\overline{E}_{AB}$ et $\overline{I}_1$.

b) Tracer $\overline{E}$, $\overline{I}_1$ et $\overline{E}_{AB}$ sur un même graphique.

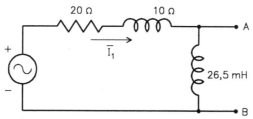

Figure 6.36 Circuit de l'exercice 6.14.

6.15 Le circuit de la figure 6.37 est alimenté à partir d'une prise de courant standard.

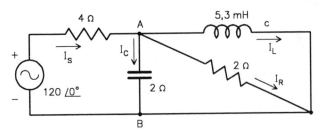

Figure 6.37   Circuit de l'exercice 6.15.

a) Calculer l'impédance équivalente de l'ensemble constitué du condensateur, de l'inductance et de la résistance de 2 Ω.

b) Calculer $\overline{E}_{AB}$, $\overline{I}_S$, $\overline{I}_L$, $\overline{I}_C$ et $\overline{I}_R$.

Chapitre 7

RÉPONSE TRANSITOIRE

7.1 INTRODUCTION

Dans les circuits purement résistifs, les tensions et les courants s'établissent instantanément lors de la mise sous tension (fig. 7.1). Il n'existe aucune période transitoire.

Lorsque le circuit contient des condensateurs ou des inductances, on distingue deux phases: la *période transitoire*, pendant laquelle les tensions et les courants évoluent vers leur valeur finale, et le *régime permanent*, durant lequel toutes les tensions et tous les courants ont une amplitude stable.

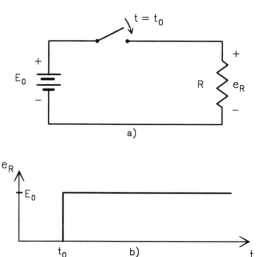

Figure 7.1 a) Circuit purement résistif;
b) réponse du circuit.

La période transitoire provient du fait qu'il est impossible de faire varier instantanément la tension d'un condensateur et le courant d'une inductance. La figure 7.2 illustre la réponse transitoire d'un circuit RC qu'on raccorde à une source de tension continue.

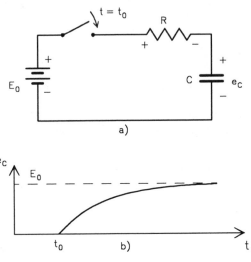

Figure 7.2 a) Circuit RC;
b) réponse transitoire du circuit.

Avant d'être en mesure de déterminer le régime transitoire d'un circuit, il faut en définir la réponse naturelle.

7.2 RÉPONSE NATURELLE

La *réponse naturelle* correspond à la façon selon laquelle un circuit dissipe l'énergie emmagasinée dans ses éléments réactifs en l'absence de toute source de tension ou de courant.

Pour un circuit ne contenant qu'une résistance et un condensateur ou une inductance, le comportement est simple et prend une allure exponentielle. Par contre, si le circuit contient les trois éléments, son comportement peut devenir beaucoup plus complexe. Voyons comment on peut déterminer la réponse naturelle de circuits RC, RL et RLC.

7.2.1 Circuits RC et RL

La figure 7.3 illustre un circuit RC et un circuit RL qui, au temps t_0, sont débranchés de leur source d'alimentation respective et fermés sur eux-mêmes. L'étude consiste à déterminer l'allure du courant qui circule dans la résistance après la fermeture du circuit RC et du circuit RL.

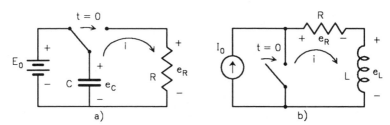

Figure 7.3 a) Circuit RC;
b) circuit RL.

Circuit RC

Ce type de circuit se définit par une équation différentielle du premier degré qu'on peut établir à l'aide des relations tension-courant de chaque élément et de la loi des boucles.

$$e_R + e_c = R\,i + \frac{1}{C}\int_0^t i(t)\,dt - E_0 = 0$$

$$E_0 = R\,i + \frac{1}{C}\int_0^t i(t)\,dt$$

En dérivant, on obtient:

$$R\frac{di}{dt} + \frac{1}{C}\,i = 0$$

La solution de cette équation est de la forme $i(t) = A\,e^{st}$. En la remplaçant dans l'équation différentielle de départ, on obtient:

$$R\,s\,A\,e^{st} + \frac{A\,e^{st}}{C} = 0$$

$$(R\,s + \frac{1}{C})\,A\,e^{st} = 0$$

Il y a deux solutions à cette équation: $A = 0$, qui est rejetée puisqu'elle ne contient aucune information, et $s = -1/RC$. Donc:

$$i(t) = A\,e^{-t/RC}$$

Il reste à déterminer la valeur de la constante A à l'aide d'une condition initiale. À l'instant $t = 0^-$, la tension aux bornes du condensateur est E_0. Puisque cette tension ne peut pas changer instantanément, elle sera la même à $t = 0^+$:

$$i(0^+) = A = E_0 / R$$

La réponse naturelle (fig. 7.4) est:

$$i(t) = \frac{E_0}{R} e^{-t/RC}$$

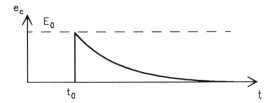

Figure 7.4 Réponse naturelle d'un circuit RC série dont le condensateur est préalablement chargé.

Circuit RL

L'équation différentielle de ce circuit est:

$$L \frac{di}{dt} + R i = 0$$

Cette équation admet comme solution générale:

$$i(t) = B e^{st}$$

La solution particulière s'obtient comme pour un circuit RC:

$$i(t) = I_0 e^{-(L/R)t}$$

Les circuits RC et RL ont donc la même réponse naturelle. Les termes RC et L/R dans les équations sont appelés *constantes de temps*. La réponse naturelle s'achève lorsque le courant devient nul. Mathématiquement, le courant ne s'annule jamais; cependant, pour simplifier, on considère la réponse naturelle terminée après cinq constantes de temps.

7.2.2 Circuit RLC

Si on ferme soudainement un circuit RLC dont le condensateur est initialement chargé à une valeur E_0 (fig. 7.5), la réponse naturelle du courant i(t) correspond à une équation différentielle du second degré qui s'établit selon la loi des boucles:

$$R\,i + \frac{1}{C}\int_0^t i\,dt - E_0 + L\,\frac{di}{dt} = 0$$

En dérivant cette équation, on obtient:

$$L\,\frac{d^2 i}{dt^2} + R\,\frac{di}{dt} + \frac{i}{C} = 0$$

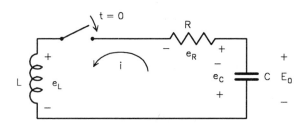

Figure 7.5 Circuit RLC série.

L'équation caractéristique correspondant à cette équation différentielle est:

$$Ls^2 + Rs + 1/C = 0$$

La solution est de la forme:

$$i(t) = A_1\,e^{s_1 t} + A_2\,e^{s_2 t}$$

$$s_{1,2} = \frac{-R \pm \sqrt{R^2 - 4(L/C)}}{2L} = \frac{-R}{2L} \pm \sqrt{\frac{R^2}{4L^2} - \frac{1}{LC}}$$

Les termes s_1 et s_2 sont les ***racines de l'équation***. Ces racines peuvent être réelles, complexes ou purement imaginaires. Si les racines sont réelles, le courant a une forme exponentielle. Si elles sont complexes ou imaginaires, le courant présente des oscillations plus ou moins amorties. Les exemples numériques qui suivent explicitent ces divers cas.

Exemple 7.1   Racines réelles

Déterminer la réponse naturelle du circuit RLC série de la figure 7.5 si $R = 25\ \Omega$, $C = 1000\ \mu F$ et $L = 100\ mH$.

Solution:

Pour résoudre ce problème, on calcule d'abord les racines et on écrit l'équation du courant:

$$i(t) = A_1\ e^{-50t} + A_2\ e^{-200t}$$

Puisqu'il y a deux constantes à déterminer, il faut établir deux conditions initiales. Le courant ne peut pas varier instantanément à cause de la présence de l'inductance. La relation $i(0^+) = 0$ constitue une première condition initiale, la plus évidente. D'autre part, la tension aux bornes du condensateur ne peut pas varier instantanément et doit forcément se retrouver aux bornes de l'inductance à l'instant $t = 0^+$ puisque aucun courant ne circule dans la résistance:

$$-e_C(0^+) = R\ i(0^+) + L\ \frac{di}{dt}(0^+)$$

Or:

$$R\ i(0^+) = 0 \quad \text{et} \quad e_C(0^+) = E_0$$

d'où

$$L\ \frac{di}{dt}(0^+) = E_0$$

$$\frac{di}{dt}(0^+) = E_0\ /\ L$$

Pour évaluer les constantes A_1 et A_2, on peut poser:

$$i(0^+) = A_1 + A_2 = 0$$

$$\frac{di}{dt}(0^+) = -50\ A_1 - 200\ A_2$$
$$= E_0\ /\ L = 10\ E_0$$

On en déduit que:

$$A_1 = 0{,}0667\ E_0$$
$$A_2 = -0{,}0667\ E_0$$

L'expression du courant (fig. 7.6) devient:

$$i(t) = 0{,}0667\ E_0\ (e^{-50t} - e^{-200t})$$

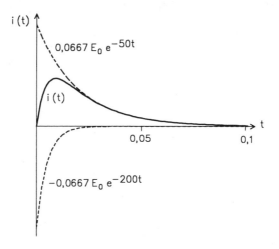

Figure 7.6 (ex. 7.1) Courant pour deux racines réelles négatives distinctes.

Exemple 7.2 Racines complexes conjuguées

Dans le circuit de la figure 7.5, si on remplace la résistance de 25 Ω par une résistance de 5,6 Ω, tout en conservant les valeurs de 100 mH et de 1000 μF pour l'inductance et le condensateur, les racines s_1 et s_2 deviennent complexes et conjuguées l'une de l'autre:

$$s_{1,2} = -28 \pm j96$$

Solution:

L'expression de ces racines peut s'écrire sous la forme générale:

$$s_{1,2} = -\alpha \pm j\omega_p$$

où:

$$\alpha = \frac{R}{2L}$$

$$\omega_n = \frac{1}{\sqrt{LC}}$$

$$\omega_p = \sqrt{\omega_n^2 - \alpha^2}$$

Si on remplace s_1 par $(-\alpha + j\omega_p)$ et s_2 par $(-\alpha - j\omega_p)$ dans l'équation générale du courant, on obtient:

$$i(t) = A_1 \, e^{(-\alpha + j\omega_p)t} + A_2 \, e^{(-\alpha - j\omega_p)t}$$

$$i(t) = e^{-\alpha t} \, (A_1 \, e^{+j\omega_p t} + A_2 \, e^{-j\omega_p t})$$

Si on applique la relation d'Euler:

$$e^{j\theta} = \cos\theta + j\sin\theta$$

il en découle que:

$$i(t) = e^{-\alpha t} \, ((A_1 + A_2)\cos\omega_p t + j(A_1 - A_2)\sin\omega_p t)$$

$$i(t) = e^{-\alpha t} \, (B_1 \cos\omega_p t + j B_2 \sin\omega_p t)$$

En posant:

$$B_1 = A\sin\theta$$
$$B_2 = A\cos\theta$$

on obtient:

$$i(t) = A \, e^{-\alpha t} \, (\sin\theta \cos\omega_p t + \cos\theta \sin\omega_p t)$$

$$i(t) = A \, e^{-\alpha t} \, \sin(\omega_p t + \theta)$$

Cette formulation du courant est beaucoup plus significative que la somme exponentielle. Elle permet de visualiser que le courant a l'allure d'une sinusoïde de fréquence propre ω_p amortie par une enveloppe exponentielle $e^{-\alpha t}$. Pour cette raison, on définit α comme le *coefficient d'amortissement* dont l'unité est l'inverse de la seconde (s^{-1}).

Dans le cas du présent exemple:

$$\alpha = 28 \, s^{-1}$$

$$\omega_p = 96 \, rad/s$$

$$i(t) = A \, e^{-28t} \sin(96t + \theta)$$

Pour déterminer les constantes A et θ, les deux conditions initiales pour le courant sont les mêmes que celles établies à l'exemple 7.1:

$$i(0^+) = 0$$

$$\frac{di}{dt}(0^+) = E_0 / L$$

Ainsi:

$$i(0) = A \sin\theta = 0$$

$$\frac{di}{dt}(0) = -28 A \sin\theta + 96 A \cos\theta$$

$$= E_0 / L = 10 E_0$$

Mathématiquement, A peut être égal à 0, mais dans les faits, puisqu'il circule nécessairement du courant, A doit être différent de 0. De ce fait:

$$\sin\theta = 0$$

d'où: $\theta = 0$

Il en découle que:

$$A = 0,104 E_0$$

Le courant a la forme suivante (fig. 7.7):

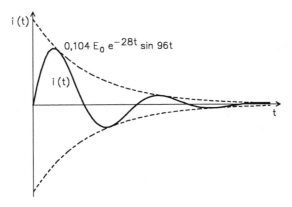

Figure 7.7 Courant pour deux racines complexes conjuguées.

Dans le cas purement théorique où $R = 0$, les racines s_1 et s_2 deviennent imaginaires et égales à $\pm j\omega_n$. Le courant prendrait alors la forme d'une sinusoïde non amortie de fréquence ω_n:

$$s_{1,2} = \pm j \omega_n$$

Puisque:

$$\omega_n = 1 / \sqrt{L\,C}$$

alors:

$$i(t) = A \sin(\omega_n t + \theta)$$

On constate que l'énergie accumulée par le condensateur avant la fermeture de l'interrupteur se balade entre le condensateur et l'inductance sans jamais se dissiper puisque la résistance du circuit est nulle. Il s'agit d'une situation hypothétique puisqu'en réalité, il y a toujours de la résistance dans un circuit.

Exemple 7.3   Racines négatives et égales

Lorsque l'équation caractéristique d'un circuit possède des racines complexes, ce circuit est dit *sous-amorti*. On le dit *oscillant* dans le cas où les racines sont purement imaginaires. Par contre, si les racines sont réelles et distinctes, le circuit est *suramorti*. Dans le cas du circuit de la figure 7.5, il existe une valeur de résistance pour laquelle les racines deviennent réelles et égales entre elles. Ce cas représente la frontière entre un circuit sous-amorti et un circuit suramorti. D'après la solution générale, on peut poser que:

$$i(t) = A_1\, e^{s_1 t} + A_2\, e^{s_2 t}$$
$$= (A_1 + A_2)\, e^{st} = A\, e^{st}$$

Cette solution n'est pas complète lorsque le discriminant est nul et que les racines sont égales entre elles. On doit alors considérer que:

$$i(t) = A_1\, e^{st} + A_2\, t\, e^{st}$$

Pour les valeurs d'inductance et de condensateur données à l'exemple 7.1, le cas *frontière* s'obtient avec une résistance de 20 Ω. Cette valeur est appelée *résistance critique d'amortissement*. On obtient alors deux racines négatives et égales:

$$s_1 = s_2 = s = -100$$

d'où:

$$i(t) = A_1\, e^{-100t} + A_2\, t\, e^{100t}$$

Les constantes A_1 et A_2 se déterminent comme à l'exemple 7.1.

Exemple 7.4 Réponse naturelle d'un circuit RC

Soit le circuit de la figure 7.8. Déterminer la réponse naturelle de la tension entre les bornes a et b si l'interrupteur était fermé depuis longtemps et qu'il est ouvert à $t = 0$.

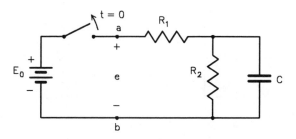

Figure 7.8 (ex. 7.4) Circuit RC.

À l'instant $t = 0^+$, aucun courant ne circule dans R_1. Par contre, R_2 et C sont isolés et forment un circuit RC élémentaire. Il en résulte que la tension aux bornes de R_2 est la tension e_{ab} et que le courant qui circule dans R_2 peut s'exprimer par l'équation:

$$i_{R_2}(t) = A\, e^{-R_2 C}$$

De plus:

$$e_{ab}(t) = R_2\, i_{R_2}(t) = R_2\, A\, e^{-L/(R_2 C)}$$

La constante A correspond au courant à $t = 0^+$ et R_2 A, à la tension aux bornes du condensateur à cet instant. La tension initiale du condensateur est celle qu'on retrouve aux bornes de R_2 à t_0-:

$$e_{R_2}(0^-) = E_0\, \frac{R_2}{R_1 + R_2}$$

Par conséquent:

$$e_{ab}(t) = \frac{E_0\, R_2}{R_1 + R_2}\, e^{-t/(R_2 C)}$$

Exemple 7.5 Réponse naturelle d'un circuit RLC

Au temps t = 0, l'interrupteur passe de la position 1 à la position 2. Déterminer le courant i(t) qui circule entre les points a et b.

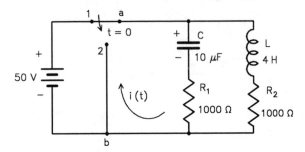

Figure 7.9 (ex. 7.5) Circuit RLC.

Solution:

Le courant i(t) qui circule entre a et b est la somme des courants du circuit formé par R_1 et C et du circuit formé par R_2 et L.

$$i(t) = \frac{E_0}{R_1} e^{-t/(R_1 C)} + \frac{E_0}{R_2} e^{-R_2/L}$$

$$= 50 \ (e^{-250t} - e^{-1000t}) \ \text{mA}$$

Le graphique de i(t) en fonction du temps apparaît à la figure 7.10.

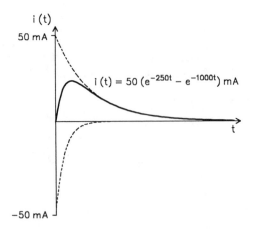

Figure 7.10 (ex. 7.5) Allure du courant i(t).

7.3 RÉPONSE TRANSITOIRE

Pendant la période transitoire, lors de la mise sous tension d'un circuit, le courant ou la tension comporte deux composantes superposées: la première correspond à la réponse naturelle du circuit et la seconde, à la réponse en régime permanent. Les deux composantes coexistent durant la période transitoire et seule la composante de régime permanent demeure par la suite. L'amplitude de la composante correspondant à la réponse naturelle dépend des conditions initiales des éléments réactifs. La composante de régime permanent, quant à elle, est liée aux sources de tension et de courant qui alimentent le circuit.

L'équation de la réponse transitoire d'un circuit s'obtient par l'addition de la réponse naturelle et de la réponse en régime permanent.

$$i_t(t) = i_n(t) + i(t)$$
$$e_t(t) = e_n(t) + e(t)$$

Pour calculer une réponse transitoire, il suffit d'additionner les expressions générales du courant ou de la tension en régime naturel et en régime permanent et de déterminer la valeur des inconnues à partir des conditions initiales. Voyons cette méthode dans les exemples qui suivent.

Exemple 7.6 Circuit RC alimenté en courant continu

Déterminer la tension transitoire aux bornes du condensateur d'un circuit RC (fig. 7.2) qu'on branche à l'instant $t = 0$ à une source continue E_0. Le condensateur est initialement déchargé.

Solution:

La tension transitoire $e_t(t)$ aux bornes du condensateur est la somme de la tension $e_n(t)$ due à la réponse naturelle et de la tension $e(t)$ due à la réponse en régime permanent:

$$e_t(t) = e_n(t) + e(t)$$

Ainsi, la tension $e_n(t)$ correspondant à la réponse naturelle peut s'écrire:

$$e_n(t) = \frac{1}{C} \int_0^t i_n(t)\, dt = \frac{1}{C} \int_0^t A\, e^{-t/RC}$$

$$= R\, A\, e^{-t/RC} + E_0 = R\, A\, e^{-t/RC}$$

La tension aux bornes du condensateur en régime permanent est évidemment E_0:

$$e(t) = E_0$$

Il en résulte que:

$$e_t(t) = R\ A\ e^{-t/RC} + E_0$$

Si, à l'instant initial, le condensateur est déchargé, on a:

$$e(0) = R\ A + E_0 = 0$$
$$A = -E_0\ /\ R$$
$$e_n(t) = E_0\ (1 - e^{-t/RC})$$

Cette tension transitoire apparaît à la figure 7.2.

Exemple 7.7   Circuit RC alimenté par une source de tension sinusoïdale

Si on remplace, dans l'exemple précédent, la source continue par une source alternative (fig. 7.11) et si on calcule le courant transitoire plutôt que la tension transitoire aux bornes du condensateur, on constate que l'expression de la réponse naturelle ne change pas:

$$i_n(t) = A\ e^{-t/RC}$$

On peut évaluer le courant en régime permanent à l'aide des phaseurs:

$$\overline{I} = \frac{E\ \angle\theta}{R + jX_C} = I\ \angle\theta\text{-}\phi$$

$$I = \frac{E\ \omega\ C}{\sqrt{1 + (R\ C\ \omega)^2}}$$

$$\phi = \tan^{-1}\ (\omega RC - 90°)$$

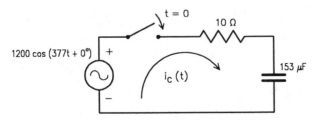

Figure 7.11 (ex. 7.7) Circuit RC série.

L'expression de $I_n(t)$ devient:

$$i_t(t) = I_n \, e^{-t/RC} + I \sqrt{2} \cos(\omega t + \theta + \phi)$$

La constante I_n se détermine par le calcul du courant initial à $t = 0^+$:

$$i_t(0^+) = A + \sqrt{2} \cos(\theta - \phi)$$

$$= \frac{E \sqrt{2} \cos \theta}{R}$$

$$A = \frac{E \sqrt{2} \cos \theta}{R} - I \sqrt{2} \cos(\theta - \phi)$$

L'expression complète du courant transitoire est:

$$I_t(t) = \frac{E \sqrt{2} \cos \theta}{R} - I \sqrt{2} \cos(\theta - \phi) \, e^{-t/RC} + I \sqrt{2} \cos(\omega t + \theta + \phi)$$

En remplaçant par les valeurs numériques, on obtient:

$$I = 60 / \sqrt{2} \text{ A}$$
$$\phi = -60°$$
$$\theta = 0°$$

$$I_t(t) = \left[(-\frac{1200}{10} - 60 \cos 60°) \, e^{-t(653,6)} + 60 \cos(2\pi \cdot 60 \cdot t + 60°) \right]$$

$$= 90 \, e^{-653,6t} + 60 \cos(377t + 60°) \text{ A}$$

Remarque: À $t = 10$ ms, la composante transitoire du courant ne vaut déjà plus que $0,13$ A. Pourtant, on doit en tenir compte puisqu'à l'instant où l'interrupteur est fermé, elle fait grimper le courant de 90 A.

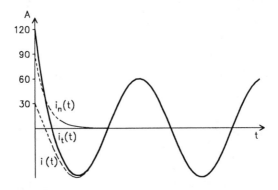

Figure 7.12 (ex. 7.7) Réponse complète d'un circuit RC série alimenté par une onde sinusoïdale.

Exemple 7.8   Circuit RLC série

Le cas du circuit RLC suivant (fig. 7.13) se résout de façon similaire à l'exemple précédent. Pour alléger les calculs, nous ne considérerons que le cas pour lequel le circuit est oscillant.

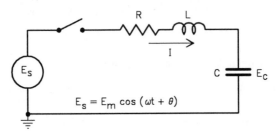

Figure 7.13 (ex. 7.8) Circuit RLC.

L'expression de la réponse naturelle du courant est:

$$i_n(t) = A \, e^{-\alpha t} \sin(\omega_p t + \theta) \quad \text{(art. 7.2.2)}$$

et celle du courant en régime permanent est:

$$i(t) = I \sqrt{2} \cos(\omega t + \theta - \varphi)$$

où:

$$I = \frac{E}{\sqrt{R^2 + (X_L - X_C)^2}}$$

$$\varphi = \text{arctg} \, [(X_L - X_C)/R]$$

Ainsi, l'expression du courant en régime transitoire devient:

$$i_t(t) = A \, e^{-\alpha t} \sin(\omega_p t + \theta) + I \sqrt{2} \cos(\omega t + \theta - \varphi)$$

Les conditions initiales suivantes permettent d'évaluer les deux constantes A et θ:

$$i_t(0) = 0$$

et

$$\left. \frac{di_t}{dt} \right|_0 = \frac{E \sqrt{2} \cos\theta - E_{CO}}{L}$$

où E_{CO} est la tension initiale du condensateur.

Il reste à calculer les constantes, mais ce calcul est laborieux. En conséquence, nous ne le reproduisons pas ici. Toutefois, on peut visualiser le résultat avec le cas de la mise sous tension d'un condensateur déchargé (fig. 7.14). Les valeurs choisies sont celles d'un circuit d'alimentation à 120 V dans lequel:

$$R = 0,4 \ \Omega$$
$$C = 480 \ \mu F$$
$$L = 150 \ \mu H$$
$$\theta = -60°$$

Il faut remarquer l'amplitude importante de la valeur transitoire du courant.

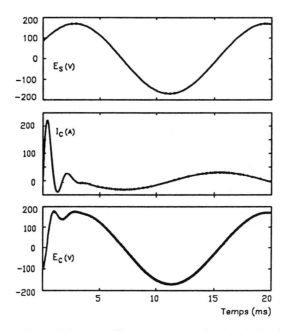

Figure 7.14 (ex. 7.8) Courant et tension lors de la mise sous tension d'un condensateur déchargé.

7.4 REMARQUE

Dans ce chapitre, nous avons survolé le régime transitoire dans les circuits électriques. Une étude plus poussée exige des connaissances qui dépassent largement le niveau visé dans ce volume.

Dans les chapitres suivants, il ne sera question que du régime permanent.

Chapitre 8

PUISSANCE
EN COURANT ALTERNATIF

8.1 INTRODUCTION

Dans les circuits à courant continu, la puissance dissipée dans une résistance est égale au produit du courant qui y circule et de la tension à ses bornes. Puisque, par définition, le courant et la tension ne varient pas dans le temps, on obtient dans ces circuits des puissances constantes. Dans un circuit à courant alternatif, la puissance instantanée dissipée dans une résistance équivaut toujours au produit de la tension et du courant; puisque ceux-ci varient dans le temps, la puissance varie elle aussi. Le produit, à tout instant, d'une tension et d'un courant constitue la *puissance instantanée*. Pour déterminer la valeur moyenne de la puissance instantanée, appelée *puissance moyenne*, on doit procéder à l'intégration de la puissance instantanée ou utiliser les valeurs efficaces du courant et de la tension.

8.2 PUISSANCE DANS UNE RÉSISTANCE

En régime sinusoïdal (chap. 6), le courant et la tension dans une résistance sont en phase. La puissance instantanée est le produit de la tension et du courant (fig. 8.1).

Puisque:

$$e_R(t) = E_R \sqrt{2} \cos \omega t$$
$$i_R(t) = I_R \sqrt{2} \cos \omega t$$

on obtient:

$$p_R = e_R(t)\, i_R(t)$$
$$= 2\, E_R\, I_R\, \cos^2 \omega t$$
$$= E_R\, I_R\, (1 + \cos 2\omega t)$$

Si on définit **P** comme la valeur moyenne de p(t), on obtient:

$$p(t) = P\,(1 + \cos 2\omega t)$$

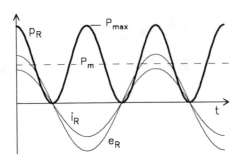

Figure 8.1 Tension, courant et puissance
dans une résistance.

Il ressort de l'examen de la figure 8.1 et de l'équation précédente que:
- la puissance instantanée est toujours positive et que la résistance dissipe continuellement de l'énergie;
- la fréquence de l'onde de puissance est le double de celle de la tension et du courant;
- la puissance moyenne dissipée par la résistance est égale à la moitié de la valeur maximale de l'onde de puissance;
- P est égal au produit de la valeur efficace de la tension aux bornes de la résistance et de la valeur efficace du courant qui la traverse:

$$P = E_R\,I_R$$

On peut récrire la dernière équation en fonction de la valeur de la résistance:

$$P = R\,I_R^2$$
$$= E_R^2\,/\,R$$

Ces dernières expressions ont la même forme que celles de la puissance en courant continu. Cette coïncidence n'est pas fortuite. Elle provient de la définition même de la valeur efficace (chap. 5).

L'unité de la puissance P est le *watt* (**W**). On utilise également les expressions *puissance réelle*, *puissance active* ou *puissance utile* pour désigner la puissance moyenne.

8.3 PUISSANCE DANS UNE INDUCTANCE

Si le courant qui traverse une réactance inductive s'exprime ainsi:

$$i_L(t) = \sqrt{2}\,I_L \sin\omega t$$

la tension qui apparaît à ses bornes est:

$$e_L(t) = \sqrt{2}X_L\,I_L \cos\omega t$$

et la puissance instantanée dans l'inductance est:

$$\begin{aligned}
p_L &= e_L\,i_L \\
&= (\sqrt{2}\,I_L\,X_L \cos\omega t) \cdot (\sqrt{2}\,I_L \sin\omega t) \\
&= 2\,I_L^2\,X_L\,(\cos\omega t)(\sin\omega t) \\
&= I_L^2\,X_L \sin 2\omega t
\end{aligned}$$

Par analogie avec la puissance réelle, on peut poser que:

$$Q = I^2\,X_L$$

d'où

$$p_L(t) = Q \sin 2\omega t$$

Q est appelée *puissance réactive*. L'unité de la puissance réactive est le *voltampère réactif* (*var*). Certains auteurs utilisent plutôt l'expression puissance imaginaire.

Tout comme dans la résistance, la puissance instantanée dans une inductance varie à une fréquence double de celle du courant et de la tension (fig. 8.2). Toutefois, la valeur moyenne de la puissance instantanée est nulle. Une inductance ne dissipe pas d'énergie: pendant le demi-cycle positif, l'énergie est absorbée par l'inductance et la puissance est alors considérée positive; par contre, lors du demi-cycle négatif, l'énergie est restituée par l'inductance et la puissance est alors considérée négative.

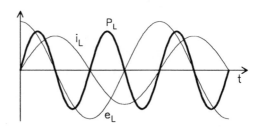

Figure 8.2 Tension, courant et puissance
dans une inductance.

8.4 PUISSANCE DANS UN CONDENSATEUR

Soit un condensateur. Si:

$$e_c(t) = \sqrt{2}\ E_c\ \cos \omega t$$

alors:
$$i_c(t) = -\sqrt{2}\ I_c\ \sin \omega t$$

$$e_c = -\sqrt{2}\ X_c\ I_c\ \cos \omega t$$

et
$$p_c(t) = (-\sqrt{2}\ I_c X_c\ \cos \omega t)\ (-\sqrt{2}\ I_c\ \sin \omega t)$$

$$= 2\ I_c^2\ X_c\ (\cos \omega t)(\sin \omega t)$$

$$= I_c^2\ X_c\ \sin 2\omega t$$

$$= -\frac{I_c^2}{\omega C}\ \sin 2\omega t$$

Comme pour l'inductance, on peut poser que:

$$Q = I_c^2\ X_c$$

Alors:
$$p_c = Q\ \sin 2\omega t$$

La figure 8.3 montre que la valeur moyenne de la puissance est nulle. Tout comme dans le cas d'une inductance, il n'y a aucun transfert net d'énergie entre un condensateur et la source.

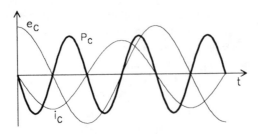

Figure 8.3 Tension, courant et puissance
dans un condensateur.

8.5 PUISSANCE RÉACTIVE

Dans un élément réactif, même s'il n'y a aucun transfert net d'énergie, il se produit un emmagasinage et une restitution périodique d'énergie à une fréquence double de celle du courant ou de la tension. On a développé la définition de la puissance réactive (ou imaginaire) pour décrire cet échange d'énergie. L'expression de la puissance réactive est similaire à celle de la puissance active:

$$Q = I^2 X$$
$$= E^2 / X$$

où I et E sont respectivement la valeur efficace du courant dans la réactance et celle de la tension à ses bornes. Pour une inductance, X est égal à ωL tandis que pour un condensateur, X est égal à $-1/\omega C$.

La puissance réactive est positive dans le cas d'une inductance et négative pour un condensateur. Par convention, voire par abus de langage, on dit que l'inductance absorbe ou consomme de la puissance réactive et que le condensateur en fournit ou en génère. On dit aussi qu'une charge dissipe l'énergie réelle produite, générée ou fournie par une source.

8.6 PUISSANCE DANS UNE IMPÉDANCE

Considérons le cas général d'une impédance (fig. 8.4). Si:

$$e_z(t) = \sqrt{2} E_z \cos \omega t$$

et
$$i_z(t) = \sqrt{2} I_z \cos(\omega t - \phi)$$

où ϕ est l'angle de l'impédance,

$$p(t) = (\sqrt{2} E_z \cos \omega t)(\sqrt{2} I_z \cos(\omega t - \phi))$$
$$= 2 E_z I_z \cos \omega t (\cos \omega t \cos \phi + \sin \omega t \sin \phi)$$
$$= 2 E_z I_z (\cos^2 \omega t \cos \phi + \cos \omega t \sin \omega t \sin \phi)$$

or:
$$\cos^2 \omega t = (1 + \cos 2\omega t) / 2$$

et
$$\sin \omega t \cos \omega t = (\sin 2\omega t) / 2$$

d'où
$$p(t) = E_z I_z \cos \phi (1 + \cos 2\omega t) + E_z I_z \sin \phi \sin 2\omega t$$
$$= P (1 + \cos 2\omega t) + Q \sin 2\omega t$$

Une impédance dissipe de l'énergie réelle et consomme ou génère de l'énergie réactive.

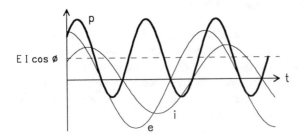

Figure 8.4 Tension, courant et puissance instantanée dans une impédance à caractère R-L.

Puisque:

$$\vec{Z} = R + jX = Z\underline{/\phi}$$

alors:

$$P = E_z \, I_z \cos\phi$$
$$= R \, I_z^2$$

et

$$Q = E_z \, I_z \sin\phi$$
$$= X \, I_z^2$$

L'angle ϕ détermine si l'impédance consomme plus ou moins de puissance réelle et réactive. Si $\phi = 0°$, il s'agit d'une résistance et Q est nulle. Si $\phi = \pm 90°$, l'impédance ne dissipe aucune puissance réelle, mais consomme ou génère de la puissance réactive.

8.7 PUISSANCE DANS UNE SOURCE

Le cas d'une source est très similaire à celui d'une impédance:

$$p_s(t) = e_s(t) \, i_s(t)$$
$$= (\sqrt{2} \, E_s \cos\omega t)(\sqrt{2} \, I_s \cos(\omega t - \phi))$$
$$= P \, (1 + \cos 2\omega t) + Q \sin 2\omega t$$

avec:

$$P = E_s \, I_s \cos\phi$$

et

$$Q = E_s \, I_s \sin\phi$$

Il faut toutefois faire une distinction essentielle. La source fournit ou génère de l'énergie réelle au lieu d'en dissiper. De plus, elle génère ou fournit de l'énergie réactive au lieu d'en consommer dans le cas où le courant est en retard ou inductif ($\phi > 0°$). Elle absorbe ou consomme de l'énergie réactive dans le cas où le courant est en avance ou capacitif ($\phi < 0°$).

8.8 PUISSANCE APPARENTE

La notion de puissance apparente S permet de représenter P et Q sous forme complexe. La partie réelle de la puissance apparente correspond à la puissance réelle P tandis que la partie imaginaire correspond à la puissance réactive Q:

$$\vec{S} = P + jQ$$

Pour une impédance $\vec{Z} = Z\underline{/\phi}$, la puissance réelle P est égale à E I cos ϕ et la puissance réactive Q est égale à E I sin ϕ. Alors:

$$\vec{S} = E\ I\ \cos\phi + j\ E\ I\ \sin\phi$$
$$= E\ I\ (\cos\phi + j\sin\phi)$$
$$= E\ I\ \underline{/\phi}$$
$$= S\ \underline{/\phi}$$

$$S = \sqrt{P^2 + Q^2}$$
$$= Z \bullet I^2$$

L'unité de la puissance apparente est le **voltampère** (**VA**). D'autre part, en prenant la tension comme référence, on peut écrire:

$$\overline{E} = E\ \underline{/0°}$$
$$\overline{I} = I\ \underline{/-\phi}$$
$$\overline{I}^* = I\ \underline{/\phi}\quad (\text{conjugué de } \overline{I})$$

Alors:

$$\overline{E}\ \overline{I}^* = E\ I\ \underline{/\phi}$$

d'où

$$\vec{S} = \overline{E}\ \overline{I}^*$$

L'équation précédente est générale. Elle s'applique tout aussi bien à des sources qu'à des charges.

À partir des expressions des puissances, on peut construire un triangle semblable à celui de l'impédance (fig. 8.5). Si chacune des trois composantes R, X et Z est multipliée par I^2, on obtient un triangle semblable à celui de l'impédance et pour lequel R I^2 correspond à la puissance réelle P, X I^2 à la puissance réactive Q et Z I^2 à la puissance apparente S.

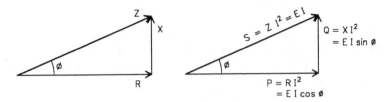

Figure 8.5 Triangle des impédances et des puissances.

8.9 FACTEUR DE PUISSANCE

Le terme cos ϕ de l'expression de la puissance réelle P est nommé *facteur de puissance*. Seule l'impédance considérée sert à déterminer l'angle ϕ: ainsi $\phi = 0°$ lorsque l'impédance ne comprend qu'une résistance; $\phi = 90°$ lorsque l'impédance ne comprend qu'une réactance inductive; $\phi = -90°$ lorsque l'impédance ne comprend qu'une réactance capacitive. C'est donc dire que ϕ est toujours égal à une valeur comprise entre $-90°$ et $+90°$ lorsque l'impédance considérée est quelconque. Il en découle que le facteur de puissance est toujours positif et compris entre 0 et $+1$.

Le facteur de puissance ou cosinus de l'angle ϕ dans le triangle des puissances, correspond aussi au rapport P/S:

$$F_p = \cos \phi$$
$$= P / S$$
$$= R / Z$$

Il est important de rappeler ici que l'angle ϕ désigne l'angle de la quantité complexe Z par rapport à R ou l'angle de la quantité complexe S par rapport à P. Il ne s'agit pas de l'angle du phaseur du courant par rapport au phaseur de la tension. Le facteur de puissance est dit en retard ou inductif si l'angle ϕ est positif (le courant est alors en retard par rapport à la tension); on le dit en avance ou capacitif si l'angle ϕ est négatif (le courant est alors en avance sur la tension).

En Amérique du Nord, on simplifie souvent l'expression du facteur de puissance en remplaçant les termes en retard, en avance, inductif ou capacitif par les signes + ou –. Ainsi, un facteur de puissance de $+0,8$ indique une charge inductive tandis que $-0,8$ indique une charge capacitive. De fait, le signe associé au facteur de puissance correspond à celui de l'angle du vecteur impédance. Cette simplification s'avère particulièrement utile pour les calculs informatisés.

Exemple 8.1   Charge industrielle

Une charge industrielle est constituée de 50 kW de chauffage et de 130 kVA de force motrice ayant un facteur de puissance de 0,6. La tension fournie à cette installation est 600 V. Déterminer le courant total ainsi que le facteur de puissance global.

Solution:

Le chauffage représente une charge purement résistive pour laquelle le facteur de puissance est égal à l'unité. Il n'y a pas de puissance réactive et P est égale à S.

Quant à la force motrice, puisque le facteur de puissance est inductif et égal à 0,6, les composantes réelle et réactive de la puissance complexe se calculent:

$$P_{moteur} = S \cos \phi$$
$$= (130 \text{ kVA})(0,6) = 78 \text{ kW}$$

$$Q_{moteur} = S \sin \phi$$
$$= (130 \text{ kVA})(+0,8) = +104 \text{ kvar}$$

On peut additionner arithmétiquement les puissances réelles d'une part et algébriquement les puissances réactives d'autre part, ce qui permet de dessiner le triangle des puissances de l'usine (fig. 8.6).

Pour l'usine entière:

$$P = (50 \text{ kW}) + (78 \text{ kW}) = 128 \text{ kW}$$

$$Q = (0 \text{ kvar}) + (+104 \text{ kvar})$$
$$= +104 \text{ kvar}$$

$$\vec{S} = P + jQ$$
$$= 128 \text{ kW} + j104 \text{ kvar}$$
$$= 165 \underline{/+39,1°} \text{ kVA}$$

Le facteur de puissance pour l'ensemble de l'usine est:

$$F_p = \cos \phi \quad \text{ou} \quad P / S$$
$$= \cos (+39,1°) \quad \text{ou} \quad 128 / 165$$
$$= 0,78$$

On détermine le courant en faisant le rapport entre la puissance apparente et la tension:

$$I = S / E = (165 \bullet 10^3 \text{ VA}) / (600 \text{ V})$$
$$= 275 \text{ A}$$

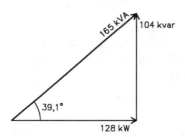

Figure 8.6 (ex. 8.1) Triangle des puissances pour l'usine.

8.10 AMÉLIORATION DU FACTEUR DE PUISSANCE

Dans les applications industrielles ou privées, la charge est généralement de nature inductive et le courant, en retard sur la tension. La puissance utile fournie à une charge est la puissance réelle P. Cette puissance est acheminée aux consommateurs grâce à des lignes de distribution et des transformateurs.

La puissance nominale d'un transformateur s'exprime en voltampères. Puisqu'un transformateur fonctionne généralement à une tension constante, sa puissance nominale détermine le courant qu'il peut fournir en régime permanent. Théoriquement, un transformateur peut être entièrement chargé par des inductances ou des condensateurs ($F_p = 0$) sans un seul watt de puissance utile. Par contre, si un transformateur est entièrement chargé par une charge résistive ($F_p = 1$), il fournit alors une puissance réelle égale à sa puissance nominale en voltampères. Pour tirer le maximum d'un transformateur, on doit faire en sorte que la puissance réelle se rapproche le plus possible de la puissance en voltampères. En d'autres termes, dans le triangle des puissances, la longueur de S doit tendre vers celle de P et l'angle ϕ doit être aussi petit que possible.

On peut diminuer cet angle en ajoutant des condensateurs en parallèle avec la charge, avec comme effet une meilleure utilisation du transformateur, une réduction des courants et des économies importantes. L'ajout de condensateurs est appelé *correction du facteur de puissance*. Dans le cas d'installations industrielles, le fournisseur d'énergie électrique pénalise les clients lorsque le facteur de puissance est inférieur à une valeur spécifiée, habituellement 0,90 ou 0,95.

8.11 MESURE DE LA PUISSANCE

Tout comme on utilise un voltmètre pour mesurer la tension et un ampèremètre pour mesurer le courant, on peut mesurer la puissance réelle fournie par une source à une charge avec un appareil appelé *wattmètre*. Puisque la puissance implique en même temps la tension et le courant, un wattmètre doit donc avoir deux entrées: une entrée pour la tension, comportant des caractéristiques correspondant à celle d'un voltmètre, et une autre pour le courant, dont les caractéristiques correspondent à celle d'un ampèremètre.

Que l'appareil soit analogique ou numérique, l'information qu'il fournit correspond à la valeur moyenne de l'intégrale des puissances instantanées pour une période de l'onde de tension. Ceci correspond à la relation:

$$P = \frac{1}{T} \int_0^T p \, dt = \frac{1}{T} \int_0^T e(t) \, i(t) \, dt$$

où:
P = la puissance moyenne
p = la valeur instantanée de la puissance
e = la tension instantanée aux bornes du circuit tension du wattmètre
i = le courant instantané qui traverse le circuit courant du wattmètre

De façon générale, en utilisant les valeurs efficaces, on obtient:

$$P = E \, I \, \cos(\hat{E} \, I)$$

où:
E et I = l'amplitude de la tension et du courant
$\hat{E} \, I$ = le déphasage entre E et I.

La figure 8.7 montre la façon correcte de connecter un wattmètre.

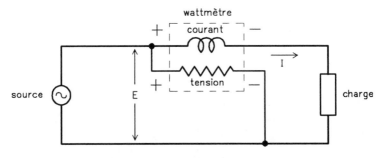

Figure 8.7 Mesure de la puissance réelle
à l'aide d'un wattmètre.

L'exemple 8.2 compare l'information obtenue sur un wattmètre au résultat qu'on obtient par la loi d'Ohm.

Exemple 8.2   Mesure de puissance

Soit le circuit de la figure 8.7 pour lequel la tension (valeur efficace) de la source est 120 V $\underline{/26°}$ et la charge est une impédance de 8 + j6 Ω. Comparer la puissance obtenue par la loi d'Ohm à celle que fournit le wattmètre.

Solution:

$$\overline{I} = \frac{120 \underline{/26°}}{8 + j6}$$

$$= \frac{120 \underline{/26°}}{10 \underline{/36,9°}}$$

$$= 12 \underline{/-10,9°} \text{ A}$$

Loi d'Ohm:

$$P = R I^2$$
$$= 8 \cdot 12^2$$
$$= 1152 \text{ W}$$

Puissance lue sur le wattmètre:

$$P = E \cdot I \cos(\underline{/E} - \underline{/I})$$
$$= 120 \cdot 12 \cos(26° - (-10,9°))$$
$$= 120 \cdot 12 \cos(36,9°)$$
$$= 1152 \text{ W}$$

La valeur indiquée par le wattmètre correspond bien à celle qu'on obtient par la loi d'Ohm.

Exemple 8.3   Correction du facteur de puissance

À partir des données de l'exemple 8.1, améliorer à 0,95 le facteur de puissance vu par la source. La fréquence est 60 Hz.

Solution:

La puissance réelle de 128 kW constitue la charge et doit rester telle quelle. On peut améliorer le facteur de puissance en diminuant la puissance réactive. Pour ce faire, on ajoute des condensateurs qui fournissent une puissance réactive négative.

Après correction, la puissance apparente devient:

$$S = P / \cos \phi = 128 / 0,95$$
$$= 135 \text{ kVA}$$

La puissance réactive acceptable est donc:

$$Q = (135 \text{ kVA}) \sin (\text{arc} \cos 0,95)$$
$$= 43 \text{ kvar}$$

On doit donc ajouter des condensateurs pour diminuer à 43 kvar la puissance réactive qui était auparavant de 104 kvar. Par conséquent, il faut 61 kvar de condensateurs. Après correction ou amélioration du facteur de puissance, le triangle des puissances de la figure 8.6 devient celui de la figure 8.8. Le courant requis par l'usine est alors:

$$I = S / E = (135 \bullet 10^3) / 600 = 225 \text{ A}$$

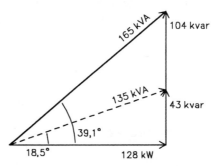

Figure 8.8 Triangle des puissances pour l'usine après amélioration du facteur de puissance.

Le tableau 8.1 donne un résumé des calculs effectués aux exemples 8.1 et 8.3.

Tableau 8.1 Résumé des calculs des exemples 8.1 et 8.3

	P (kW)	Q (kvar)	S (kVA)	ϕ	F_p	Courant (A)	E (V)
Chauffage	*50*	0	50	0°	1	83 $\angle 0°$	600
Force motrice	78	104	*130*	53,1°	*0,6*	217 $\angle -53,1°$	600
Total de l'usine	128	104	165	39,1°	0,78	275 $\angle -39,1°$	600
Condensateur	0	-61	61	-90°	0	102 $\angle +90°$	600
F_p amélioré	128	43	135	18,5°	*0,95*	225 $\angle -18,5°$	600

Note: Les valeurs en italique gras représentent les données ou valeurs spécifiées.

Pour fournir la même puissance utile de 128 kW, à la même tension de 600 V, le courant requis dans le premier cas est de 275 A contre seulement 225 A après amélioration du facteur de puissance. Le calibre des conducteurs et la dimension des transformateurs dépendent du courant. Il est normal que les fournisseurs d'énergie électrique tiennent compte du facteur de puissance lors de la facturation. Ainsi, un client qui a une installation électrique avec un faible facteur de puissance paie l'énergie électrique plus chère qu'un autre dont l'installation électrique a un facteur de puissance qui se rapproche de l'unité.

Généralement, le coût des condensateurs ajoutés pour améliorer le facteur de puissance peut s'amortir en moins d'un an.

On pourrait calculer la capacité des condensateurs requis:

$$Q_C = E^2 / X_C = -E^2 \omega C$$

or:

$$Q_C = -61 \text{ kvar}$$

d'où, à 60 Hz:

$$C = \frac{-Q_C \cdot 10^6}{\omega E^2} = \frac{61 \cdot 10^3 \cdot 10^6}{2\pi 60 \cdot 600^2}$$

$$= 450 \ \mu F$$

En pratique, ce calcul est inutile, car les condensateurs fabriqués et vendus pour la correction du facteur de puissance le sont pour une application spécifique, à une fréquence spécifique et à une tension spécifique. Ils sont donc, de ce fait, spécifiés dans les catalogues des manufacturiers, non pas en microfarads mais directement en kilovars. Il ne faut toutefois pas oublier que cette valeur n'est valable que pour la tension et la fréquence nominales. En fait, la puissance réactive d'un condensateur varie linéairement avec la fréquence et de façon quadratique avec la tension.

Exemple 8.4 Deux charges en parallèle

Une charge A de 15 kVA dont le facteur de puissance est +0,60 et une charge B de 12 kVA dont le facteur de puissance est -0,90 sont branchées en parallèle et alimentées par une source à 220 V, 60 Hz. Déterminer:

a) la puissance réelle totale,
b) la puissance réactive totale,
c) la puissance apparente totale,
d) le facteur de puissance vu par la source,
e) la puissance réactive des condensateurs requis pour rendre le facteur de puissance du système égal à 0,98,
f) ce que deviennent les facteurs de puissance respectifs des charges A et B après l'ajout des condensateurs.

Solution:

a) $P_A = 0,6 \cdot 15$ kVA $= 9$ kW
$P_B = 0,9 \cdot 12$ kVA $= 10,8$ kW
$P_T = 9 + 10,8 = 19,8$ kW

b) $Q_A = 0,8 \cdot 15$ kVA $= 12$ kvar
$Q_B = -0,43 \cdot 12$ kVA $= -5,16$ kvar
$Q_T = 12 + (-5,16) = 6,84$ kvar

c) $S_T = 19,8 + j6,84 = 20,9 \underline{/19°}$ kVA

d) $F_p = \cos 19° = 0,95$

e) $S_{admissible}$ = 19,8 / 0,98 = 20,2 kVA

$Q_{admissible}$ = 20,2 sin (cos^{-1} 0,98) = 4 kvar

Q_{requis} = 4 - 6,8 = -2,8 kvar

f)   Aucun changement.

Exemple 8.5   Influence de l'ajout d'un condensateur

Une charge industrielle est représentée par une impédance de $6 + j8\ \Omega$ (fig. 8.9). La tension aux bornes de la charge est 250 $\underline{/0°}$ V.

a) Calculer le courant I_{ch}, la puissance apparente, la puissance réelle, la puissance réactive et le facteur de puissance de la charge.

b) Calculer la tension de la source si la ligne qui relie la source à la charge industrielle a une impédance (série) de $1 + j3\ \Omega$. Calculer aussi la puissance perdue dans la ligne.

c) Si on ajoute un condensateur ayant une réactance capacitive de 12,5 Ω en parallèle avec la charge industrielle (fig. 8.10), calculer le courant pris par le condensateur, le nouveau courant fourni par la source et le facteur de puissance de l'ensemble charge industrielle et condensateur, si la tension aux bornes de la charge industrielle reste inchangée à 250 V.

d) Calculer la nouvelle tension de la source ainsi que la nouvelle valeur de puissance réelle perdue dans la ligne.

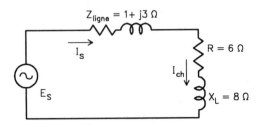

Figure 8.9 (ex. 8.5) Charge seule.

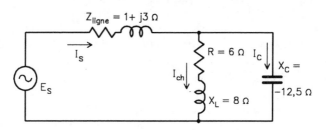

Figure 8.10 (ex. 8.5) Circuit après l'ajout du condensateur.

Solution:

a) $Z_{ch} = 6 + j8 = 10 \underline{/53,1°} \ \Omega$

$I_{ch} = 250 \underline{/0°} / 10 \underline{/53,1°} = 25 \underline{/-53,1°}$ A

$\overline{S} = 250 \underline{/0°} \cdot (25 \underline{/-53,1°})^* \cdot 10^{-3}$

$\quad = 6,25 \underline{/53,1°}$ kVA

$P = 6,25$ kVA $\cdot \cos 53,1° = 3,75$ kW

$Q = 6,25$ kVA $\cdot \sin 53,1° = 5,0$ kvar

$F_p = \cos 53,1° = +0,6$

b) $E_{source} = 250 \underline{/0°} + (1 + j3 \ \Omega)(25 \underline{/-53,1°}$ A$)$

$\quad = 326 \underline{/4,4°}$ V

$P_{ligne} = 1 \ \Omega \cdot (25$ A$)^2 = 625$ W

c) $I_C = 250 \underline{/0°}$ V $/ 12,5 \underline{/-90°} \ \Omega = 20 \underline{/90°}$ A

$I_{source} = 25 \underline{/-53,1°} + 20 \underline{/90°} = 15 \underline{/0°}$ A

$F_p = \cos 0° = 1$

d) $E_{source} = 250 \underline{/0°} + (1 + j3)(15 \underline{/0°}) = 269 \underline{/10°}$ V

$P_{ligne} = 1 \cdot 15^2 = 225$ W

Exemple 8.6   Charges multiples en parallèle

Dans une usine alimentée à une tension de 575 V et une fréquence de 60 Hz, l'inventaire des charges donne la liste suivante:

Charge A: moteurs, 225 kW, F_p = 0,7 en retard.
Charge B: éclairage, 10 kW.
Charge C: chauffage, 30 kW.
Charge D: four à air chaud au gaz naturel, 300 kW.
Charge E: moteur de 275 hp, rendement = 0,917, F_p = 0,8 en retard.
Charge F: climatisation, 30 kVA, F_p = 0,9 inductif.
Charge G: compresseurs, 25 kVA, F_p = 0,85 inductif.
Charge H: appareils de soudure, 10 kW, F_p = +0,6.
Charge I: presse hydraulique, 10 kVA, F_p = +0,75.
Charge J: appareil spécial, 100 kW, F_p = 0,8 en avance.

a) Calculer la charge totale de cette usine.
b) Quel est le facteur de puissance lorsque tous les appareils fonctionnent à pleine puissance?
c) Quel est le courant fourni par la source?
d) Quel est le condensateur requis pour compenser entièrement le facteur de puissance? Que devient alors le courant fourni par la source?
e) Si on conserve le condensateur calculé en d) et qu'on débranche la charge E, que devient le facteur de puissance vu par la source?
f) Quel est le courant demandé par le moteur de 275 hp?
g) Quel serait le montant d'une facture mensuelle si tous les appareils fonctionnaient 16 heures par jour pendant 20 jours dans le mois, au taux de 5,7 ¢ le kilowatt-heure?

Solution:

```
a)   Charge A: P = 225 kW
               S = 225 / 0,7 = 321,4 kVA
               Q = 321,4 • sin (cos⁻¹ 0,7) = 229,5 kvar

     Charge B: P = 10 kW
               Q = 0
               S = 10 kVA

     Charge C: P = 30 kW
               Q = 0
               S = 30 kVA

     Charge D: Hors contexte
```

Charge E: $P = 275 \text{ hp} \cdot 746 \text{ W/hp} \cdot 10^{-3} / 0,917 = 223,7 \text{ kW}$
$\qquad S = 223,7 / 0,8 = 279,7 \text{ kVA}$
$\qquad Q = 279,7 \cdot 0,6 = 167,8 \text{ kvar}$

Charge F: $S = 30 \text{ kVA}$
$\qquad P = 30 \cdot 0,9 = 27 \text{ kW}$
$\qquad Q = 30 \cdot 0,44 = 13,1 \text{ kvar}$

Charge G: $S = 25 \text{ kVA}$
$\qquad P = 25 \cdot 0,85 = 21,3 \text{ kW}$
$\qquad Q = 25 \cdot 0,53 = 13,2 \text{ kvar}$

Charge H: $P = 10 \text{ kW}$
$\qquad S = 10 / 0,6 = 16,7 \text{ kVA}$
$\qquad Q = 16,7 \cdot 0,8 = 13,3 \text{ kvar}$

Charge I: $S = 10 \text{ kVA}$
$\qquad P = 10 \cdot 0,75 = 7,5 \text{ kW}$
$\qquad Q = 10 \cdot 0,66 = 6,6 \text{ kvar}$

Charge J: $P = 100 \text{ kW}$
$\qquad S = 100 / 0,8 = 125 \text{ kVA}$
$\qquad Q = 125 \cdot -0,6 = -75 \text{ kvar}$

P_{totale} = Somme des P individuelles = 655 kW
Q_{totale} = Somme des Q individuelles = 369 kvar
$S = P + jQ = 751 \ \underline{/29,4°} \text{ kVA}$

b) $F_p = \cos 29,4° = +0,87$

c) $I_{source} = (751 \cdot 10^3) / 575 = 1306 \text{ A}$

d) $Q_{requis} = 0 - 369 = -369 \text{ kvar}$
$C_{requis} = (369 \cdot 10^3) / (575^2 \cdot 2\pi \cdot 60) \cdot 10^6 = 2960 \ \mu\text{F}$
Nouveau $I_{source} = 655 \cdot 10^3 / 575 = 1139 \text{ A}$

e) Sans la charge E
$P = 655 - 224 = 431 \text{ kW}$
$Q = 0 - 168 = -168 \text{ kvar}$
$S = 463 \ \underline{/-21,3°} \text{ kVA}$
$F_p = \cos -21,3° = -0,93$

f) $I_{moteur \ 275 \ hp} = 279,8 \cdot 10^3 / 575 = 487 \text{ A}$

g) $655 \cdot 16 \cdot 20 \cdot 0,057 = 11\ 947.29\$ + \text{taxes...}$
$\qquad\qquad\qquad + \text{gaz naturel}$

EXERCICES

8.1

a) Dans un circuit monophasé, une impédance a un angle de -43°. La charge est-elle de nature inductive ou capacitive? Quel est son facteur de puissance?

b) Dans un circuit monophasé, la puissance apparente totale a un angle de -43°. La charge est-elle de nature inductive ou capacitive? Quel est son facteur de puissance?

c) Dans un circuit monophasé, le courant et la tension de source sont respectivement à +160° et -160°. La charge est-elle de nature inductive ou capacitive? Quel est son facteur de puissance?

d) Le courant et la tension d'une charge monophasée sont:

$$\bar{E} = 12 \ \underline{/33°} \ V$$
$$\bar{I} = 10 \ \underline{/45°} \ A$$

La charge est-elle de nature inductive ou capacitive? Quelle est la puissance apparente?

e) Dans un circuit monophasé, l'angle du vecteur représentant la puissance apparente est de +23°. La charge est-elle de nature inductive ou capacitive? Quel est son facteur de puissance?

8.2 Soit le circuit suivant (fig. 8.11) où la source est à 60 Hz:

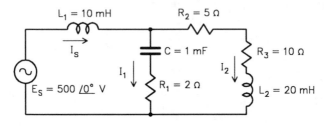

Figure 8.11 Circuit de l'exercice 8.2.

a) Calculer la puissance réelle, la puissance réactive et la puissance apparente fournie par la source.

b) Quel est le facteur de puissance vu par la source?

c) Quelle est la puissance dissipée dans R_3?

d) Quelle doit être la valeur du condensateur qui, placé en parallèle avec la source, compense entièrement le facteur de puissance?

8.3 Soit le circuit suivant (fig. 8.12):

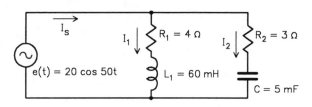

Figure 8.12 Circuit de l'exercice 8.3.

a) Calculer les courants $\overline{I}_1$ et $\overline{I}_2$.
b) Tracer le diagramme des phaseurs $\overline{E}$, $\overline{I}_1$ et $\overline{I}_2$.
c) Calculer les puissances réelle, réactive et apparente dans la branche inductive.
d) Calculer les puissances réelle, réactive et apparente dans la branche capacitive.
e) Quelles sont les puissances réelle, réactive et apparente fournies par la source?
f) Quel est le facteur de puissance vu par la source?

8.4 Soit le circuit de la figure 8.13.

a) Quelle est la puissance apparente fournie à la résistance et à l'inductance?
b) Quelle est la valeur en microfarads du condensateur X_c nécessaire pour que la source voie un facteur de puissance unitaire?

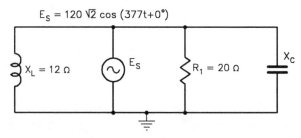

Figure 8.13 Circuit de l'exercice 8.4.

8.5 Soit le circuit suivant (fig. 8.14):

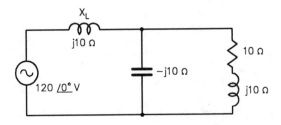

Figure 8.14 Circuit de l'exercice 8.5.

a) Quelle est l'impédance vue par la source?
b) Quel est le courant fourni par la source?
c) Quelle est la puissance réelle et la puissance réactive fournie par la source?
d) Quelle est la puissance réactive consommée dans X_L?

8.6 Soit le circuit suivant (fig. 8.15):

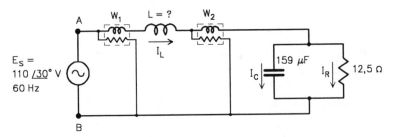

Figure 8.15 Circuit de l'exercice 8.6.

a) Calculer la valeur de L pour que la source voie une charge avec un facteur de puissance unitaire.
b) Calculer $\overline{I}_L$, $\overline{I}_C$ et $\overline{I}_R$.
c) Calculer la puissance réactive dans le condensateur.
d) Calculer la puissance réelle et réactive fournie par la source.
e) Quelles sont les indications de chacun des deux wattmètres?

8.7 Un moteur fait un appel de puissance réelle de 54 kW, avec un facteur de puissance de +0,6. L'alimentation est faite à partir d'une source monophasée dont la tension efficace est 580 V.

a) Dans ces conditions, calculer le courant demandé par le moteur.

b) Calculer la puissance réactive consommée par le moteur.

c) Suite à une entente avec le fournisseur d'électricité qui limite à 100 A valeur du courant, l'usine décide, pour ne pas dépasser cette valeur, de brancher un condensateur en parallèle avec le moteur. Que devient alors le facteur de puissance?

d) Quelle est la nouvelle puissance réactive de l'ensemble?

e) Quelle doit être la valeur de la réactance X_c du condensateur, en ohms?

8.8 Remplir le tableau suivant à partir des données de la figure 8.16.

Variable	Phaseur tension (V)	Phaseur courant (A)	P (W)	Q (var)
R_1				
R_2				
R_3				
C_1				
C_2				
L_1				
L_2				
E	$120 + j0$	$5 + j0$	600	0

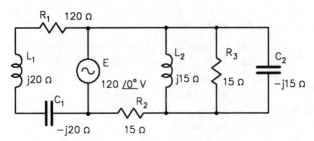

Figure 8.16 Circuit de l'exercice 8.8.

Chapitre 9

CIRCUITS TRIPHASÉS

9.1 INTRODUCTION

Partout dans le monde, la production, la transmission, la distribution et l'utilisation de l'énergie électrique sont associées à des circuits triphasés. Ces circuits sont alimentés par trois sources de même amplitude déphasées entre elles de 120°. De tels systèmes permettent de réaliser des économies substantielles de matériel et d'optimiser la taille des machines électriques.

Si les trois tensions ont la même amplitude et un déphasage de 120°, la source est dite équilibrée. Si chacune des trois charges raccordées à la source triphasée consomme les mêmes puissances réelle et réactive, on dit que la charge est équilibrée. Finalement, si la source et la charge sont toutes deux équilibrées, on parle de systèmes ou de circuits équilibrés. C'est habituellement le cas dans les systèmes de transmission ou de distribution d'électricité. Pour cette raison, le présent chapitre ne traite que des *circuits triphasés équilibrés*.

Les termes *phase* ou *ligne* servent à définir l'ensemble des conducteurs d'un circuit triphasé. Plusieurs expressions permettent de distinguer les phases ou les lignes entre elles. Au Québec, on utilise les lettres a, b et c. On parle alors de la tension de la phase a ou du courant de la phase b. Le Canada anglais emploie plus souvent les lettres r, w et b pour *red, white, blue*. Les Européens utilisent les lettres u, v et w et x, y et z. On retrouve aussi les symboles L_1, L_2 et L_3 pour ligne 1, ligne 2 et ligne 3.

L'ordre selon lequel les ondes de tension se présentent dans le temps s'appelle la *séquence de phase*. L'ordre *a b c* (fig. 9.1) correspond à la séquence usuelle ou *séquence directe*. Si, pour une raison quelconque, deux des trois ondes sont interverties, l'ordre devient *a c b*. Il en résulte une *séquence inverse*.

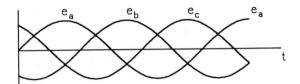

Figure 9.1 Ondes de tension déphasées entre elles.

9.2 SOURCES TRIPHASÉES

Trois sources de tension (fig. 9.2) de même amplitude et successivement déphasées de 120° peuvent être interconnectées de deux façons: en *étoile* ou en *triangle*.

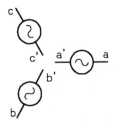

Figure 9.2 Représentation schématique
de trois sources de tension.

9.2.1 Source en étoile

Si les extrémités a', b' et c' sont reliées ensemble pour former le point neutre n, la source triphasée résultante est en étoile. On représente ce type de connexion à l'aide du symbole Y. Une telle source possède ainsi trois extrémités libres a, b, c et un point commun ou point neutre n. Les tensions des extrémités a, b et c par rapport au point neutre n sont les *tensions de phase*. On appelle *tensions de ligne* les tensions des extrémités a, b et c entre elles. Les auteurs européens francophones préfèrent les expressions *tension simple* et *tension composée*.

Un moyen simple de représenter un système triphasé équilibré consiste à mettre sous forme de phaseur chacune des tensions de phase (fig. 9.3). On peut alors exprimer les tensions de ligne E_{ab}, E_{bc} et E_{ca} en fonction des tensions de phase:

$$\overline{E}_{ab} = \overline{E}_{an} + \overline{E}_{nb}$$
$$\overline{E}_{bc} = \overline{E}_{bn} + \overline{E}_{nc}$$
$$\overline{E}_{ca} = \overline{E}_{cn} + \overline{E}_{na}$$

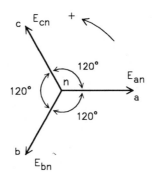

Figure 9.3 Représentation graphique d'une source triphasée équilibrée de séquence a b c.

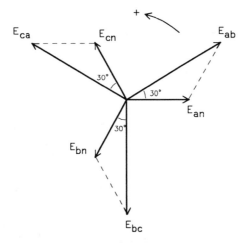

Figure 9.4 Relation entre tensions de phase et tensions de ligne pour une séquence de phase directe.

Un examen de la figure 9.4 permet de poser les relations suivantes:

$$\overline{E}_{ab} = \sqrt{3}\, \overline{E}_{an}\, \angle{+30°}$$

$$\overline{E}_{bc} = \sqrt{3}\, \overline{E}_{bn}\, \angle{+30°} = \sqrt{3}\, \overline{E}_{an}\, \angle{-90°}$$

$$\overline{E}_{ca} = \sqrt{3}\, \overline{E}_{cn}\, \angle{+30°} = \sqrt{3}\, \overline{E}_{an}\, \angle{+150°}$$

Ces équations montrent que, pour la connexion en étoile, les tensions de ligne sont $\sqrt{3}$ fois plus grandes que les tensions de phase. De plus, pour une séquence de phase directe, le système des tensions de ligne est 30° en avance sur le système des tensions de phase.

9.2.2 Source en triangle

La seconde connexion est la connexion en triangle (fig. 9.5). On l'obtient en reliant les extrémités a et c', c et b' puis b et a'. On utilise le symbole Δ pour représenter ce type de connexion.

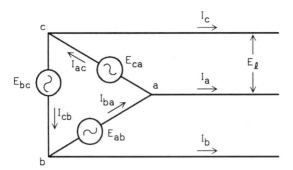

Figure 9.5 Trois sources de tension
reliées en triangle.

Dans la connexion en triangle, les extrémités des branches étant reliées deux à deux, il ne peut pas y avoir de point neutre; il n'y a que les trois lignes. Alors que dans la connexion en étoile la tension de ligne correspond à $\sqrt{3}$ fois la tension de phase, dans la connexion en triangle la tension de ligne est la même que la tension d'une branche du triangle. Dans la connexion en étoile, le courant de ligne est le même que le courant circulant dans une phase de l'étoile. Par contre, dans la connexion en triangle, le courant circulant dans une ligne est la différence des courants circulant dans les deux branches reliées à cette ligne. Pour une séquence directe, il s'ensuit que les courants de ligne sont égaux à $\sqrt{3}$ fois les courants de phase et qu'ils sont en retard de 30°.

$$\overline{I}_a = \sqrt{3}\ \overline{I}_{ab}\ \underline{/\text{-}30°}$$

$$\overline{I}_b = \sqrt{3}\ \overline{I}_{bc}\ \underline{/\text{-}30°} = \sqrt{3}\ \overline{I}_{ab}\ \underline{/\text{-}150°}$$

$$\overline{I}_c = \sqrt{3}\ \overline{I}_{ca}\ \underline{/\text{-}30°} = \sqrt{3}\ \overline{I}_{ab}\ \underline{/\text{+}90°}$$

9.2.3 Sources usuelles

Au Québec, les tensions triphasées les plus fréquemment utilisées sont les suivantes:

– en basse tension:	120/208 V,
	347/600 V;
– en moyenne tension:	7,2/12,6 kV,
	14,4/25 kV;
– en haute tension:	69/120 kV,
	163/230 kV,
	199/345 kV,
	424/735 kV.

Dans le reste de l'Amérique du Nord et en Europe, il existe des systèmes triphasés à des tensions différentes. Entre autres, on retrouve les tensions:

- 220/380 V,
- 277/460 V,
- 380/660 V,
- 8/13,8 kV,
- 21/36 kV.

Dans les deux listes précédentes, la première valeur correspond à la tension de phase et la seconde, à la tension de ligne.

L'exemple 9.1 décrit une alimentation usuelle à 120/208 V.

Exemple 9.1   Réseau 120/208 V

La figure 9.6 illustre une configuration de réseau de distribution basse tension triphasée fréquemment utilisée en Amérique du Nord.

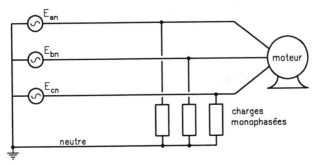

Figure 9.6 (ex. 9.1)   Réseau triphasé 120/208 V.

Dans ce système, les prises de courant et les autres charges à 120 V sont raccordées entre une phase et le neutre. Les charges plus importantes comme les moteurs sont alimentées en triphasé à partir des tensions de ligne.

En considérant la tension E_{an} comme référence, déterminer les autres tensions de phase et les trois tensions de ligne.

Solution:

La tension E_{an} est la référence et on considère une séquence directe, donc:

$$\overline{E}_{an} = 120 \; \underline{/0°} \; V$$
$$\overline{E}_{bn} = 120 \; \underline{/-120°} \; V$$
$$\overline{E}_{cn} = 120 \; \underline{/-240°} \; V$$

Les tensions de ligne sont $\sqrt{3}$ plus grandes que les tensions de phase correspondantes et en avance de 30°. Il s'ensuit que:

$$\overline{E}_{ab} = \sqrt{3} \; \overline{E}_{an} \; \underline{/+30°}$$
$$= 208 \; \underline{/30°} \; V$$
$$\overline{E}_{bc} = 208 \; \underline{/-90°} \; V$$
$$\overline{E}_{ca} = 208 \; \underline{/150°} \; V$$

9.3 CHARGES TRIPHASÉES

Comme on le fait pour les sources, on peut raccorder les trois impédances d'un circuit triphasé en étoile (fig. 9.7a) ou en triangle (fig. 9.7b).

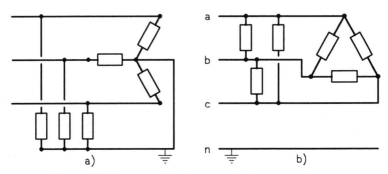

Figure 9.7 Charges triphasées: a) en étoile; b) en triangle.

9.3.1 Charges équilibrées

Dans un circuit triphasé, les charges, qu'elles soient connectées en triangle ou en étoile, sont équilibrées lorsque les trois impédances sont identiques entre elles. Cette condition ne peut être satisfaite que si les parties résistives des trois impédances sont les mêmes. Il en est de même pour les réactances.

Si:

$$\vec{Z}_a = R_a + jX_a$$
$$\vec{Z}_b = R_b + jX_b$$
$$\vec{Z}_c = R_c + jX_c$$

il faut, pour avoir une charge équilibrée, que:

$$\vec{Z}_a = \vec{Z}_b = \vec{Z}_c$$

de sorte que:

$$R_a = R_b = R_c$$
$$X_a = X_b = X_c$$

9.3.2   Équivalence entre une charge en étoile et une charge en triangle

Pour une charge dont on a accès qu'aux trois connexions pouvant être reliées aux conducteurs de ligne, il est impossible, en l'absence de quelque autre information, de déterminer s'il s'agit d'une connexion en étoile ou en triangle. Dans ce cas, on peut toujours représenter une charge triphasée, équilibrée ou non, par deux charges équivalentes: une en étoile, l'autre en triangle (fig. 9.8).

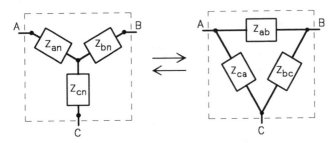

Figure 9.8 Équivalence entre une charge en étoile et une charge en triangle.

Pour que deux charges équilibrées, l'une en étoile et l'autre en triangle, raccordées à la même source triphasée aient le même comportement, c'est-à-dire pour que les courants de ligne et les puissances réelles et réactives soient les mêmes, il est nécessaire et suffisant que:

$$\vec{Z}_\Delta = 3\,\vec{Z}_Y$$

9.3.3   Charge en étoile

Dans le cas d'une charge équilibrée raccordée en étoile, la tension qu'on retrouve aux bornes de chacune des trois impédances formant la charge est une tension de phase (fig. 9.9).

Cette situation est identique à celle de trois circuits monophasés. On obtient alors les courants de ligne en divisant les tensions de phase par la valeur d'une des trois impédances.

Les trois courants de ligne ont la même amplitude et sont déphasés de 120° les uns par rapport aux autres comme les tensions de phase. Pour cette raison, la somme des phaseurs des trois courants est nulle.

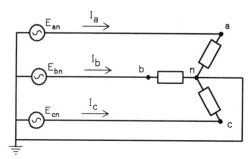

Figure 9.9 Charge triphasée en étoile.

Comme le courant I_n dans le fil neutre est la somme des trois courants de phase, il est nul lui aussi:

$$\overline{I}_n = \overline{I}_a + \overline{I}_b + \overline{I}_c = 0$$

Ainsi, dans un système triphasé équilibré, le courant dans le fil neutre est nul et les points neutres de la source et de la charge sont au même potentiel, que le fil neutre soit présent ou non. Cette constatation permet de représenter un système triphasé sous forme d'un circuit monophasé en considérant que ce qui se produit pour une phase se produit aussi, à 120° près, pour chacune des autres phases.

L'exemple 9.2 décrit une situation typique d'une charge en étoile.

Exemple 9.2 Charge en étoile

Le système triphasé équilibré 120/208 V de l'exemple 9.1 alimente trois impédances raccordées en étoile. Chaque impédance consiste en une résistance de 8 Ω en série avec une réactance inductive de j6 Ω.

a) Déterminer les courants de ligne.
b) Quel est le courant dans le fil neutre?
c) Représenter les tensions de ligne et de phase ainsi que les courants de ligne sur un même graphique.
d) Déterminer la puissance réelle et réactive consommée par chaque impédance et par l'ensemble de la charge.
e) Tracer une représentation simplifiée de cette charge.

Solution:

a) Si on prend la tension E_{an} comme référence (ex. 9.1), on obtient:

$$\overline{I}_a = \overline{E}_{an} / \vec{Z}_{an}$$
$$= 120 \underline{/0°} / (8 + j6)$$
$$= 12 \underline{/-36,9°} \text{ A}$$
$$\overline{I}_b = 12 \underline{/-156,9°} \text{ A}$$
$$\overline{I}_c = 12 \underline{/+83,1°} \text{ A}$$

b) $$\overline{I}_n = 12 \underline{/-36,9°} + 12 \underline{/-156,9°} + 12 \underline{/+83,1°}$$
$$= 0$$

c)

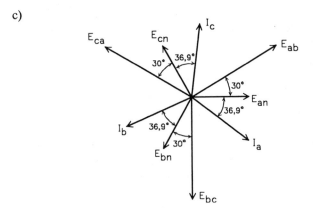

Figure 9.10 (ex. 9.2) Phaseurs pour une charge en étoile.

d) Puisqu'on connaît les courants de ligne, on peut calculer la puissance consommée par les impédances:

$$P_Z = R \bullet |I_\ell|^2 \qquad Q_Z = X_L \bullet |I_\ell|^2$$
$$= 8 \bullet 12^2 \qquad\qquad = 6 \bullet 12^2$$
$$= 1152 \text{ W} \qquad\qquad = 864 \text{ var}$$

La puissance consommée par les trois impédances est donc:

$$\overline{S}_{tot} = 3 \bullet P_Z + 3 \bullet Q_Z$$
$$= 3456 + j2592 \text{ VA}$$

e) Le diagramme simplifié du circuit apparaît à la figure 9.11. Dans ce diagramme:

$$E_{ph} = 120 \text{ V}$$
$$I_\ell = 12 \text{ A}$$
$$Z_Y = 10 \underline{/36,9°} \ \Omega$$

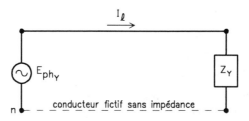

Figure 9.11 (ex. 9.2) Représentation simplifiée (uniligne) d'un circuit triphasé.

9.3.4 Charge en triangle

Dans le cas d'une charge équilibrée raccordée en triangle, chacune des trois impédances de la charge se retrouve entre deux lignes et supporte donc une tension de ligne. Un rapport de $\sqrt{3}$ existe entre l'amplitude des courants de phase et celle des courants de ligne. De plus, les courants de ligne sont en retard de 30° sur les courants de phase correspondants.

Pour une charge triphasée équilibrée en triangle alimentée par une source triphasée équilibrée, il y a deux façons de déterminer les courants et les tensions:

1. On peut transformer le triangle en étoile en utilisant, pour un circuit triphasé équilibré, la relation:

$$\vec{Z}_Y = 1/3 \ \vec{Z}_\Delta$$

et procéder ensuite comme à l'exemple 9.2. Lorsqu'on connaît les courants de ligne, on peut, si c'est nécessaire, déterminer les courants de phase du triangle en divisant l'amplitude des courants de ligne par $\sqrt{3}$ et en décalant les résultats de +30° dans le cas d'une séquence directe.

2. On peut garder le triangle tel qu'il est et solutionner à l'aide des tensions de ligne plutôt que des tensions de phase. Cette seconde

approche est plus difficile et entraîne souvent des erreurs de calcul. Nous ne recommandons pas son utilisation.

L'exemple 9.3 illustre le cas d'une charge en triangle.

Exemple 9.3   Charge en triangle

Trois impédances de $24 + j18\ \Omega$ sont raccordées en triangle à la source 120/208 V de l'exemple 9.1 (fig. 9.12).

a) Tracer le schéma uniligne du circuit.
b) Représenter sur un même diagramme les tensions de ligne et de phase et les courants de ligne et de phase.
c) Déterminer la puissance réelle et réactive dissipée par chacune des impédances et par l'ensemble de la charge.
d) Pourquoi les puissances calculées à l'exemple 9.2 et celles calculées en c) sont-elles les mêmes?

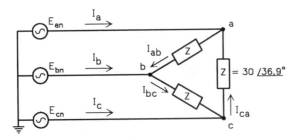

Figure 9.12 (ex. 9.3) Charge triphasée en triangle.

Solution:

a) Pour être en mesure de tracer le schéma uniligne, il faut d'abord remplacer la charge en triangle par une charge équivalente en étoile.

$$\vec{Z}_Y = \vec{Z}_\Delta / 3$$
$$= (24 + j18) / 3$$
$$= 8 + j6\ \Omega$$

La figure 9.13 montre le schéma uniligne.

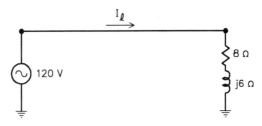

Figure 9.13 (ex. 9.3) Schéma uniligne d'une charge en triangle.

b) Le schéma uniligne permet d'obtenir facilement les courants de ligne.

$$\overline{I}_a = 120\,\underline{/0°}\,/\,(8 + j6)$$
$$= 12\,\underline{/-36,9°}\ \text{A}$$
$$\overline{I}_b = 12\,\underline{/-156,9°}\ \text{A}$$
$$\overline{I}_c = 12\,\underline{/+83,1°}\ \text{A}$$

Sachant que les courants de phase sont $\sqrt{3}$ fois plus petits que les courants de ligne et en avance de 30°, on obtient:

$$\overline{I}_{ab} = \overline{I}_a\,/\,\sqrt{3}\,\underline{/+30°}$$
$$= 6,93\,\underline{/-6,9°}\ \text{A}$$
$$\overline{I}_{bc} = 6,93\,\underline{/-126,9°}\ \text{A}$$
$$\overline{I}_{ca} = 6,93\,\underline{/+111,1°}\ \text{A}$$

On aurait pu déterminer les courants de phase en divisant les tensions de ligne par les impédances constituant la charge. Toutefois, cette méthode est à déconseiller dans le cas de problèmes plus complexes. Ainsi:

$$\overline{I}_{ab} = \overline{E}_{ab}\,/\,\vec{Z}_{ab}$$
$$= 208\,\underline{/30°}\,/\,(24 + j18)$$
$$= 6,93\,\underline{/-6,9°}\ \text{A}$$

La figure 9.14 présente le diagramme recherché.

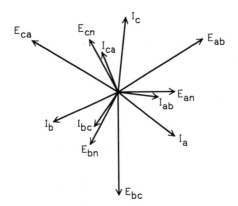

Figure 9.14 Phaseurs pour une charge en triangle.

c) Les puissances consommées se calculent comme à l'exemple 9.2:

$$P_Z = R_\Delta \cdot |I_{ph}|^2$$
$$= 24 \cdot 6,93^2$$
$$= 1152 \text{ W}$$

$$Q_Z = X_\Delta \cdot |I_{ph}|^2$$
$$= 18 \cdot 6,93^2$$
$$= 864 \text{ var}$$

La source fournit l'ensemble des puissances mises en jeu par la charge.

$$\overline{S}_s = 3 \cdot P_Z + 3 \cdot jQ_Z$$
$$= 3456 + j2592 \text{ VA}$$

d) Les puissances qu'on obtient dans les deux exemples sont les mêmes parce que les impédances choisies pour la charge en triangle équivalent à trois fois la valeur de celles de l'exemple en étoile.

9.4 PUISSANCES DANS UN CIRCUIT TRIPHASÉ ÉQUILIBRÉ

Dans un circuit monophasé, la puissance instantanée est pulsatoire à une fréquence le double de la fréquence de la tension et du courant. Elle s'exprime par la relation:

$$p(t) = (\sqrt{2} \; E \cos \omega t)(\sqrt{2} \; I \cos(\omega t - \phi))$$
$$= 2 \; E \; I \cos \omega t \cos(\omega t - \phi)$$

Puisqu'un circuit triphasé équilibré est formé de trois circuits déphasés entre eux de 120°, on peut écrire:

$$p_a(t) = 2 \; E_{ph} \; I_{ph} \cos \omega t \cos(\omega t - \phi)$$
$$p_b(t) = 2 \; E_{ph} \; I_{ph} \cos(\omega t - 120) \cos(\omega t - 120 - \phi)$$
$$p_c(t) = 2 \; E_{ph} \; I_{ph} \cos(\omega t - 240) \cos(\omega t - 240 - \phi)$$

La puissance totale instantanée est:

$$p_{3\varphi}(t) = p_a(t) + p_b(t) + p_c(t)$$
$$= 2 \; E_{ph} \; I_{ph} \left[\begin{array}{l} \cos \omega t \cos(\omega t - \phi) \\ + \cos(\omega t - 120) \cos(\omega t - 120 - \phi) \\ + \cos(\omega t - 240) \cos(\omega t - 240 - \phi) \end{array} \right]$$
$$= 3 \; E_{ph} \; I_{ph} \cos \phi$$
$$= P$$

Cette relation montre que, dans un circuit triphasé équilibré, la puissance est indépendante du temps. Contrairement à ce qui se produit dans les circuits monophasés, la puissance ne varie pas à une fréquence le double de la fréquence de la tension d'alimentation.

Pour des tensions et des courants de ligne plutôt que de phase, ce qui, en pratique, est beaucoup plus utile, la relation précédente devient:

$$P = \sqrt{3} \; E_\ell \; I_\ell \cos \phi$$

où ϕ est toujours l'angle de l'impédance:

$$\phi = \cos^{-1}(R/Z) = \sin^{-1}(X/Z) = \tan^{-1}(X/R)$$

Le facteur de puissance $\cos \phi$ d'un système triphasé équilibré est par conséquent le facteur de puissance commun aux trois phases.

De l'expression précédente de la puissance, il découle que:

$$Q = \sqrt{3} \; E_\ell \; I_\ell \sin \phi$$
$$S = \sqrt{3} \; E_\ell \; I_\ell$$

et
$$\overline{S} = P + jQ$$

Lorsqu'on parle de puissance dans un circuit triphasé, à moins d'indication contraire et formelle, il s'agit de la puissance totale dissipée dans l'ensemble des trois phases.

L'exemple 9.4 reprend les exemples 9.2 et 9.3 mais en mettant en application les notions développées dans cette section.

Exemple 9.4   Calcul de la puissance dans un circuit triphasé

Calculer, à partir des courants de ligne, les puissances réelle et réactive fournies par la source triphasée des exemples 9.2 et 9.3.

Solution:

Dans ces deux exemples, les courants de ligne fournis par la source étaient les mêmes:

$$\overline{I}_a = 12 \underline{/-36,9°} \text{ A}$$
$$\overline{I}_b = 12 \underline{/-156,9°} \text{ A}$$
$$\overline{I}_c = 12 \underline{/+83,1°} \text{ A}$$

Le facteur de puissance des deux charges était aussi le même:

$$\cos \phi = \cos \text{atan}\,(6/8)$$
$$= \cos \text{atan}\,(18/24)$$
$$= 0,8$$

Il s'ensuit que les puissances réelle et réactive fournies par la source sont:

$$P_s = \sqrt{3}\, E_\ell\, I_\ell\, \cos \phi$$
$$= \sqrt{3} \cdot 208 \cdot 12 \cdot \cos 36,9°$$
$$= 3456 \text{ W}$$

$$Q_s = \sqrt{3}\, E_\ell\, I_\ell\, \sin \phi$$
$$= \sqrt{3} \cdot 208 \cdot 12 \cdot \sin 36,9°$$
$$= 2592 \text{ var}$$

Évidemment, ces valeurs correspondent à celles obtenues précédemment lorsqu'on a évalué la puissance apparente consommée par les trois impédances.

9.4.1 Méthode des trois wattmètres

Lorsqu'on doit mesurer la puissance totale dans un circuit triphasé, la première méthode qui vient à l'esprit consiste à considérer que la puissance totale est la somme des trois puissances individuelles telles que les indiqueraient trois wattmètres raccordés comme en alimentation monophasée (fig. 9.15):

$$P = P_a + P_b + P_c$$

On utilise généralement cette méthode pour mesurer la puissance consommée par les abonnés commerciaux et industriels.

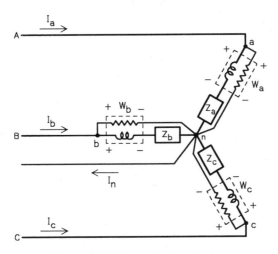

Figure 9.15 Mesure de la puissance
à l'aide de trois wattmètres.

9.4.2 Méthode des deux wattmètres

Dans le cas d'une charge en triangle ou en étoile sans fil neutre, équilibrée ou déséquilibrée, deux wattmètres suffisent. Le raccordement des wattmètres peut toutefois paraître curieux *a priori* (fig. 9.16). On détermine la puissance dissipée dans la charge en additionnant algébriquement les indications des deux instruments. Cette méthode est particulièrement utile en laboratoire où elle permet de réduire le nombre d'instruments à raccorder.

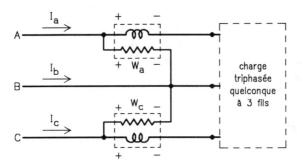

Figure 9.16 Mesure de la puissance
en triphasé par la méthode des deux wattmètres.

Les valeurs indiquées par les deux wattmètres étant les valeurs moyennes des puissances instantanées, on obtient:

$$P_a = \frac{1}{T} \int_0^T e_{ab}\, i_a \, dt = E_{ab}\, I_a \cos (\overline{E}_{ab} \overset{\wedge}{} \overline{I}_a)$$

$$P_c = \frac{1}{T} \int_0^T e_{cb}\, i_c \, dt = E_{cb}\, I_c \cos (\overline{E}_{cb} \overset{\wedge}{} \overline{I}_c)$$

Dans le cas d'un circuit équilibré, il est avantageux de détailler les angles précédents:

$$P_a = E_{ab}\, I_a \cos (\overline{E}_{ab} \overset{\wedge}{} \overline{E}_{an} + \overline{E}_{an} \overset{\wedge}{} \overline{I}_a)$$

$$P_c = E_{cb}\, I_c \cos (\overline{E}_{cb} \overset{\wedge}{} \overline{E}_{cn} + \overline{E}_{cn} \overset{\wedge}{} \overline{I}_c)$$

Pour une séquence de phase directe, chacune des tensions de ligne est à un angle bien défini de 30° en avance sur la tension de phase correspondante. Cette dernière est aussi à un angle bien défini ϕ par rapport au courant correspondant. Cette considération est vraie pour les trois phases, puisque le circuit est équilibré (fig. 9.17).

Par conséquent, les deux relations précédentes de puissance peuvent s'écrire:

$$P_a = E_{ab}\, I_a \cos (\phi + 30°)$$

$$P_c = E_{cb}\, I_c \cos (\phi - 30°)$$

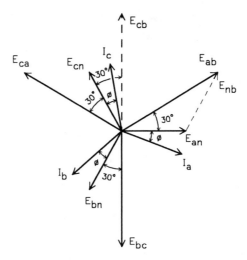

Figure 9.17 Relations entre tensions de phase, tensions de ligne et courants de phase.

On obtient les relations générales suivantes:

$$P_a = E_\ell \, I_\ell \, \cos(\phi + 30°)$$
$$P_c = E_\ell \, I_\ell \, \cos(\phi - 30°)$$

d'où

$$P_a + P_c = E_\ell \, I_\ell \, [\cos(\phi + 30°) + \cos(\phi - 30°)]$$
$$= E_\ell \, I_\ell \, (2 \cos\phi \, \cos 30°)$$
$$= \sqrt{3} \, E_\ell \, I_\ell \, \cos\phi$$
$$= P$$

De plus:

$$P_c - P_a = E_\ell \, I_\ell \, [\cos(\phi - 30°) - \cos(\phi + 30°)]$$
$$= E_\ell \, I_\ell \, \sin\phi = Q / \sqrt{3}$$

d'où

$$Q = \sqrt{3} \, (P_c - P_a)$$

La méthode des deux wattmètres fournit donc à la fois la valeur de P et celle de Q.

Si on observe les deux relations générales définies pour P_a et P_c, on comprend qu'un wattmètre puisse afficher une valeur négative. Dans le cas d'une charge triphasée équilibrée, une lecture négative sur l'un des wattmètres signifie que le facteur de puissance de la charge est inférieur à 0,5. Un tel facteur de puissance implique que les courants de phase dans la charge sont déphasés de plus de 60° par rapport à leurs tensions de phase correspondantes, de sorte que le courant de ligne I_a du wattmètre W_a est déphasé de plus de 90° par rapport à la tension de ligne E_{ab}. Une lecture de zéro sur W_a indique un facteur de puissance égal à 0,5. Si les lectures de P_a et de P_c sont positives, alors le facteur de puissance de la charge est supérieur à 0,5. Enfin, mentionnons que pour une séquence de phase directe, la charge est inductive si $P_a < P_c$, résistive si $P_a = P_c$ et capacitive si $P_a > P_c$. Si, pour une raison ou une autre, la séquence de phase est inversée, les valeurs des angles dans les expressions de P_a et de P_c sont de ce fait interverties.

Exemple 9.5   Méthode des deux wattmètres

Déterminer les puissances indiquées par deux wattmètres correctement raccordés (fig. 9.16) en amont de la charge de l'exemple 9.3.

Solution:

Au départ, on sait que:

$$E_\ell = 208 \text{ V}$$
$$I_\ell = 12 \text{ A}$$
$$\vec{Z} = 10 \underline{/36,9°} \ \Omega$$

Les wattmètres indiquent donc:

$$P_a = E_\ell \, I_\ell \, \cos(\phi + 30°)$$
$$= 208 \cdot 12 \cdot \cos(36,9 + 30) = 979 \text{ W}$$

$$P_c = E_\ell \, I_\ell \, \cos(\phi - 30°)$$
$$= 208 \cdot 12 \cdot \cos(36,9 - 30) = 2478 \text{ W}$$

On obtient:

$$P = P_a + P_c$$
$$= 979 + 2478 = 3455 \text{ W}$$

$$Q = \sqrt{3} \, (P_c - P_a) = 2596 \text{ var}$$

On pourrait vérifier si ces valeurs correspondent à celles données par les expressions suivantes:

$$P = \sqrt{3}\ E_\ell\ I_\ell\ \cos\phi$$
$$Q = \sqrt{3}\ E_\ell\ I_\ell\ \sin\phi$$

9.5 CORRECTION DU FACTEUR DE PUISSANCE

La correction du facteur de puissance suit le même principe qu'en monophasé, mais il faut raccorder trois condensateurs identiques soit en étoile, soit en triangle. Chaque condensateur fournit le tiers de la puissance réactive à compenser. Les fabricants de condensateurs fournissent habituellement des unités triphasées précablées et spécifiées en kilovars pour une tension et une fréquence définies.

Les exemples 9.6 et 9.7 explicitent le concept de correction de facteur de puissance.

Exemple 9.6   **Correction du facteur de puissance**

On désire corriger le facteur de puissance du circuit de l'exemple 9.3 à 0,95. Quelle est la capacité de chacun des trois condensateurs qu'on devrait utiliser?

Solution:

On sait que:

    P   = 3456 W
    Q   = 2592 var
    cos ϕ = 0,80

il faut donc diminuer Q. La puissance réactive acceptable est:

$$Q_{acc} = \tan(\mathrm{acos}\ 0,95) \bullet P$$
$$= 0,33 \bullet 3456 = 1136\ \text{var}$$

Les condensateurs doivent fournir la différence entre Q et Q_{acc}:

$$Q_{en\ trop} = 2592 - 1136 = 1456\ var$$

Donc:

$$Q_{cond} = -1456\ var$$

Individuellement, chaque condensateur doit fournir le tiers de cette valeur, soit 485 var.

Si les condensateurs sont raccordés en triangle:

$$C_\Delta = \frac{Q_{cond}\ /\ 3}{-E^2\ \omega} = \frac{-1456 \bullet 10^6}{-3 \bullet 208^2 \bullet 377} = 29,8\ \mu F$$

S'ils sont raccordés en étoile:

$$C_Y = 3\ C_\Delta = 29,8 \bullet 3 = 89\ \mu F$$

Exemple 9.7   Correction du facteur de puissance

Dans une usine, on doit procéder à l'installation d'une nouvelle unité de production qui consomme 80 kW et 60 kvar. Cette unité peut être alimentée à partir d'une source monophasée à 600 V ou d'une source triphasée à 600 V. Il faut aussi installer des condensateurs pour ramener le facteur de puissance à plus de 0,95. Les condensateurs ont une tension nominale de 600 V et sont disponibles soit en unités monophasées de 5, 10, 25, 50 kvar, soit en unités triphasées de 10, 25, 50 kvar. Sachant que la tension réelle de l'alimentation de l'usine est de 575 V, calculer, pour une alimentation monophasée et pour une alimentation triphasée:

– l'amplitude et la phase des courants de charge,

– l'impédance de la charge,

– la capacité du ou des condensateurs qu'il faut ajouter pour améliorer le facteur de puissance à au moins 0,95,

– le nombre minimal d'unités de condensateurs à acheter,

– l'amplitude et la phase des courants de source.

Dans les deux cas, tracer le circuit équivalent, le diagramme des phaseurs de tension et de courant de même que le diagramme des puissances.

Solution:

Première option: alimentation monophasée (fig. 9.18)

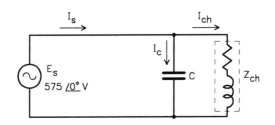

Figure 9.18 (ex. 9.7) Circuit équivalent monophasé.

Le courant de charge constitue la première quantité à évaluer:

$$\vec{S}_{ch} = \bar{E}_s \, \bar{I}_{ch}^* = 80 \text{ kW} + j \, 60 \text{ kvar} = 100 \, \underline{/36,9°} \text{ kVA}$$

$$\bar{I}_{ch} = (\vec{S}_{ch} / \bar{E}_s)^* = (100 \, \underline{/36,9°} / 575 \, \underline{/0°})^* = 174 \, \underline{/-36,9°} \text{ A}$$

Par la suite, on trouve:

$$\vec{Z}_{ch} = \bar{E}_s / \bar{I}_{ch} = 575 \, \underline{/0°} / 174 \, \underline{/-36,9°} = 3,30 \, \underline{/36,9°} \; \Omega$$

La puissance réelle demeure inchangée. La puissance réactive capacitive requise pour ramener le facteur de puissance à 0,95 doit être:

$$Q_{acceptable} = 80 \text{ kW tan}(\cos^{-1} 0,95) = 26,3 \text{ kvar}$$

$$Q_c = -(Q_{ch} - Q_{acc}) = -(60 - 26,3) = -33,7 \text{ kvar}$$

En conséquence:

$$C = Q_c / E^2 \omega = 33700 / (575^2 \bullet 377) = 270 \; \mu F$$

Pour déterminer le nombre d'unités de condensateurs à installer, on peut procéder suivant deux méthodes: une longue et une courte.

Méthode longue:

Déterminons la capacité des condensateurs disponibles.

Pour une unité de 5 kvar:

d'où

$$C_5 = 5000 / 600^2 \cdot 377 = 36,8 \ \mu F$$

$$C_{10} = 73,6 \ \mu F$$

$$C_{25} = 184 \ \mu F$$

Pour obtenir 270 μF, il faudra donc installer une unité de 25 kvar en parallèle avec une unité de 10 kvar et une de 5 kvar pour un total de 40 kvar (à 600 V).

$$\overline{I}_c = \overline{E}_s / j X_c = j \ 575 \ \underline{/0°} \cdot 377 \cdot (36,8 + 73,6 + 184 \ \mu F)$$
$$= 63,8 \ \underline{/+90°} \ A$$

La puissance réactive des condensateurs est alors:

$$Q_c = \overline{E}_s \ \overline{I}_c^* = 575 \ \underline{/0°} \cdot 63,8 \ \underline{/-90°} = -j36,7 \ kvar$$

La différence entre cette valeur et la puissance réactive nominale des condensateurs (40 kvar) s'explique par le fait que la tension aux bornes des condensateurs n'est pas la tension nominale. Rappelons que la puissance réactive d'un condensateur varie selon le carré de la tension qui lui est appliquée; la méthode courte se base sur cette relation.

Méthode courte:

Évaluons la puissance réactive d'un condensateur de 5 kvar à 600 V alimenté à 575 V.

$$Q_5 = 5 \cdot (575/600)^2 = 4,60 \ kvar$$

Il faut ajouter 33,7 kvar, donc 8 unités de 5 kvar ou mieux encore une unité de 25 kvar, une de 10 et une de 5 qui, au total, fourniront 8 fois 4,60 kvar, soit 36,7 kvar.

On peut maintenant évaluer le courant et le facteur de puissance de la source:

$$\overrightarrow{S}_s = 80 \ kW + j(60 - 36,7) \ kvar = 83,3 \ \underline{/16,2°} \ kVA$$

d'où

$$\overline{I}_s = (83300 \ \underline{/16,2°} / 600 \ \underline{/0°})^* = 139 \ \underline{/-16,2°} \ A$$

et

$$F_p = \cos (16,2°) = 0,96$$

Les figures 9.19 et 9.20 illustrent les résultats précédents.

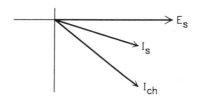

Figure 9.19 (ex. 9.7) Diagramme de la tension et des courants.

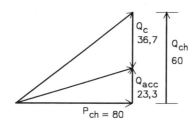

Figure 9.20 (ex. 9.7) Diagramme des puissances.

Seconde option: alimentation triphasée (fig. 9.21)

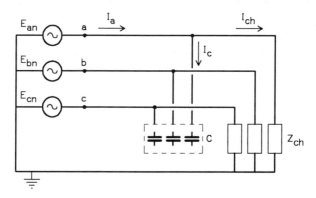

Figure 9.21 (ex. 9.7) Circuit équivalent triphasé.

Les calculs correspondant à la version triphasée sont très similaires à ceux de la version monophasée. Déterminons premièrement les courants de charge:

$$|S| = \sqrt{3} \ E_\ell \ I_\ell$$

$$I_\ell = 100\,000 \ / \ (\sqrt{3} \bullet 575) = 100 \ A$$

I_ℓ *n'est pas* un phaseur. En conséquence, la phase des courants de ligne doit être déduite du facteur de puissance de la charge.

Avec $\overline{E}_{an}$ comme référence:

$$\overline{E}_{an} = (575 \ / \ \sqrt{3}) \ \underline{/0°} = 332 \ \underline{/0°} \ V$$

et puisque la charge est inductive et que son facteur de puissance est égal à 0,8, le courant de charge de la phase a est en retard de 36,9° par rapport à $\overline{E}_{an}$, d'où

$$\overline{I}_{ch\ a} = 100 \ \underline{/-36,9°} \ A$$

$$\overline{I}_{ch\ b} = 100 \ \underline{/-156,9°} \ A$$

$$\overline{I}_{ch\ c} = 100 \ \underline{/+83,1°} \ A$$

Comme ce résultat est indépendant du type de connexion de la charge (étoile ou triangle), on peut considérer que la charge est en étoile (fig. 9.19) et qu'elle se compose de trois impédances identiques ayant pour valeur:

$$\vec{Z}_Y = \overline{E}_{an} / \overline{I}_a = 332 \ \underline{/0°} \ / \ 100 \ \underline{/-36,9°} = 3,30 \ \underline{/36,9°} \ \Omega$$

Si la charge était raccordée en triangle, on aurait:

$$\vec{Z}_\Delta = 3 \bullet \vec{Z}_Y = 10,4 \ \underline{/36,9°} \ \Omega$$

Pour corriger le facteur de puissance, il faut fournir la même puissance réactive qu'avec l'alimentation monophasée, c'est-à-dire 33,7 kvar. Pour obtenir cette puissance réactive triphasée équilibrée, on ajoute à l'intérieur de l'unité triphasée trois condensateurs raccordés en triangle ou en étoile, au choix du manufacturier.

S'ils sont en triangle:

$$C_\Delta = \frac{33\,700}{3 \bullet 575^2 \bullet 377} = 90 \ \mu F$$

S'ils sont en étoile:

$$C_Y = C_\Delta \bullet 3 = 270 \ \mu F$$

Comme pour l'alimentation monophasée, cette valeur particulière n'est pas disponible. On peut utiliser une unité de 25 kvar et deux unités de 10 kvar qui fournissent 45 kvar à 600 V, mais seulement 41,3 kvar à 575 V.

On peut évaluer la capacité des condensateurs réellement installés. Si on suppose un raccordement en étoile, on obtient:

$$C_Y = \frac{41\,300}{3 \bullet 342^2 \bullet 377} = 312\ \mu F$$

Il ne reste plus qu'à évaluer le facteur de puissance et les courants de la source et à tracer les diagrammes demandés (fig. 9.22 et 9.23).

La puissance apparente fournie par la source s'élève à:

$$\vec{S}_s = 80\ kW + j(60 - 41,3)\ kvar = 82,4 \underline{/13,8°}\ kVA$$

Il s'ensuit que:

$$I_{\ell s} = 82\,400 / (\sqrt{3} \bullet 575) = 82,7\ A$$
$$F_{ps} = \cos 13,8° = 0,97$$
$$\overline{I}_a = 82,7 \underline{/-13,8°}\ A$$

En pratique, la configuration triphasée est le meilleur choix, car elle a l'avantage de constituer une charge équilibrée. De plus, une unité triphasée de condensateurs de 50 kvar représenterait une solution plus rationnelle et plus économique.

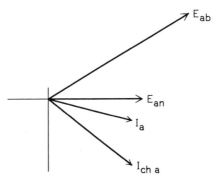

Figure 9.22 (ex. 9.7) Diagramme de la tension et des courants.

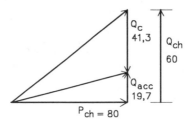

Figure 9.23 (ex. 9.7) Diagramme des puissances.

9.6 IMPÉDANCE DE LIGNE

Très souvent, les charges triphasées sont éloignées de la source d'alimentation. Les impédances introduites par les conducteurs ne sont pas négligeables et donnent lieu à des chutes de tension qui peuvent affecter la charge. On ne peut plus considérer que la tension aux bornes de la charge est celle de la source. Comme le démontre l'exemple 9.8, la présence des impédances des conducteurs alourdit considérablement les calculs.

Exemple 9.8   Chute de tension due à l'impédance des conducteurs

Le système de distribution de la figure 9.24 est employé dans les immeubles commerciaux, car il donne une source triphasée de 208 V (ligne-ligne), une tension assez élevée pour alimenter les moteurs triphasés et trois tensions monophasées de 120 V (ligne-neutre) pour l'éclairage et les prises de courant.

Chacune des trois charges résistives monophasées dissipe 1000 W à 120 V (considérer que la résistance des lampes est constante). Le moteur triphasé (charge inductive à puissance constante) absorbe 5 kW avec un facteur de puissance de 0,8. La tension de ligne à la charge est de 202 V. Quelle est la tension à la source triphasée équilibrée à 4 fils, nominalement 120/208 V, si la grosseur des conducteurs utilisés et la distance entre la source et la charge sont telles que l'impédance de chacun des 3 fils de ligne est de $0{,}135 + j0{,}210\ \Omega$?

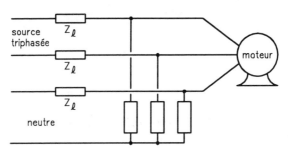

Figure 9.24 (ex. 9.8) Deux charges triphasées en parallèle.

Solution:

La tension de phase $\overline{E}_{an}$ à la charge sert de référence.

$$\overline{E}_{an} = 202 / \sqrt{3}$$
$$= 116,6 \underline{/0°} \text{ V}$$

Pour les lampes:

$$P = \frac{E_{ph}^2}{R_{lampe}}$$

$$R_{lampe} = \frac{120^2}{1000} = 14,4 \ \Omega$$

$$I_{lampe} = \frac{\overline{E}_{an}}{R_{lampe}} = \frac{116,6 \underline{/0°}}{14,4 \underline{/0°}}$$
$$= 8,1 \underline{/0°} \text{ A}$$

Pour le moteur:

$$P = \sqrt{3} \ E_\ell \ I_\ell \ \cos \varphi$$

$$I_\ell = \frac{P}{\sqrt{3} \ E_\ell \ \cos \varphi} = \frac{5000}{\sqrt{3} \bullet 202 \bullet 0,8}$$
$$= 17,9 \text{ A}$$

arc cos 0,8 = 36,9°

alors:

$$\overline{I}_{moteur} = 17,9 \underline{/-36,9°} \text{ A}$$

Au total:

$$\overline{I}_{total} = \overline{I}_{lampe} + \overline{I}_{moteur}$$
$$= 8,1 \underline{/0°} + 17,9 \underline{/-36,9°}$$
$$= 24,8 \underline{/-25,6°} \text{ A}$$

Tension de phase à la source:

$$\overline{E}_{an_{source}} = \overline{E}_{an_{charge}} + \vec{Z}_\ell \, \overline{I}_{total}$$
$$= (116,6 \underline{/0°}) + (0,135 + j0,210) \bullet (24,8 \underline{/-25,6°})$$
$$= 121,9 \underline{/+1,5°} \text{ V}$$

Tension de ligne à la source:

$$\overline{E}_{ab} = \sqrt{3} \, \overline{E}_{an} \underline{/+30°}$$
$$= \sqrt{3} \, (121,9 \underline{/+1,5°}) \, \underline{/+30°}$$
$$= 211 \underline{/+31,5°} \text{ V}$$

EXERCICES

9.1 Si la tension de phase $\overline{E}_{an}$ d'une source triphasée équilibrée est 120 $\underline{/94°}$ V, déterminer les phaseurs $\overline{E}_{bn}$, $\overline{E}_{cn}$, $\overline{E}_{ab}$, $\overline{E}_{bc}$ et $\overline{E}_{ca}$ représentant les deux autres tensions de phase et les trois tensions de ligne. Tracer ces six phaseurs sur un diagramme de phaseurs. (Supposer une séquence de phase directe.)

9.2 Une source triphasée équilibrée alimente une charge équilibrée en triangle. Si le courant de la ligne b est de 26 $\underline{/100°}$ A, déterminer les deux autres courants de ligne et les trois courants de phase. Tracer ces six phaseurs courants sur un diagramme de phaseurs. (Supposer une séquence de phase directe.)

9.3 Une source triphasée équilibrée alimente trois charges résistives dissipant chacune 1000 W. Si on utilisait la méthode des deux wattmètres pour mesurer la puissance fournie à cette charge triphasée, quelle serait la lecture sur chacun des deux wattmètres?

9.4 On remplace la charge résistive de l'exercice 9.3 par un moteur triphasé équivalant à une charge équilibrée inductive de 3000 W avec un facteur de puissance de 0,423. Que devient la lecture sur chacun des deux wattmètres?

9.5 Une alimentation triphasée équilibrée fournit l'électricité à des charges équilibrées dans un édifice. La tension de ligne est 208 V. Les charges sont:
– des moteurs asynchrones triphasés d'une puissance totale de 20 kW avec un facteur de puissance de 0,8 en retard, alimentés à partir de la tension de ligne de 208 V;
– de l'éclairage incandescent d'une puissance de 15 kW, alimenté à partir des tensions de phase ($F_p = 1$).

a) Est-ce que l'alimentation triphasée de cet édifice doit se faire à trois fils ou à quatre fils? Pourquoi?

b) Quel est le courant de ligne fourni à l'ensemble des charges?

c) Tracer le diagramme des phaseurs pour représenter les tensions de ligne et les courants de ligne.

9.6 Dans le circuit équilibré de la figure 9.25, la tension de ligne est 600 V. Chacune des trois impédances de la charge en triangle est de 60 $\angle 23°$ Ω. Déterminer les courants de phase et de ligne. Indiquer les six courants et les trois tensions sur un diagramme de phaseurs. Déterminer la puissance totale dissipée dans la charge. Quelle est la puissance indiquée par un wattmètre raccordé comme à la figure 9.22?

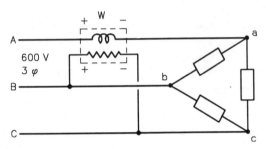

Figure 9.25 Circuit de l'exercice 9.6.

9.7 Une charge triphasée équilibrée se compose de 5 kW d'éclairage incandescent (charge résistive en étoile) et de 50 kVA de moteurs dont le facteur de puissance est de +0,8. Cette charge est alimentée par une source triphasée équilibrée à 50 Hz, raccordée en étoile, dont la tension de ligne est 380 V.

a) Tracer le circuit équivalent de la charge et de la source.

b) Quelle est la puissance réelle dissipée par la charge?

c) Quelle est la puissance réactive consommée par la charge?

d) Quelle est la puissance apparente totale fournie par la source?

e) Quelle est la valeur de chacun des trois condensateurs raccordés en étoile requis pour réduire de 25 kvar la puissance réactive vue par la source?

9.8 Soit le réseau triphasé équilibré à 60 Hz (fig. 9.26):

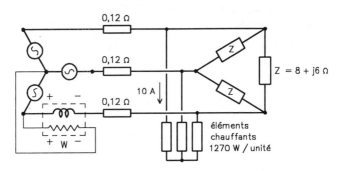

Figure 9.26 Réseau de l'exercice 9.8.

a) Quelle est la valeur efficace de la tension de ligne aux bornes des éléments chauffants?

b) Quelle est la valeur efficace du courant absorbé par la charge en triangle?

c) Quelle est la puissance réelle, la puissance réactive et le facteur de puissance de la charge en triangle?

d) Quelle est la valeur efficace du courant dans les conducteurs de ligne?

e) Quelle est la valeur indiquée par le wattmètre?

9.9 Une charge triphasée en étoile (fig. 9.27) absorbe 20 kW avec un facteur de puissance inductif de 0,8. Cette charge est connectée à une source triphasée en triangle par l'intermédiaire d'une ligne triphasée dont l'impédance équivalente par phase est 0,07 + j0,18 Ω. Aux bornes immédiates de la charge, la tension de ligne est 230 V. La séquence de phase est directe et la phase a est prise comme référence.

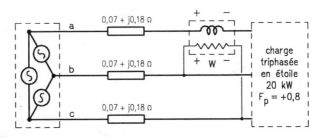

Figure 9.27 Circuit de l'exercice 9.9.

a) Calculer l'amplitude de la tension de phase à la charge.

b) Calculer l'amplitude des courants de ligne.

c) Calculer l'amplitude des tensions de ligne à la source.

d) Calculer l'amplitude des courants de phase à la source.

e) Représenter par un diagramme vectoriel les tensions de phase et de ligne ainsi que les courants de phase et de ligne relatifs à la charge.

f) Quel est le facteur de puissance vu par la source?

g) Quelle est la lecture sur le wattmètre W?

h) Déterminer la puissance réelle dissipée et la puissance réactive consommée dans la ligne reliant la source à la charge.

9.10 Une charge triphasée équilibrée en étoile est alimentée par un réseau triphasé équilibré à 208 V, 60 Hz (fig. 9.28).

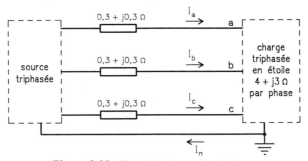

Figure 9.28 Circuit de l'exercice 9.10.

a) Calculer les courants I_a, I_b, I_c et I_n. Exprimer les valeurs sous forme polaire en considérant $E_{ab} = 208 \angle 30°$ V à la charge.

b) Calculer les puissances réelle et réactive et le facteur de puissance de la charge.

c) Est-ce qu'on peut utiliser ici la méthode des deux wattmètres et obtenir des résultats valables?

d) Si on mesure la puissance aux bornes de la charge par la méthode des deux wattmètres, quelles sont les valeurs de W_1 et W_2?

e) Quelle est la valeur efficace de la tension de source?

f) On veut amener à l'unité le facteur de puissance calculé en b). Quelle est la valeur des condensateurs qu'on doit brancher aux bornes de la charge? Supposer que ces condensateurs sont raccordés en triangle.

9.11 Une charge industrielle est alimentée à 25 kV par trois câbles coaxiaux monophasés d'une longueur de 10 km qui la relient à la source. La capacité par rapport au sol de chacun de ces câbles est de 6,36 μF tandis que leur impédance série est de 10 + j15 Ω. On modélise un câble en répartissant sa capacité totale en deux demi capacités placées aux extrémités du câble. Sachant qu'à un instant donné, la charge est de 2500 kW avec un facteur de puissance de +0,95 et que la tension de ligne est exactement 25 kV aux bornes de la charge, déterminer la tension à la source ainsi que les valeurs indiquées sur les deux wattmètres placés à la source (fig. 9.29).

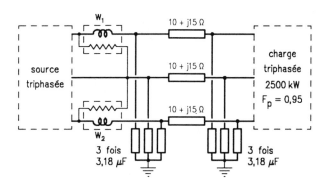

Chapitre 10

CIRCUITS MAGNÉTIQUES

10.1 INTRODUCTION

Tout comme un circuit électrique est constitué d'un ensemble d'éléments que parcourt un courant électrique, un circuit magnétique (fig. 10.1) consiste en un groupe d'éléments reliés les uns aux autres et traversés par un flux magnétique.

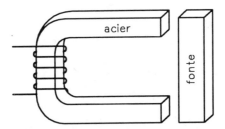

Figure 10.1 Circuit magnétique ayant des matériaux de propriétés différentes et des sections différentes.

10.2 LIGNES DE FORCE

Les lignes de force permettent de représenter à la fois la direction et la densité du champ magnétique. Elles sont orientées du pôle nord vers le pôle sud et forment toujours un chemin fermé. Là où le champ est fort, les lignes de force sont concentrées tandis que là où le champ est faible, les lignes de force sont espacées. La figure 10.2 montre un tel système de lignes pour un aimant permanent.

10.3 FLUX MAGNÉTIQUE ET DENSITÉ DE FLUX

Les lignes de force représentent la configuration du flux magnétique. Le symbole du flux est φ et l'unité de mesure est le *weber* (Wb). Le nombre de lignes de force traversant une unité de surface à un endroit donné est la densité B du flux magnétique à cet endroit. La relation entre le flux et la densité de flux magnétique est B = φ/A. L'unité de *densité de flux* magnétique est le *tesla* (T).

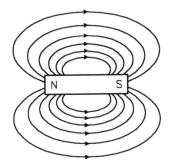

Figure 10.2 Lignes de flux produites
par un aimant permanent.

10.4 FORCE MAGNÉTOMOTRICE

Un solénoïde à noyau d'air (fig. 10.3) parcouru par un courant produit des lignes de flux presque identiques à celles produites par un aimant permanent. Si l'intensité du courant dans le solénoïde double, la densité des lignes de flux dans l'air environnant double également. De même, si le courant demeure constant alors que le nombre de tours du solénoïde double, la densité de flux double.

Enfin, si le courant et le nombre de tours doublent tous les deux, le nombre de lignes de flux par unité de surface quadruple. Il en résulte que la densité du flux magnétique est proportionnelle au produit du courant électrique en ampères par le nombre de tours du solénoïde: $F = N \cdot I$. L'unité employée pour mesurer la force magnétomotrice F est l'*ampère-tour* (At).

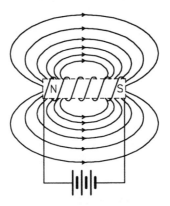

Figure 10.3 Lignes de flux produites
par un solénoïde à noyau d'air.

10.5 INTENSITÉ DU CHAMP MAGNÉTIQUE

L'intensité du champ magnétique en un point correspond à la force
magnétisante par unité de longueur. Cette intensité est à peu près constante dans le noyau d'air du solénoïde de la figure 10.3 et s'exprime:

$$H = \frac{NI}{\ell} = F / \ell$$

On désigne souvent l'intensité du champ magnétique par l'expression
force magnétisante. Dans le vide, la relation entre le flux magnétique et
la force magnétisante est linéaire:

$$B = \mu_o H$$

Dans l'air et les matériaux non ferromagnétiques, la relation est
encore linéaire; en théorie, elle est différente de celle du vide mais elle
s'en rapproche tellement qu'en pratique on ne fait pas de distinction entre
les deux. Par conséquent, dans l'air et les matériaux non ferromagnétiques comme dans le vide, on considère que:

$$\mu_o = 4\pi \, 10^{-7} \, Wb/At \cdot m$$

10.6 RÉLUCTANCE

Le noyau du solénoïde peut être constitué de n'importe quel matériau autre que l'air. Le choix du matériau peut influer sur la densité du flux produit par la force magnétomotrice. Par exemple, si le solénoïde est enroulé autour d'un noyau de fer, la densité de flux est beaucoup plus importante qu'avec un noyau d'air.

Du point de vue magnétique, on classifie les matériaux comme magnétiques ou non magnétiques. En général, les matériaux magnétiques sont ferreux. Les autres éléments qui entrent dans la composition de l'équipement électrique, tels le cuivre, l'aluminium, la porcelaine, le verre et le bois, ne sont pas magnétiques.

L'influence d'un matériau sur la densité de flux produite par un certain nombre d'ampères-tours dépend de sa *réluctance*. La réluctance dans un circuit magnétique est analogue à la résistance dans un circuit électrique. Comme la résistance électrique, la réluctance magnétique est une fonction de la longueur et de la section du matériau constituant le circuit magnétique. On obtient l'expression de la réluctance en établissant la relation entre le flux, la perméabilité et la force magnétomotrice:

$$F = H\ell = (B/\mu)\,\ell$$

or:

$$B = \frac{\varphi}{A}$$

d'où

$$F = \varphi\left[\frac{\ell}{\mu A}\right]$$

La partie entre parenthèses représente la réluctance:

$$\mathfrak{R} = \frac{\ell}{\mu A}$$

10.7 PERMÉABILITÉ RELATIVE

En règle générale, la perméabilité des substances ferromagnétiques s'exprime en fonction de celle du vide. Cette *perméabilité relative* μ_r est le rapport entre la *perméabilité absolue* μ et la perméabilité du vide μ_o. La relation entre la densité de flux dans un milieu ferromagnétique et la force magnétisante H peut donc s'écrire:

$$B = \mu_r\,\mu_o\,H$$

La perméabilité relative n'est pas constante à cause du phénomène de saturation des substances ferromagnétiques. La perméabilité d'un échantillon de fer varie avec la densité de flux magnétique. Pour connaître la perméabilité absolue d'un matériau magnétique pour une valeur de densité de flux, il faut consulter la courbe de magnétisation particulière à ce matériau (fig. 10.5).

10.8 ANALOGIE ENTRE CIRCUIT ÉLECTRIQUE ET CIRCUIT MAGNÉTIQUE

La force magnétomotrice, le flux et la réluctance d'un circuit magnétique correspondent à la différence de potentiel, au courant et à la résistance d'un circuit électrique. La loi des boucles et la loi des nœuds peuvent s'y appliquer. Ainsi, la somme algébrique des chutes de potentiel magnétique (mesurées en ampères-tours) dans les réluctances d'une boucle est égale à la somme des gains de potentiel magnétique ou des forces magnétomotrices. La somme des flux rentrant dans un nœud est égale à la somme des flux qui en sortent. La *loi d'Ohm* des circuits magnétiques s'exprime ainsi:

$$F = \Re \, \varphi$$

Par contre, la réluctance des matériaux magnétiques n'étant pas constante, cette relation n'est pas très utile.

Il existe toutefois une différence importante entre les circuits électriques et les circuits magnétiques: dans un circuit électrique, s'il y a coupure, il n'y a pas de courant, la résistance de l'air étant infinie; par contre, dans un circuit magnétique, la réluctance de l'air est grande par rapport à celle de l'acier, mais loin d'être infinie et, s'il y a coupure, il y a quand même un flux qui circule.

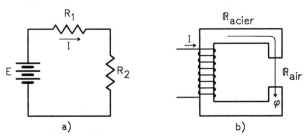

a)   b)

Figure 10.4 Analogie et comparaison entre
a) un circuit électrique et
b) un circuit magnétique.

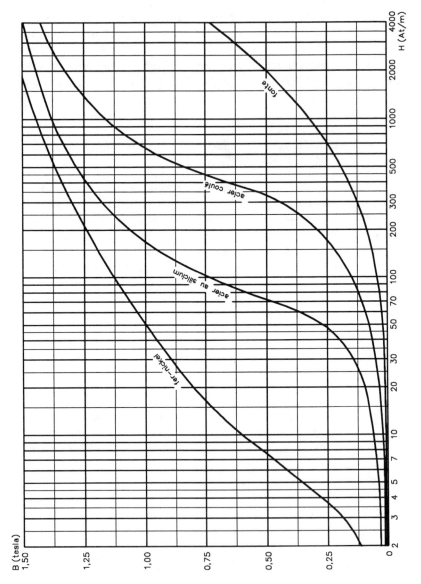

Figure 10.5 Courbes typiques de magnétisation.

Tableau 10.1 Analogie électricité - magnétisme

	Électricité	Magnétisme
Source	E	$F = N\,I$
Impédance	$R = \dfrac{\rho\,\ell}{A} = \dfrac{\ell}{\gamma\,A}$ ρ = résistivité γ = conductivité ℓ = longueur	$\Re = \dfrac{\nu\,\ell}{A} = \dfrac{\ell}{\mu\,A}$ ν = réluctivité μ = perméabilité A = section
Loi d'Ohm	$E = R\,I$	$F = \Re\,\varphi$
Gradient de potentiel	$\epsilon = \dfrac{E}{\ell}$	$H = \dfrac{F}{\ell} = \dfrac{NI}{\ell}$
Chute de potentiel	$E_{ab} = I_{ab}\,R_{ab}$	$U_{ab} = \varphi_{ab}\,\Re_{ab}$
Densité de courant et de flux	$J = \dfrac{I}{A} = \dfrac{E}{A\,R}$ $= \dfrac{\epsilon\,\ell}{A\,\frac{\rho\ell}{A}} = \dfrac{\epsilon}{\rho}$	$B = \dfrac{\varphi}{A} = \dfrac{F}{\Re\,A}$ $= \dfrac{H\,\ell}{A\,\frac{\ell}{\mu A}} = \mu\,H$

Tableau 10.2 Symboles et unités

Quantité	Symbole	Unités SI
mmf	F (NI)	ampère-tour (At)
Flux	φ	weber (Wb)
Intensité de champ	H	ampère-tour/mètre (At/m)
Perméabilité (vide)	μ μ_o	Wb/At·m $4\,\pi\,10^{-7}$ Wb/At·m
Densité de flux	B	tesla (T)
Longueur	ℓ	mètre (m)
Section	A	mètre carré (m^2)
Réluctance	$\Re$	- - - - - -

Exemple 10.1   Force magnétisante

Déterminer le nombre d'ampères-tours nécessaires pour établir un flux magnétique de 2 mWb dans le circuit de la figure 10.6, fait d'acier au silicium.

Solution:

a) La section du circuit magnétique est:

$$(0,04 \text{ m}) \bullet (0,04 \text{ m}) = 1,6 \bullet 10^{-3} \text{ m}^2$$

b) La densité de flux est égale au flux divisé par la section:

$$B = \frac{\varphi}{A} = \frac{2 \bullet 10^{-3} \text{ Wb}}{1,6 \bullet 10^{-3} \text{ m}^2} = 1,25 \text{ T}$$

c) D'après la courbe de magnétisation de l'acier au silicium, la force magnétisante requise pour produire une telle densité de flux est de 420 At/m.

d) La longueur moyenne du circuit magnétique est indiquée par la ligne pointillée abcd (fig. 10.6). Les deux branches verticales représentatives bc et ad mesurent 12 cm chacune. Les deux branches horizontales mesurent 12 cm moins la longueur de l'entrefer. Alors:

$$\ell_1 = 2 \ (12 \text{ cm}) + 2 \ (12 - 0,25 \text{ cm}) = 47,5 \text{ cm}$$

e) Le nombre d'ampères-tours F_1 requis pour faire circuler le flux de 2 mWb dans l'acier au silicium est:

$$F_1 = H_1 \ell_1 = (420 \text{ At/m}) (0,475 \text{ m}) = 200 \text{ At}$$

f) La force magnétisante H_2 requise pour l'entrefer se détermine à l'aide de la relation linéaire $B = \mu_o H$:

$$H_2 = \frac{B}{\mu_o} = \frac{1,25 \text{ T}}{4 \pi 10^{-7} \text{ Wb/At} \cdot \text{m}}$$
$$= 994 \ 700 \text{ At/m}$$

g) Le chemin ℓ_2 dans l'air mesure 0,5 cm. Le nombre d'ampères-tours nécessaire pour produire 2 mWb dans l'entrefer est:

$$F_2 = H_2 \ell_2 = (994 \ 700 \text{ At/m}) (0,005 \text{ m}) = 4974 \text{ At}$$

h) Le nombre total d'ampères-tours est la somme $F_1 + F_2$:

$$F = F_1 + F_2 = 200 + 4974 = 5174 \text{ At}$$

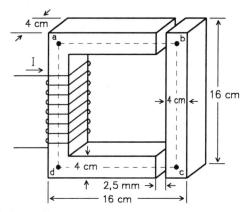

Figure 10.6 (ex. 10.1) Circuit magnétique de forme rectangulaire.

10.9 PERTES PAR HYSTÉRÉSIS

Un matériau magnétique qui ne produit aucun champ magnétique lorsqu'il n'est pas soumis à une force magnétisante extérieure est dit démagnétisé. Les courbes de magnétisation (fig. 10.5) ont été tracées pour des matériaux qui étaient initialement démagnétisés.

Si, après qu'elle a atteint une certaine valeur, on ramène la force magnétisante à zéro, la courbe de B en fonction de H ne reprend pas le même tracé en sens inverse. La courbe correspondante est supérieure à la précédente (fig. 10.7). On voit qu'on obtient des valeurs supérieures de densité de flux pour des valeurs données de la force magnétisante lorsque la force magnétisante est augmentée jusqu'à une certaine valeur maximale

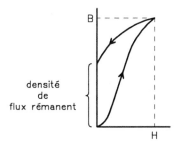

Figure 10.7 Flux rémanent.

puis diminuée. En d'autres termes, la densité de flux obtenue pour une force magnétisante donnée dépend de l'*histoire* magnétique du matériau. Cette propriété d'un matériau magnétique en vertu de laquelle le flux magnétique dépend de ses conditions antérieures de magnétisation s'appelle l'*hystérésis*.

La densité de flux magnétique qui subsiste dans le matériau après que la force magnétisante a été réduite à zéro s'appelle la densité de *flux rémanent*. C'est en soumettant certains alliages ayant un flux rémanent très important à des forces magnétisantes très intenses pendant quelques millisecondes qu'on fabrique des aimants permanents.

Si le courant de la bobine produisant la force magnétisante est inversé et augmenté jusqu'à la même valeur maximale que précédemment, la courbe de B en fonction de H se prolongera et la quantité maximale de flux magnétique sera la même en valeur absolue que celle obtenue lorsque la force magnétisante positive était maximale. En ramenant la valeur du courant ou de la force magnétisante de sa valeur maximale négative jusqu'à zéro puis à nouveau jusqu'à sa valeur maximale positive, on obtient une courbe complète, fermée sur elle-même (fig. 10.8). Cette courbe est dite *courbe d'hystérésis*.

En plus des effets déjà décrits, chaque cycle complet de la force magnétisante cause une perte d'énergie qui apparaît sous forme de chaleur. L'importance de cette perte d'énergie est fonction de la surface interne de la courbe d'hystérésis et est appelée *pertes par hystérésis*.

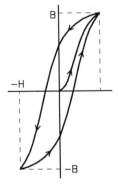

Figure 10.8 Courbe d'hystérésis.

Les pertes par hystérésis, en plus d'être proportionnelles à la surface délimitée par la courbe d'hystérésis, sont aussi proportionnelles à la fréquence du courant de la force magnétisante. Ces pertes peuvent s'exprimer comme suit:

$$P_h = K_h \ v \ f \ B_m^n$$

où:

B = densité de flux
n = exposant de Steinmetz (valeur usuelle entre 1,8 et 2.0)
v = volume du circuit magnétique
f = fréquence
K_h = constante dépendant du matériau et du système d'unités

10.10 PERTES PAR COURANTS INDUITS

Une variation de courant produit une variation de flux et, de ce fait, induit une tension:

1. dans le cuivre: c'est la force contre-électromotrice.

2. dans l'acier (fig. 10.9), produisant ainsi des courants de circulation proportionnels à la tension induite et limités par la résistance du chemin parcouru. On réfère communément à ces *courants induits* en utilisant l'expression *courants de Foucault*. Ces pertes se traduisent par un échauffement du noyau.

Un moyen de remédier à cet inconvénient est de remplacer le noyau solide par des tôles minces isolées les unes des autres par du vernis ou simplement par la couche d'oxyde formée à la surface des laminations lors du recuit.

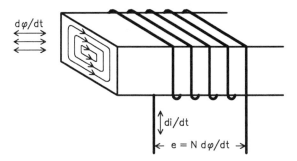

Figure 10.9 Courants induits dans l'acier.

L'emploi de laminations a cependant pour effet de produire une différence entre l'épaisseur effective d'acier et l'épaisseur physique mesurable. Le rapport entre ces deux épaisseurs correspond à ce qu'on appelle le *coefficient de foisonnement.* La tension induite dans les laminations est proportionnelle à l'épaisseur des laminations et au carré de la densité de flux et de la fréquence; par contre, lorsque les laminations sont minces, la résistance vue par les courants est à toutes fins utiles indépendante de l'épaisseur. On peut représenter les pertes dans les laminations par la relation:

$$P_f = K_f \ f^2 \ B_m^2 \ t \ v$$

où:
B = densité de flux
v = volume d'acier
f = fréquence
t = épaisseur des laminations
K_f = constante dépendant du matériau et du système d'unités

10.11 INDUCTANCE

On pourrait démontrer que la relation qui relie la réluctance à l'inductance est:

$$L = N^2 / \mathfrak{R}$$

Chapitre 11

TRANSFORMATEUR

11.1 INTRODUCTION

Le transformateur constitue une composante indispensable des réseaux électriques. Il permet le transport et la distribution d'énergie électrique à différents niveaux de tension.

Une étude suffisamment approfondie du transformateur est essentielle pour la compréhension du fonctionnement non seulement de cet appareil, mais aussi de celui des moteurs asynchrones triphasés et monophasés dont on traite dans les prochains chapitres. En effet, le transformateur et le moteur asynchrone fonctionnent selon les mêmes principes électromagnétiques de base.

À la base, un transformateur consiste en un circuit magnétique sur lequel deux enroulements sont bobinés. On appelle *enroulement primaire* l'enroulement relié à la source qui alimente le transformateur alors qu'on désigne par *enroulement secondaire* l'enroulement relié à la charge alimentée par le transformateur. Cette appellation est rigoureuse et indépendante de toute autre relation pouvant exister entre les deux enroulements et, en particulier, indépendante du nombre de tours d'un enroulement par rapport à l'autre. Dans les équations et relations de ce chapitre, l'indice 1 associé aux tensions, aux courants et aux impédances réfère aux valeurs qui se rapportent à l'enroulement primaire; l'indice 2 réfère aux valeurs reliées à l'enroulement secondaire.

Quand l'enroulement primaire est connecté à une source de tension alternative, il se produit un flux alternatif. L'amplitude de ce flux dépend du nombre de tours du primaire et de la tension de la source. En traversant l'enroulement secondaire, ce flux y induit une tension dont l'amplitude dépend du nombre de tours de cet enroulement. Ainsi, en faisant varier le rapport du nombre de tours entre le primaire et le secondaire, on peut obtenir n'importe quelle relation entre la tension primaire et la tension secondaire.

La seule présence d'un flux magnétique pulsatoire commun à deux enroulements suffit à faire fonctionner le transformateur. Ce flux pourrait prendre place dans l'air, mais il est beaucoup plus efficace d'établir un flux dans un matériau ferromagnétique en raison de sa grande perméabilité. Pour cette raison, la majorité des transformateurs comportent un noyau d'acier constitué d'un alliage de fer, de carbone, de silicium, de manganèse et d'autres métaux servant à améliorer la perméabilité du circuit magnétique. Afin de réduire les pertes par courants de Foucault dans le noyau, ce dernier est fait de minces lames d'acier isolées les unes des autres.

Parmi les types les plus communs de noyau de transformateurs, on retrouve le type *à colonnes* et le type *cuirassé*. Dans le type à colonnes, l'enroulement primaire et l'enroulement secondaire sont placés autour des deux colonnes du noyau (fig. 11.1), habituellement avec la moitié de chacun sur chaque colonne. Dans le type cuirassé, les deux enroulements sont placés autour de la branche centrale du noyau (fig. 11.2). Les enroulements ou parties d'enroulement se trouvent aussi près l'un de l'autre que l'isolation électrique et le refroidissement le permettent afin d'assurer le meilleur couplage magnétique possible. Très souvent, dans l'un et l'autre cas, les enroulements sont disposés en couches superposées (fig. 11.1) ou alternées (fig. 11.2).

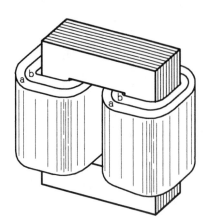

Figure 11.1 Transformateur du type à colonnes.

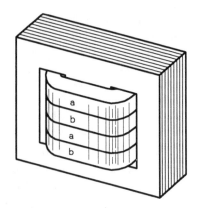

Figure 11.2 Transformateur du type cuirassé.

11.2 PRINCIPALES APPLICATIONS

Parmi les multiples applications du transformateur, notons les domaines suivants:

1. électronique:
   - alimentation à basse tension,
   - adaptation d'impédance;

2. électrotechnique:
   - transformation des niveaux de tension pour le transport et la distribution,
   - alimentation à basse tension (lampes halogènes);

3. mesure:
   - transformateur d'intensité,
   - transformateur de potentiel.

11.3 TRANSFORMATEUR IDÉAL

Dans la représentation d'un transformateur idéal, l'enroulement primaire se trouve, par convention, à gauche du circuit magnétique et l'enroulement secondaire, à droite.

Le sens des deux enroulements définit la polarité des différences de potentiel apparaissant aux bornes de chaque enroulement. La polarité relative est représentée par des points «•». Ainsi, si le potentiel du point A est plus positif que celui du point B, le potentiel du point C est aussi plus positif que celui du point D (fig. 11.3). De même, si le potentiel du

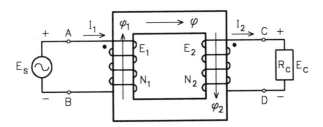

Figure 11.3 Transformateur idéal
avec son circuit magnétique.

point A est plus négatif que celui du point B, le potentiel du point C est aussi plus négatif que celui du point D. De plus, si le courant entre par le point au primaire, il ressort par le point au secondaire.

Pour l'enroulement primaire, on peut déterminer le flux induit dans le noyau à partir de la loi de Faraday:

$$e_1(t) = \sqrt{2}\, E_1 \cos(\omega t + \phi) = N_1 \, d\varphi/dt$$

Il en découle qu'en régime établi:

$$\varphi(t) = \frac{\sqrt{2}\, E_1}{N_1\, \omega} \cos(\omega t + \phi - 90°)$$

Ce flux traverse l'enroulement secondaire, induisant une tension e_2:

$$e_2(t) = N_2 \frac{d\varphi}{dt} = \frac{N_2}{N_1} \sqrt{2}\, E_1 \cos(\omega t + \varphi) = \frac{N_2}{N_1} e_1(t)$$

d'où

$$\frac{E_1}{E_2} = \frac{N_1}{N_2} = a$$

Par définition, a est le *rapport de transformation*.

Pour un transformateur idéal, la puissance apparente fournie par la source doit être égale à la puissance apparente fournie à la charge.

$$E_1 I_1 = E_2 I_2$$

d'où

$$\frac{I_2}{I_1} = \frac{E_1}{E_2} = \frac{N_1}{N_2} = a$$

On aurait pu obtenir cette dernière relation à l'aide du théorème d'Ampère, qui stipule que la somme des ampères-tours doit être nulle, c'est-à-dire:

$$N_1 I_1 = N_2 I_2$$

d'où

$$\frac{I_2}{I_1} = \frac{N_1}{N_2} = a$$

Les relations très simples dérivées précédemment contiennent l'essence même de la transformation qui se produit dans le transformateur. En général, elles suffisent pour déterminer avec assez de précision toutes les quantités électriques (tensions, courants et puissances). Toutefois, s'il s'avère nécessaire d'inclure les pertes de puissance réelle et réactive du transformateur, on doit utiliser un modèle plus complet qui tient compte des pertes par effet Joule dans les enroulements et le noyau, ainsi que de la puissance réactive consommée par le courant magnétisant et le flux de fuite.

Avant de présenter le modèle du transformateur réel, il est nécessaire d'examiner comment une charge raccordée au secondaire est perçue ou vue par la source d'alimentation au primaire. La charge $\vec{Z}_2$ a la tension secondaire $\overline{E}_2$ à ses bornes et est traversée par le courant $\overline{I}_2$. Au primaire, la tension $\overline{E}_1$ est égale à la tension de source; il y circule un courant $\overline{I}_1$ dont la valeur se détermine par le théorème d'Ampère. La source voit une impédance égale au rapport de $\overline{E}_1$ sur $\overline{I}_1$. Cette impédance, notée $\vec{Z}_2'$, représente la réflexion au primaire de $\vec{Z}_2$:

$$\vec{Z}_2' = \frac{\overline{E}_1}{\overline{I}_1} = \frac{a\,\overline{E}_2}{\overline{I}_2/a} = a^2\,\vec{Z}_2$$

L'impédance du secondaire apparaît donc au primaire comme une impédance ayant la même phase, mais a^2 fois plus grande. Cette propriété d'un transformateur est mise à profit dans les circuits électroniques et permet d'adapter une impédance pour favoriser un meilleur transfert de puissance.

11.4 COURANT DE MAGNÉTISATION

L'équation de la tension induite permet de constater qu'il doit y avoir un courant pour produire le flux. Ce courant, appelé *courant d'excitation* et noté I_φ, sert à aligner les domaines magnétiques élémentaires; sa valeur dépend du volume du noyau et de la densité de flux. Pour calculer sa valeur, on doit recourir à la courbe de magnétisation spécifique au type d'acier utilisé. C'est un courant essentiellement inductif qui, pour un transformateur usuel, est inférieur à 5 % du courant nominal.

À ce courant d'excitation s'ajoute une composante résistive I_{fe}, dont l'amplitude correspond aux pertes par hystérésis et par effet de Foucault. Ces pertes représentent habituellement moins de 1 % de la puissance nominale. Par conséquent, I_{fe} ne dépasse généralement pas un centième du courant nominal.

Le courant d'excitation et le courant I_{fe} forment le *courant de magné-tisation* aussi appelé courant magnétisant:

$$\overline{I}_m = I_{fe} - j\,I_\varphi$$

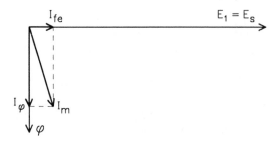

Figure 11.4 Composantes I_φ et I_{fe} du courant de magnétisation.

11.5 PERTES DANS LE CUIVRE

En fonctionnement normal, les courants qui circulent dans l'enroulement primaire et l'enroulement secondaire sont à l'origine de pertes par effet Joule. Ces pertes représentent environ 1 à 2 % de la puissance nominale du transformateur. En général, leur importance est à peu près la même pour chacun des deux enroulements.

11.6 RÉACTANCE DE FUITE

Le flux de fuite constitue un phénomène moins évident que les pertes dans le cuivre, mais tout aussi important.

On peut considérer les enroulements comme deux solénoïdes concentriques. La densité des lignes de flux à l'intérieur d'un solénoïde long est uniforme et ces lignes sont parallèles à l'axe du solénoïde. Dans le cas où le solénoïde formant le primaire se trouve à l'intérieur de celui qui constitue le secondaire, le flux à l'intérieur du primaire est nul, car les ampères-tours des deux enroulements s'annulent. Par contre, il existe entre les deux solénoïdes un flux produit par l'enroulement extérieur; ce flux a une intensité d'autant plus importante que le courant dans l'enroulement extérieur est important. Il circule principalement dans l'air et donne lieu à une consommation de puissance réactive équivalant à l'énergie emmagasinée sous forme de champ magnétique entre les deux enroulements. Ce flux ne joue aucun rôle dans la transformation de l'énergie électrique dans le transformateur. C'est le *flux de fuite*. Il importe de se rendre compte que ce flux est nul si le transformateur est à vide et qu'il augmente avec la puissance apparente de la charge. Même si l'enroulement secondaire est en réalité le seul à produire ce phénomène, il est habituel de répartir également le flux de fuite entre les deux enroulements; on parle alors du flux de fuite primaire et du flux de fuite secondaire.

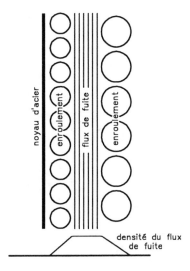

Figure 11.5 Flux de fuite entre deux enroulements.

11.7 CIRCUIT ÉQUIVALENT D'UN TRANSFORMATEUR

Une représentation d'un transformateur réel consiste en un transformateur idéal auquel se rattachent diverses résistances et réactances pour tenir compte des aspects réels (fig. 11.6). Ainsi, R_1 et R_2 représentent les résistances respectives des enroulements primaire et secondaire; la résistance R_{fe} est associée aux pertes par hystérésis et par courants de Foucault dans le noyau. Les réactances X_1 et X_2 tiennent compte des flux de fuite primaire et secondaire tandis que la réactance X_{φ} tient compte du courant d'excitation nécessaire pour produire le flux dans le noyau.

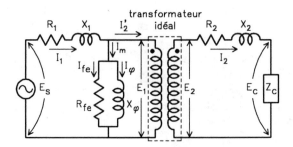

Figure 11.6 Circuit équivalent exact
d'un transformateur.

À partir de ce circuit, on peut calculer les tensions, les courants et les puissances mises en jeu. Dans le cas d'une charge résistive (fig. 11.7) raccordée à un transformateur réel, on peut déterminer la tension et le courant primaires si on connaît la tension secondaire.

$$\overline{I}_2 = \overline{E}_c / \overline{Z}_c$$
$$\overline{E}_2 = \overline{E}_c + (R_2 + jX_2)\,\overline{I}_2$$
$$\overline{E}_1 = a\,\overline{E}_2$$
$$\overline{I}'_2 = \overline{I}_2 / a$$
$$\overline{I}_m = \overline{E}_1 / (R_{fe} \;//\; jX_\varphi)$$
$$\overline{I}_1 = \overline{I}'_2 + \overline{I}_m$$
$$\overline{E}_s = \overline{E}_1 + I_1\,(R_1 + jX_1)$$

$$Pf_{source} = \cos\left(\angle E_s - \angle I_1\right)$$

$$I_m = I_{fe} - jI_\varphi$$

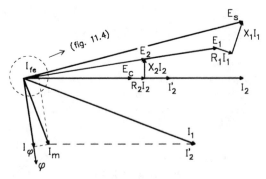

Figure 11.7 Diagramme des phaseurs de tension et de courant
pour un transformateur alimentant une charge résistive.

11.8 CIRCUIT ÉQUIVALENT SIMPLIFIÉ

Pour un transformateur de construction usuelle, le courant de magnétisation représente, en grandeur, moins de 5 % du courant de pleine charge. Son déphasage est considérable par rapport au courant de charge normale. Par conséquent, on peut simplifier le circuit équivalent en enlevant la branche shunt (fig. 11.8) dont l'importance est négligeable lorsqu'on raccorde au transformateur une charge se rapprochant de la charge nominale.

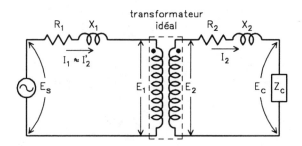

Figure 11.8 Circuit équivalent simplifié
d'un transformateur en charge.

11.8.1 Impédance ramenée au primaire

À partir de la relation développée à la section 11.3, on peut remplacer les éléments R_2 et jX_2 du côté secondaire par des impédances équivalentes R'_2 et jX'_2 du côté primaire (fig. 11.9):

$$R'_2 = a^2 R_2$$

$$X'_2 = a^2 X_2$$

En regroupant les résistances d'une part et les réactances d'autre part, pour le côté primaire, on obtient (fig. 11.10):

$$R_{éq1} = R_1 + R'_2 = R_1 + a^2 R_2$$

$$X_{éq1} = X_1 + X'_2 = X_1 + a^2 X_2$$

$$\vec{Z}_{éq1} = R_{éq1} + j X_{éq1}$$

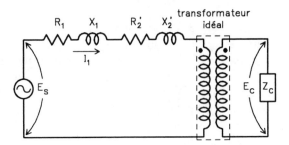

Figure 11.9 Circuit équivalent simplifié
avec impédance secondaire ramenée au primaire.

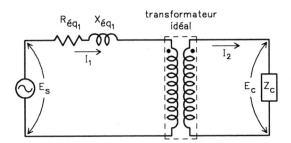

Figure 11.10 Circuit équivalent simplifié
avec impédance équivalente exprimée du côté primaire.

Si on remplace le transformateur idéal par un autre transformateur dont les deux enroulements ont le même nombre de tours N_1 et qu'on remplace aussi la charge véritable par une charge équivalente Z_c' qui consomme la même puissance apparente vue du primaire, et ce sans modifier le circuit, on obtient (fig. 11.11):

$$\vec{Z}_c' = a^2 \, \vec{Z}_c$$

$$\overline{E}_c' = a \, \overline{E}_c$$

$$\overline{I}_2' = \overline{I}_2 / a$$

Puisque le transformateur est idéal et que le rapport de transformation est unitaire, il n'influe en rien sur le comportement du circuit. On peut alors l'éliminer (fig. 11.12).

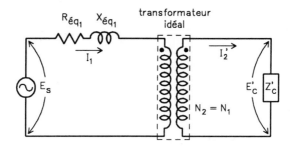

Figure 11.11 Circuit équivalent exprimé du côté primaire avec un transformateur ayant un rapport de transformation unitaire.

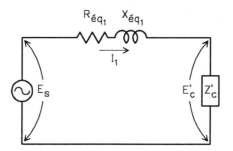

Figure 11.12 Circuit équivalent simplifié d'un transformateur, exprimé du côté primaire.

La relation entre la tension à la source et la tension à la charge devient:

$$\overline{E}_s = a\,\overline{E}_c + \overline{I}_1\,(R_{éq1} + j\,X_{éq1})$$

Pour une charge inductive dont le facteur de puissance est $\cos\phi$, le diagramme des phaseurs se résume à celui de la figure 11.13 où:

ϕ = angle de l'impédance de la charge

θ_1 = déphasage du courant de source par rapport à la tension de source (θ_1 est normalement plus grand que ϕ)

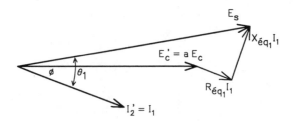

Figure 11.13 Diagramme simplifié pour un transformateur alimentant une charge inductive.

11.8.2 Impédance ramenée au secondaire

Au lieu d'exprimer les impédances du côté primaire, on peut les définir du côté secondaire. On obtient ainsi les impédances R_1' et X_1' (fig. 11.14) suivantes:

$$R_1' = R_1 / a^2$$
$$X_1' = X_1 / a^2$$

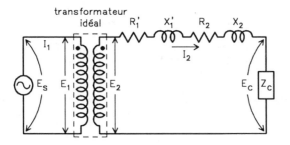

Figure 11.14 Impédance du primaire ramenée au secondaire.

En regroupant les résistances et les réactances au secondaire, on obtient (fig. 11.15):

$$R_{éq2} = R_1' + R_2 = R_1/a^2 + R_2$$
$$X_{éq2} = X_1' + X_2 = X_1/a^2 + X_2$$
$$\vec{Z}_{éq2} = R_{éq2} + j X_{éq2}$$

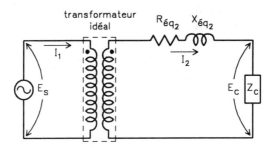

Figure 11.15 Circuit équivalent simplifié avec impédance équivalente exprimée du côté secondaire.

Si seuls la tension et le courant au secondaire ont de l'intérêt, on peut éliminer le transformateur idéal (fig. 11.16).

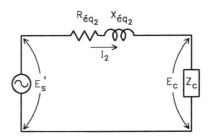

Figure 11.16 Circuit équivalent simplifié d'un transformateur, exprimé du côté secondaire.

La relation entre la tension à la charge et la tension à la source devient:

$$\overline{E}_s^{'} = \overline{E}_s/a = \overline{I}_2 \ (R_{\acute{e}q2} + j \ X_{\acute{e}q2}) + \overline{E}_c$$

On peut ramener au primaire l'impédance équivalente exprimée du côté secondaire en tenant compte du carré du rapport de transformation.

$$R_{\acute{e}q1} = a^2 \ R_{\acute{e}q2}$$

$$X_{\acute{e}q1} = a^2 \ X_{\acute{e}q2}$$

$$\overrightarrow{Z}_{\acute{e}q1} = a^2 \ \overrightarrow{Z}_{\acute{e}q2}$$

Si on doit de plus tenir compte des pertes dans le fer et du courant de magnétisation, on peut reprendre le circuit de la figure 11.12 en y ajoutant la branche shunt (fig. 11.17).

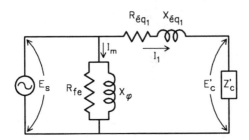

Figure 11.17 Circuit équivalent simplifié
avec branche shunt.

La figure 11.18 présente les diagrammes de phaseurs correspondant à des transformateurs abaisseurs ou éleveurs de tensions et à des charges inductives et capacitives. Une bonne compréhension de ces diagrammes est essentielle à l'étude des transformateurs.

11.9 VALEURS NOMINALES

Les valeurs nominales de tension, de courant, de puissance et de fréquence sont les valeurs respectives pour lesquelles un transformateur a été conçu et fabriqué.

On peut utiliser un transformateur à une tension ou à un courant légèrement au-dessus de la norme; toutefois, si on dépasse de beaucoup la valeur spécifiée, on risque de le faire surchauffer et de le détruire. Par ailleurs, utiliser un transformateur à une tension ou à un courant inférieur à la valeur spécifiée n'est pas en soi dommageable pour l'appareil, mais on en fait alors une utilisation non rationnelle.

L'exemple 11.1 illustre le calcul des paramètres du circuit équivalent.

Pour une charge inductive et a>1

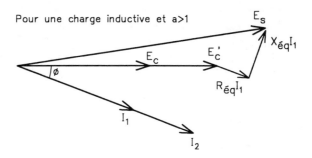

Pour une charge capacitive et a>1

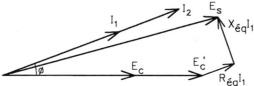

Pour une charge inductive et a<1

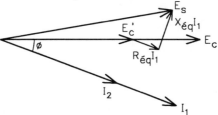

Pour une charge capacitive et a<1

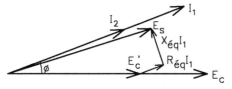

Figure 11.18 Diagrammes des phaseurs pour différentes charges et rapports de transformation.

Exemple 11.1   Calcul de l'impédance équivalente

Les impédances de l'enroulement haute tension et de l'enroulement basse tension d'un transformateur de 50 kVA, 2400/240 V, 60 Hz sont respectivement:

$$R_1 + j X_1 = 0,72 + j0,92 \ \Omega$$
$$R_2 + j X_2 = 0,007 + j0,009 \ \Omega$$

Déterminer l'impédance équivalente exprimée d'abord du côté haute tension utilisé comme primaire et ensuite du côté secondaire. Pour chaque cas, dessiner le circuit équivalent simplifié correspondant.

Solution:

Le rapport de transformation est:

$$a = \frac{2400 \ V}{240 \ V} = 10$$

Calculons d'abord les impédances ramenées au primaire:

$$R_{éq1} = R_1 + R_2' = R_1 + a^2 R_2$$
$$= 0,72 + 10^2 \ (0,007) = 1,42 \ \Omega$$

$$X_{éq1} = X_1 + X_2' = X_1 + a^2 X_2$$
$$= 0,92 + 10^2 \ (0,009) = 1,82 \ \Omega$$

$$Z_{éq1} = 1,42 + j1,82 \ \Omega$$

Calculons maintenant les impédances ramenées au secondaire:

$$R_{éq2} = R_1' + R_2 = R_1/a^2 + R_2$$
$$= \frac{0,72}{100} + 0,007 = 0,0142 \ \Omega$$

$$X_{éq2} = X_1' + X_2 = X_1/a^2 + X_2$$
$$= \frac{0,92}{100} + 0,009 = 0,0182 \ \Omega$$

$$Z_{éq2} = 0,0142 + j0,0182 \ \Omega$$

On constate bien le facteur de 100 (soit a^2) entre les impédances exprimées du côté primaire et celles exprimées du côté secondaire.

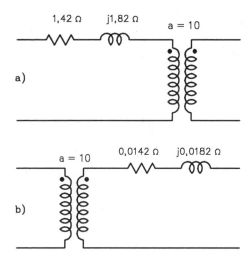

Figure 11.19 (ex. 11.1) Impédance équivalente:
a) reportée au primaire;
b) reportée au secondaire.

11.10 IMPÉDANCES DE BASE

L'impédance de base est l'impédance qui, ayant la tension nominale à ses bornes, limite le courant à la valeur nominale. En d'autres termes, c'est la valeur de l'impédance qui, sous tension nominale, dissipe la puissance nominale. On peut donc poser que:

$$Z_{base} \overset{\Delta}{=} \frac{E_{nom}}{I_{nom}} = \frac{E_{nom}^2}{S_{nom}}$$

Pour un transformateur, on peut parler de l'impédance de base en se référant au côté primaire ou au côté secondaire.

On note $Z_{1\,base}$ l'impédance de base du côté primaire et $Z_{2\,base}$, l'impédance de base du côté secondaire:

$$Z_{1_{base}} = \frac{E_{1\,nom}}{I_{1\,nom}} = \frac{E_{1\,nom}^2}{S_{nom}}$$

$$Z_{2_{base}} = \frac{E_{2\,nom}}{I_{2\,nom}} = \frac{E_{2\,nom}^2}{S_{nom}}$$

Des relations précédentes, il découle que les impédances de base au primaire et au secondaire sont reliées entre elles comme le carré des tensions nominales. On obtient ainsi:

$$Z_{1_{base}} = a^2 Z_{2_{base}}$$

11.11 VALEURS UNITAIRES

Les valeurs unitaires, exprimées par unité (p.u.) ou en pourcentage, sont des valeurs définies par rapport aux valeurs nominales. Ainsi, les valeurs de la tension, du courant et de la puissance en p.u. sont les rapports entre la tension, le courant ou la puissance actuelle et la tension, le courant ou la puissance nominale.

On peut exprimer les impédances équivalentes du transformateur ramenées au primaire ou au secondaire par rapport, respectivement, aux impédances de base du primaire ou du secondaire. On constate alors que l'impédance équivalente exprimée en p.u. ou en pourcentage d'un transformateur est une valeur unique qui caractérise le transformateur; elle ne dépend pas du côté (primaire ou secondaire) choisi, comme le démontre l'exemple 11.2.

Exemple 11.2   Impédances exprimées en p.u.

Calculer les impédances de base du côté primaire et du côté secondaire du transformateur de l'exemple 11.1 et exprimer les impédances en fonction de ces impédances de base.

Solution:

$$Z_{1_{base}} = \frac{(2400 \text{ V})^2}{50 \text{ kVA}} = 115,2 \ \Omega$$

$$Z_{2_{base}} = \frac{(240 \text{ V})^2}{50 \text{ kVA}} = 1,152 \ \Omega$$

Du côté primaire, en pourcentage:

$$Z_{éq} (\%) = \frac{Z_{éq1} (\Omega)}{Z_{1_{base}} (\Omega)} \bullet 100$$

$$= \frac{\sqrt{1,42^2 + 1,82^2}}{115,2} \bullet 100 = 2,0 \%$$

Du côté secondaire, en pourcentage:

$$Z_{éq} \text{ (\%)} = \frac{Z_{éq2} \text{ } (\Omega)}{Z_{2_{base}} \text{ } (\Omega)} \cdot 100$$

$$= \frac{\sqrt{0,0142^2 + 0,0182^2}}{1,152} \cdot 100 = 2,0\%$$

On peut aussi calculer:

$$R_{éq} \text{ (\%)} = \left(\frac{R_{éq1}}{Z_{1_{base}}} \text{ ou } \frac{R_{éq2}}{Z_{2_{bas2}}} \right) \cdot 100$$

$$= \frac{1,42}{115,2} \cdot 100 = 1,23\%$$

et

$$X_{éq} \text{ (\%)} = \left(\frac{X_{éq1}}{Z_{1_{base}}} \text{ ou } \frac{X_{éq2}}{Z_{2_{bas2}}} \right) \cdot 100$$

$$= \frac{1,82}{115,2} \cdot 100 = 1,58\%$$

11.12 RENDEMENT

De façon générale, le *rendement* d'un appareil correspond au rapport entre la puissance à la sortie et la puissance à l'entrée.

$$\eta = \frac{sortie}{entrée} = \frac{P_{charge}}{P_{charge} + P_{erte}}$$

$$= \frac{entrée - pertes}{entrée} \qquad P_{charge} = EI\cos\Phi$$

$$= 1 - \frac{pertes}{entrée} \qquad Perte = P_{fe} + P_{R_1} + P_{R_2}'$$

Dans un transformateur, il existe des pertes dans le cuivre de l'enroulement primaire et de l'enroulement secondaire, ainsi que des pertes dans le noyau dues à l'hystérésis et aux courants induits. Il en résulte que:

$$\eta = 1 - \frac{P_{cu1} + P_{cu2} + P_{fe}}{P_{entrée}}$$

11.13 CHUTE DE TENSION INTERNE

La chute de tension interne d'un transformateur se définit comme la variation d'amplitude de la tension secondaire entre les conditions *à vide* et *en charge* par rapport à la tension *en charge*, la tension d'alimentation *demeurant la même*. Cette chute de tension est fonction de l'importance de la charge et de son facteur de puissance. Elle peut même devenir négative dans le cas d'une charge fortement capacitive.

On a donc la relation:

$$e = \frac{\left| E_{c_{vide}} \right| - \left| E_{c_{charge}} \right|}{\left| E_{c_{charge}} \right|} = \frac{\left| E_{c_{vide}} \right|}{\left| E_{c_{charge}} \right|} - 1$$

11.14 PLAQUE SIGNALÉTIQUE

$\text{Ecvide} = \frac{E_s}{a}$

Transfo Superbe inc.

25 kVA, 600/120 V

60 Hz, Z = 5 %, 50°C

Figure 11.20 Plaque signalétique d'un transformateur.

L'inscription typique «25 kVA, 600/120 V, 60 Hz, Z = 5 %, 50°C» sur la plaque signalétique d'un transformateur signifie que ce transformateur a été conçu par le manufacturier pour fournir une puissance de 25 kVA sous une alimentation ou tension primaire de 600 V, à une fréquence normale d'opération de 60 Hz. La tension de sortie est alors environ 120 V. Toutefois, la tension de sortie dépend non seulement de l'impédance équivalente de 5 %, mais aussi du facteur de puissance de la charge. La valeur 50°C indique l'élévation de température due aux pertes, élévation basée sur une température ambiante de 40°C et une utilisation dans les conditions nominales.

La puissance nominale d'un appareil électrique, qu'il s'agisse d'un transformateur, d'un moteur ou de tout autre appareil, correspond toujours à la puissance disponible à l'usager et non à la puissance demandée à la source par cet appareil.

Tout comme la puissance et les tensions nominales, la valeur de l'impédance équivalente, exprimée en p.u. ou en pourcentage, figure normalement sur la plaque signalétique d'un transformateur.

11.15 ESSAI EN COURT-CIRCUIT

Pour déterminer l'impédance équivalente d'un transformateur, il suffit d'effectuer ce qu'on appelle un *essai en court-circuit*. Cet essai consiste à court-circuiter *véritablement* un enroulement et à prendre des mesures en alimentant l'autre enroulement à tension réduite de façon que le courant de court-circuit ne dépasse pas la valeur nominale. Cet essai peut être fait indifféremment d'un côté ou de l'autre étant donné qu'on peut ramener les impédances d'un côté à l'autre en tenant compte du carré du rapport de transformation.

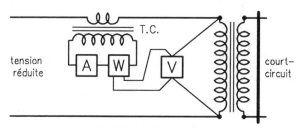

Figure 11.21 Montage pour l'essai en court-circuit.

Puisque l'essai se fait à tension très réduite, le courant de magnétisation de même que les pertes par hystérésis et par courants de Foucault s'en trouvent fortement diminués. En pratique, on peut les considérer comme négligeables vis-à-vis le courant nominal et la puissance dissipée dans la résistance équivalente.

Si on définit que:

$Z_{éq}$ = impédance équivalente

$R_{éq}$ = résistance équivalente

$X_{éq}$ = réactance équivalente

E_{cc} = tension réduite

I_{cc} = courant

P_{cc} = puissance réelle

on obtient les relations:

$$Z_{éq} = \frac{E_{cc}}{I_{cc}}$$

$$R_{éq} = \frac{P_{cc}}{I_{cc}^2} = Z_{éq}\, \frac{P_{cc}}{E_{cc}\, I_{cc}}$$

$$X_{éq} = \sqrt{Z_{éq}^2 - R_{éq}^2}$$

Les valeurs de résistance, de réactance et d'impédance équivalente correspondent au côté où les mesures ont été prises, c'est-à-dire primaire ou secondaire, selon le côté le plus pratique lors de l'essai.

11.16 ESSAI À VIDE

L'*essai à vide*, c'est-à-dire sans aucune charge raccordée au transformateur (fig. 11.22), permet de déterminer le rapport de transformation et les valeurs des paramètres R_{fe} et X_{φ} de la branche shunt, paramètres qui tiennent compte des pertes dans le fer et du courant de magnétisation. Il est important que l'essai se fasse à fréquence nominale.

Comme pour l'essai en court-circuit, on peut choisir le côté primaire ou le côté secondaire. Dans bien des cas, le choix est influencé par une question de sécurité de même que par la source et les instruments disponibles. Les valeurs de R_{fe} et X_{φ} déterminées lors de l'essai à vide correspondent au côté où les mesures ont été prises. On peut les ramener à l'autre côté en tenant compte du carré du rapport de transformation, comme on l'a vu précédemment.

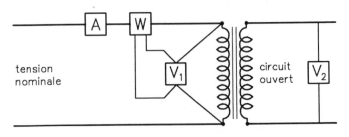

Figure 11.22 Montage pour essai à vide.

Les instruments utilisés lors des essais sont des instruments physiques, réels et non idéaux. Il est possible que leur utilisation entraîne des pertes non négligeables. Si c'est le cas, on doit en conséquence corriger les valeurs de puissance et de courant ou de tension.

Les valeurs I_{co}, P_{co} et E_{co} qui entrent dans les calculs des paramètres de la branche shunt sont égales ou différentes des valeurs I, P et E lues, selon que les pertes dans les instruments sont ou ne sont pas négligeables.

I_{co} est le courant de magnétisation I_m.

P_{co} correspond aux pertes dans le circuit magnétique et aux pertes dans le cuivre de l'enroulement. Ces dernières sont en général très faibles à vide; on peut les ignorer et considérer que $P_{co} = P_{fe}$.

E_{co} correspond à la tension induite E_1 plus la chute de tension dans l'impédance de l'enroulement. Cette dernière étant généralement négligeable à vide, on peut considérer que $E_{co} = E_1$.

On obtient alors les relations:

$$\cos\theta = \frac{P_{fe}}{E_1\, I_m} \approx \frac{P_{co}}{E_{co}\, I_{co}}$$

$$I_{fe} = I_m \cos\theta \approx I_{co} \cos\theta$$

$$I_\varphi = I_m \sin\theta \approx I_{co} \sin\theta$$

$$R_{fe} = \frac{P_{fe}}{I_{fe}^2} = \frac{E_1}{I_{fe}} \approx \frac{P_{co}}{I_{fe}^2} \approx \frac{E_{co}}{I_{co}\cos\theta}$$

$$X_\varphi = \frac{E_1}{I_\varphi} \approx \frac{E_{co}}{I_{co}\sin\theta}$$

où θ est l'angle entre $\overline{E}_1$ et $\overline{I}_m$.

De plus, on peut déterminer le rapport de transformation en calculant le rapport entre la tension au primaire et celle au secondaire.

$$a = E_1 / E_2$$

L'exemple 11.3 permet de visualiser la détermination des paramètres du circuit équivalent d'un transformateur à l'aide des valeurs obtenues lors des divers essais.

Exemple 11.3   Essais sur un transformateur

Lors des essais à vide et en court-circuit sur un transformateur de 50 kVA, 2400/240 V, on a obtenu les résultats suivants pour le côté primaire:

$$P_{co} = 700 \text{ W} \qquad E_{cc} = 48 \text{ V}$$
$$P_{cc} = 617 \text{ W} \qquad I_{cc} = 20,8 \text{ A}$$

a) Établir le circuit équivalent du transformateur.

b) Calculer la tension de la source au primaire pour que la tension au secondaire soit de 240 V lorsque la charge consomme la puissance nominale du transformateur avec un facteur de puissance de 0,8 en retard.

c) Calculer la chute de tension interne.

d) Calculer le rendement si les pertes dans les instruments lors de l'essai à vide sont négligeables.

Solution:

a) Puisque ces résultats ont été obtenus pour le côté primaire, on peut poser que:

$$Z_{éq1} = \frac{E_{cc}}{I_{cc}} = \frac{48 \text{ V}}{20,8 \text{ A}} = 2,31 \ \Omega$$

$$Z_{base1} = \frac{2400 \text{ V}}{50 \text{ kVA} / 2400 \text{ V}} = 115 \ \Omega$$

$$Z_{éq_{pu}} = \frac{Z_{éq1} \ \Omega}{Z_{base1} \ \Omega} = 0,0201 \text{ p.u.}$$

$$R_{éq1} = \frac{P_{cc}}{(I_{cc})^2} = \frac{617 \text{ W}}{(20,8 \text{ A})^2} = 1,42 \ \Omega$$

$$= 0,0123 \text{ p.u.}$$

$$X_{éq1} = \sqrt{Z_{éq1}^2 - R_{éq1}^2} = 1,82 \ \Omega$$

$$= 0,0158 \text{ p.u.}$$

b) Puisque le transformateur débite son courant de pleine charge (courant nominal), le courant I_1 fourni par la source est égal au courant nominal au primaire:

$$I = \frac{S}{E_1} = \frac{50 \text{ kVA}}{2400 \text{ V}} = 20,83 \text{ A}$$

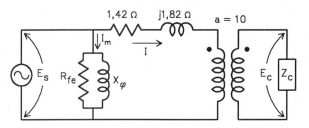

Figure 11.23 (ex. 11.3) Circuit équivalent au primaire.

Le courant I_2 est en retard de $36,9°$ par rapport à la tension E_c. Au primaire, cet angle se conserve. Alors:

$$\overline{E}_s = a\,\overline{E}_c + \overline{I}\,(R_{éq1} + jX_{éq1})$$

$$= 2400\,\underline{/0°} + (20,8\,\underline{/-36,9°})\,(1,42 + j1,82)$$

$$= 2446 + j12,5 = 2446\,\underline{/0,3°}\ V$$

Ainsi, pour obtenir une tension de 240 V à la charge lorsque le transformateur débite sa puissance nominale de 50 kVA, la tension à la source doit être quelque peu supérieure à 2400 V, soit 2446 V.

c) Grâce au résultat précédent, on peut établir la chute de tension interne:

Pour E_s constant:

$$e = \frac{E_{c_{vide}} - E_{c_{charge}}}{E_{c_{charge}}}$$

$$= \frac{244,6 - 240}{240} = 0,019\ \text{p.u. ou } 1,9\,\%$$

d)

$$\eta = 1 - \frac{P_{cu} + P_{fe}}{P_{entrée}}$$

$$P_{cu} = R_{éq}\,I_1^2 = 1,42 \bullet (20,8)^2 = 614\ W$$

$$P_{fe} = P_{co} = 700\ W$$

$$P_{source} = P_{charge} + P_{cu} + P_{fe}$$

$$= 50 \bullet 0,8 + 0,6 + 0,7 = 41,3\ kW$$

$$\eta = \frac{P_{ch}}{P_s} = \frac{40}{41,3} = 0,97$$

11.17 AUTOTRANSFORMATEUR

L'autotransformateur se caractérise par le fait qu'un certain nombre de tours de bobinage est commun au circuit du côté source et à celui du côté charge, tandis qu'un autre enroulement ou partie d'enroulement est particulier au côté source ou au côté charge selon le changement désiré. On appelle *enroulement shunt* l'enroulement commun aux deux côtés alors qu'on désigne par *enroulement série* l'enroulement particulier à un seul des deux côtés (côté source ou côté charge). De ce fait, le primaire et le secondaire se trouvent électriquement reliés, c'est-à-dire qu'on ne trouve plus, entre ces deux enroulements, l'isolation qui caractérise le transformateur classique. Ces deux aspects distinguent l'autotransformateur du transformateur classique à deux enroulements électriquement distincts.

On appelle habituellement *puissance conduite* la puissance allant directement de la source à la charge à travers l'enroulement série, alors qu'on appelle *puissance transformée* la puissance qu'on retrouve au niveau de l'enroulement shunt.

Si on utilise des connexions appropriées, on peut obtenir à la charge une tension plus grande ou plus petite que celle de la source. On distingue deux types d'interconnexions entre les deux enroulements. Si les enroulements sont connectés de façon que leurs tensions respectives s'ajoutent l'une à l'autre, on a une *connexion additive* (fig. 11.24). Si, par contre, les tensions s'opposent l'une à l'autre, on a une *connexion soustractive* (fig. 11.25).

Si on néglige les pertes dans le transformateur, on doit toujours avoir:

$$E_s I_s = E_c I_c$$

Dans le cas de la figure 11.24, on a $E_c > E_s$, d'où $I_s > I_c$.

À la chute de tension près, on peut poser que:

$$\frac{E_s}{E_c} = \frac{I_c}{I_s} = \frac{N_{sh}}{N_{sh} + N_{se}}$$

L'exemple 11.4 illustre le comportement d'un autotransformateur en mode additif et en mode soustractif.

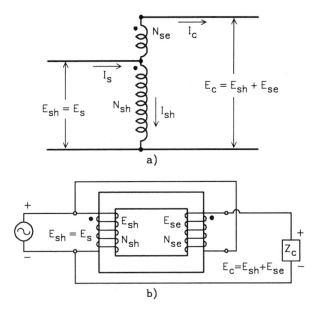

Figure 11.24 Connexion additive d'un autotransformateur:
a) diagramme schématique;
b) connexion physique.

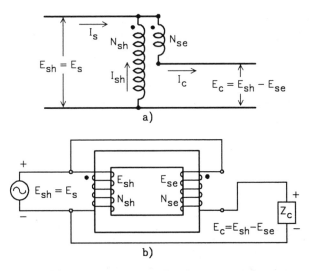

Figure 11.25 Connexion soustractive d'un autotransformateur:
a) diagramme schématique;
b) connexion physique.

Exemple 11.4   Autotransformateur

Soit un autotransformateur dont les caractéristiques nominales sont:

$$E_{N_{sh}} = 480 \text{ V}$$
$$I_{N_{se}} = 100 \text{ A}$$
$$N_{se} = 25 \% \text{ de } N_{sh} \quad \text{donc} \quad E_{N_{se}} = 120 \text{ V}$$

En mode additif, il résulte que:

$$E_c = 125 \% \text{ de } E_s$$
$$I_s = 125 \% \text{ de } I_c$$

d'où

$$E_c = 600 \text{ V}$$
$$I_c = 100 \text{ A}$$
$$I_{sh} = 25 \text{ A}$$

Les ampères-tours produits par I_c dans les N_{se} tours doivent être compensés par des ampères-tours fournis par I_{sh} dans N_{sh}, ce qui donne lieu à un courant descendant dans l'enroulement shunt.

On a ici $I_{sh} = I_c/4$ puisque $N_{sh} = 4 N_{se}$. Ceci donne bien:

$$N_{se} I_c = N_{sh} I_{sh}$$
$$I_s = I_c + I_{sh} = 125 \text{ A}$$
$$E_s I_s = E_c I_c$$
$$= 480 \bullet 125 = 600 \bullet 100$$
$$= 60000 \text{ VA ou } 60 \text{ kVA}$$

Si on considère que les deux parties de l'enroulement de l'autotransformateur peuvent être, en réalité, les deux enroulements d'un transformateur classique 480/120 V, pour conserver les mêmes courants dans les mêmes enroulements, la puissance du transformateur utilisé serait de (480 • 25) ou (120 • 100) VA, soit 12 kVA. Ceci donne un rapport de 60/12, soit 5 à 1, entre la puissance disponible en tant qu'autotransformateur par rapport à la puissance disponible en tant que transformateur classique dont le rapport de transformation «a» est 480/120, soit 4. La puissance relative disponible est ici: a + 1.

Si on reprend le transformateur précédent, mais que, cette fois, on intervertit les connexions de l'enroulement série (fig. 11.25), toujours pour une tension de source de 480 V, on obtient une tension de charge de 360 V. Les ampères-tours produits par le courant de charge dans les tours série doivent une fois de plus être compensés par des ampères-tours fournis par I_{sh} dans N_{sh} avec la différence que I_{sh} est montant.

Pour:
$$I_c = I_{N_{se}} \text{ nominal} = 100 \text{ A}$$

alors
$$I_{sh} \text{ dans } N_{sh} = 25 \text{ A}$$
$$I_s = I_c - I_{sh} = 75 \text{ A}$$
$$S_s = 75 \bullet 480 \bullet 10^{-3} = 36 \text{ kVA}$$

En respectant la valeur nominale du courant dans l'enroulement série, la puissance disponible à la charge est 360 V • 100 A, soit 36 kVA, ce qui correspond bien à la puissance fournie par la source: 480 V • 75 A. Ceci donne un rapport de 36/12, soit 3, pour un rapport de transformation de 4. La puissance relative disponible est de a – 1.

Suivant que les enroulements du transformateur sont reliés avec polarités additives ou soustractives, la puissance disponible en autotransformateur par rapport à la puissance disponible comme transformateur classique à deux enroulements électriquement isolés correspond à la relation *a ± 1*, *«a» étant le rapport entre le nombre de tours de l'enroulement shunt et le nombre de tours de l'enroulement série*.

Pour une puissance nominale donnée, l'autotransformateur est plus petit donc moins coûteux qu'un transformateur à deux enroulements distincts. Ceci est d'autant plus vrai que le rapport des tensions d'alimentation et de sortie de l'autotransformateur tend vers l'unité.

Le courant dans les enroulements et, de ce fait, les pertes étant les mêmes pour un transformateur d'une puissance donnée et un autotransformateur a ± 1 fois plus puissant, le rendement de ce dernier est par conséquent supérieur au rendement du transformateur et la chute de tension interne, plus faible.

Un autotransformateur est tout aussi bidirectionnel qu'un transformateur classique. En conséquence, la source et la charge des figures 11.24 et 11.25 pourraient sans aucun problème être interverties.

L'utilisation de l'autotransformateur dans les réseaux à haute tension s'avère intéressante lorsqu'il importe de changer le niveau de tension par une faible marge pour compenser, entre autres, la chute de tension dans les lignes.

Le principal inconvénient de l'autotransformateur provient de la continuité électrique entre le primaire et le secondaire, c'est-à-dire entre la source et la charge.

En pratique, un autotransformateur consiste en un seul enroulement à trois bornes. La borne intermédiaire peut correspondre à une position fixe ou mobile. Si la position est mobile, la construction de l'autotransformateur permet alors de varier la tension de sortie de 0 V à la tension de la source et même un peu plus si la source est connectée avant l'extrémité de l'enroulement (fig. 11.26).

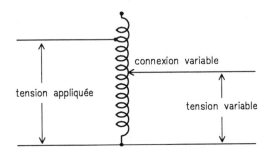

Figure 11.26 Autotransformateur avec tension de sortie variable de 0 V à plus de 100 % de la tension d'entrée.

11.18 TRANSFORMATEURS D'INSTRUMENTATION

L'emploi de transformateurs d'instrumentation permet de prendre des mesures de hautes tensions ou de forts courants à l'aide d'instruments de mesure standard et de les isoler électriquement du circuit de puissance.

11.18.1 Transformateur de potentiel

Le principe d'utilisation du transformateur de potentiel correspond essentiellement à celui d'un transformateur de puissance (fig. 11.27), sauf que la charge est celle d'un voltmètre, c'est-à-dire très faible.

Le point important à considérer ici est le fait que la tension appliquée sur les instruments de mesure devrait correspondre exactement à la tension à mesurer.

Idéalement, le transformateur de potentiel devrait avoir une chute de tension interne nulle et donner une tension secondaire exactement en phase avec la tension primaire, de façon à avoir la relation vectorielle suivante:

$$\frac{E_s}{E_c} = \frac{E_1}{E_2}$$

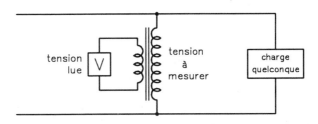

Figure 11.27 Transformateur de potentiel.

De façon à se rapprocher le plus possible de cette relation idéale, on utilise un circuit magnétique dans la région d'opération offrant la meilleure perméabilité afin de réduire au maximum le flux de fuite. À puissance équivalente, on emploie aussi des conducteurs beaucoup plus gros pour le transformateur de potentiel que pour un transformateur de puissance ou de contrôle pour minimiser les pertes et la chute de tension dans le cuivre.

11.18.2 Transformateur de courant

Puisque le transformateur de courant est placé en série (fig. 11.28) dans le circuit de puissance, il subit passivement le courant à mesurer. La charge, ou plutôt le fardeau, au secondaire du transformateur de courant est un ampèremètre, c'est-à-dire une impédance très faible, théoriquement un court-circuit.

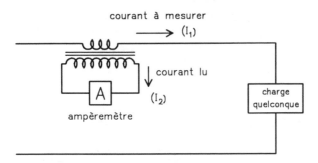

Figure 11.28 Transformateur de courant.

Le transformateur de courant idéal devrait fournir un nombre d'ampères-tours démagnétisants $N_2 I_2$ au secondaire qui soit exactement égal au nombre d'ampères-tours magnétisants $N_1 I_1$ du primaire, ce qui donnerait la relation idéale $I_2 = a\, I_1$. En réalité, on a $I_2 = a\,(I_1 - I_m)$.

Afin de minimiser I_m et de s'approcher le plus possible de la relation idéale, on utilise de l'acier de très grande perméabilité et un noyau de forte section pour obtenir une densité de flux extrêmement basse. Un autre aspect qui contribue à la production d'un courant de magnétisation faible est l'appel d'une tension induite très faible, théoriquement zéro comme ce serait le cas si l'ampèremètre avait une impédance nulle.

Puisque le courant à mesurer est habituellement beaucoup plus grand que le courant lu sur l'ampèremètre, il s'ensuit que le nombre de tours du secondaire est beaucoup plus grand que le nombre de tours du primaire. De plus, comme le transformateur de courant opère normalement avec un courant de magnétisation très faible, si pour une raison quelconque le secondaire se trouve en circuit ouvert et ne produit plus d'ampères-tours démagnétisants, tout le courant au primaire devient du courant de magnétisation, produisant ainsi une tension induite très élevée. Ce phénomène peut constituer un danger pour l'usager.

11.19 ANALOGIE ENTRE UN ENGRENAGE ET UN TRANSFORMATEUR

Une analogie intéressante existe entre une boîte d'engrenages et un transformateur. D'une part, la boîte d'engrenages sert habituellement dans les systèmes de transmission d'énergie mécanique à diminuer la vitesse d'un arbre et à augmenter le couple. D'autre part et de façon très similaire, dans les systèmes de transport d'énergie électrique, le transformateur permet de modifier les niveaux de tension et de courant. Dans les deux cas, si on néglige les pertes, ces appareils ne modifient pas la quantité d'énergie en jeu, ils facilitent l'utilisation de cette énergie.

La figure 11.29 présente les principales variables dans ces deux systèmes. Elle permet d'écrire les équations suivantes qui régissent le fonctionnement de ces appareils.

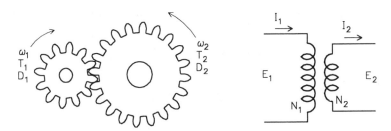

Figure 11.29 Analogie entre engrenage et transformateur.

Pour la boîte d'engrenages:

$$P = \omega_1 \cdot C_1 = \omega_2 \cdot C_2$$

$$\omega_2 / \omega_1 = D_1 / D_2$$

$$C_2 / C_1 = D_2 / D_1$$

Pour le transformateur:

$$P = E_1 \cdot I_1 = E_2 \cdot I_2$$

$$E_2 / E_1 = N_2 / N_1$$

$$I_2 / I_1 = N_1 / N_2$$

où:

P	= puissance mécanique ou électrique en W
ω_1 et ω_2	= vitesses de rotation en rad/s
C_1 et C_2	= couples en N•m
E_1 et E_2	= tensions en V
I_1 et I_2	= courants en A
D_1 et D_2	= nombre de dents des engrenages
N_1 et N_2	= nombre de tours des enroulements

Une interprétation possible de ces équations consiste à associer la vitesse à la tension et le couple au courant. De plus, les dents des engrenages jouent le même rôle que les tours des enroulements. Dans les deux cas, on peut définir un rapport de transformation correspondant au rapport du nombre de dents ou de tours. On notera que les nombres de dents ou de tours sont tous deux des nombres entiers.

L'analogie entre ces deux appareils ne se limite pas à leur comportement général. On peut l'étendre à plusieurs autres phénomènes: pertes, énergie emmagasinée, rendement, etc. Dans le cas des pertes à vide, les pertes causées par la viscosité du lubrifiant dont sont remplies les carcasses des boîtes d'engrenages correspondent aux pertes par hystérésis et par courants induits dans le noyau du transformateur. Dans les deux cas, les pertes augmentent avec la charge; pour le transformateur, ce sont des pertes dans la résistance des enroulements tandis que, dans les systèmes d'engrenages, ce sont des pertes par frottement. Qui plus est, les courbes du rendement en fonction de la charge atteignent toutes deux un maximum et, dans les deux cas, le rendement typique dépasse 95 %.

L'énergie emmagasinée dans l'inertie des engrenages et des arbres correspond à l'énergie de l'inductance de magnétisation. Toutes deux sont essentiellement indépendantes de la charge. L'énergie emmagasinée dans l'inductance de fuite correspond à l'énergie nécessaire à la torsion des arbres. Ces deux phénomènes dépendent de la charge et l'énergie emmagasinée est entièrement récupérée lorsque la charge est enlevée.

L'analogie ne s'arrête pas là! Ces deux appareils baignent souvent dans de l'huile qui, même si elle est de nature différente dans chaque cas, remplit deux fonctions essentielles. Pour les deux appareils, l'huile agit comme fluide de refroidissement et facilite l'évacuation des pertes. De plus, dans le cas de la boîte d'engrenages, l'huile a un rôle très important de lubrification. Dans un transformateur, elle permet d'isoler l'enroulement à haute tension de la cuve qui, la plupart du temps, est raccordée à la masse.

Les analogies ne sont jamais parfaites ou uniques. Elles permettent d'utiliser une notion connue ou un concept emprunté à autre domaine de la technique ou de la science pour faciliter la compréhension d'un phénomène qui, à prime abord, ne semble avoir aucun lien avec le premier. Les analogies constituent un outil pédagogique des plus efficaces mais qui a ses limites. Quelles sont les limites de la présente analogie? Certains auteurs préfèrent associer le couple à la tension et la vitesse au courant...

EXERCICES

11.1 Soit un transformateur de 24 kVA, 2400/600 V, dont les valeurs des résistances des enroulements sont les suivantes: $R_1 = 3,6 \Omega$ et $R_2 = 0,225 \Omega$. La plaque signalétique de ce transformateur indique: $Z_{éq} = 5 \%$. Calculer $R_{éq}$, $X_{éq}$ et $Z_{éq}$ (en ohms), du côté 2400 V.

11.2 Soit un transformateur de 10 kVA, 480/240 V. Un essai à vide a fourni les valeurs suivantes: $E_{co} = 480$ V, $I_{co} = 1,0$ A et $P_{co} = 240$ W. Calculer les valeurs de R_{fe} et de X_φ du circuit équivalent vu du côté basse tension.

11.3 Soit un transformateur monophasé moyenne tension de 10 MVA dont la tension de l'enroulement primaire est de 13,8 kV. La charge de nature inductive raccordée au secondaire de ce transformateur consomme 6 MW et 8 Mvar. Dans ces conditions, les pertes dans le transformateur s'élèvent à 200 kW et à 300 kvar.

a) Quel est le courant primaire?

b) Quel est le rendement du transformateur?

c) Quel est le facteur de puissance de la charge?

d) On place une banque de condensateurs au secondaire du transformateur. Les pertes dans l'acier et dans les enroulements du transformateur s'en trouvent-elles modifiées? Pourquoi?

11.4 L'essai en court-circuit sur un transformateur monophasé de 75 kVA, 14,4 kV / 240 V a fourni les informations suivantes:

$$E_{cc} = 437,3 \text{ V}$$
$$I_{cc} = 5,2 \text{ A}$$
$$P_{cc} = 973,4 \text{ W}$$

Une charge, dont le facteur de puissance est de $+0,966$, est alimentée par ce transformateur. Elle est branchée du côté basse tension; elle a exactement la tension nominale à ses bornes et consomme la puissance apparente nominale du transformateur.

a) Quels sont les paramètres du modèle équivalent simplifié du transformateur, du côté primaire?

b) Quelle est la tension E_s de la source d'alimentation?

c) Quelle est la chute de tension interne?

d) Quel est le facteur de puissance vu par la source?

e) Tracer le diagramme des phaseurs.

11.5 Un transformateur de 75 kVA, 14,4 kV/240 V, 60 Hz possède du côté haute tension une impédance $R_1 + jX_1 = 18 + j40\ \Omega$ et du côté basse tension, une impédance $R_2 + jX_2 = 0,005 + j0,01\ \Omega$.

Calculer:

a) l'impédance $R_{éq1} + jX_{éq1}$ ramenée au primaire,

b) les valeurs de $R_{éq1}$, $X_{éq1}$ et $Z_{éq1}$ exprimées en pourcentage,

c) l'impédance $R_{éq2} + jX_{éq2}$ ramenée au secondaire,

d) les valeurs de $R_{éq2}$, $X_{éq2}$ et $Z_{éq2}$ exprimées en pourcentage.

11.6 Pour déterminer l'impédance d'un transformateur de 25 kVA, 575/230 V, 60 Hz, on a réalisé un essai en court-circuit et on a obtenu les résultats suivants du côté 575 V:

$$E_{cc} = 64,0\ V$$
$$I_{cc} = 43,5\ A$$
$$P_{cc} = 1226\ W$$

a) Calculer les valeurs de $R_{éq}$ et $X_{éq}$ du circuit équivalent exprimées du côté 575 V.

b) Calculer l'impédance de base du côté 575 V.

c) Calculer l'impédance équivalente en pourcentage du transformateur.

11.7 Un transformateur de 10 kVA, 600/120 V, ayant une impédance $R_{éq1} + jX_{éq1} = 0,3 + j2,2\ \Omega$, alimente une charge inductive. Un voltmètre, un ampèremètre et un wattmètre branchés au primaire indiquent alors les lectures suivantes:

$$I_1 = 16,7\ A$$
$$E_s = 600\ V$$
$$P_1 = 8\ kW$$

Calculer la valeur de la lecture indiquée par un voltmètre placé aux bornes de la charge, le facteur de puissance de la charge et la chute de tension interne. Sachant que les pertes dans le noyau s'élèvent à 0,005 p.u., calculer le rendement.

11.8 Lors de l'essai en court-circuit, on a obtenu les résultats suivants au primaire d'un transformateur de 20 kVA, 2400/240 V, 60 Hz:

$$I_{cc} = 8,34 \text{ A}, \quad E_{cc} = 57,5 \text{ V}, \quad P_{cc} = 284 \text{ W}$$

Pour ce même transformateur, calculer à quelle valeur du facteur de puissance la chute de tension interne à charge nominale est la plus importante (valeur et nature). Pour ce faire, maintenir le courant et la tension à leurs valeurs nominales au secondaire et faire varier le facteur de puissance jusqu'à ce que la différence entre E_s et a E_c soit maximale. Quelle est alors la chute de tension interne?

11.9 Un transformateur de 30 kVA, 240/120 V, possède les caractéristiques suivantes:

$$R_1 = 0,14 \ \Omega \qquad R_2 = 0,035 \ \Omega$$
$$X_1 = 0,22 \ \Omega \qquad X_2 = 0,055 \ \Omega$$

a) Quel doit être le facteur de puissance de la charge pour qu'on obtienne simultanément les trois conditions suivantes?

– tension nominale au primaire du transformateur
– tension nominale aux bornes de la charge
– courant nominal au primaire du transformateur

b) Quelle est alors la chute de tension interne?

11.10 Pour un transformateur idéal à deux enroulements, les spécifications nominales sont: 12 kVA, 600/120 V, 60 Hz.

Indiquer comment on doit interconnecter les deux enroulements pour former un autotransformateur et obtenir les rapports de tension suivants:

a) 600/480 V
b) 600/720 V
c) 120/480 V
d) 120/720 V

Dans chacun des cas, calculer la puissance apparente disponible.

Chapitre 12

MOTEUR ASYNCHRONE TRIPHASÉ

12.1 INTRODUCTION

Le fonctionnement de tout moteur électrique se base sur l'application de la loi d'Ampère. Cette loi stipule qu'un conducteur de longueur ℓ, traversé par un courant i et coupant un champ magnétique B, subit une force F:

$$\vec{F} = i \, (\vec{\ell} \bullet \vec{B})$$

Au cours des ans, plusieurs types de moteurs ont été développés, fabriqués et utilisés. Il existe deux grandes classes de moteurs, chacune basée sur des principes de fonctionnement totalement différents: les moteurs à courant continu et les moteurs à courant alternatif (tabl. 12.1). Parmi ces derniers, on retrouve des moteurs triphasés et des moteurs monophasés. Les trois derniers types de moteurs mentionnés au bas du tableau 12.1 sont des moteurs asynchrones monophasés qu'on peut encore trouver dans de vieilles installations, mais qu'on ne fabrique plus à cause de leur coût élevé de fabrication et d'entretien.

Le présent chapitre porte sur le moteur asynchrone triphasé en régime permanent.

La principale caractéristique du moteur asynchrone triphasé se trouve dans le fait que seuls les enroulements du *stator*, partie fixe ou stationnaire et équivalant au primaire d'un transformateur, sont alimentés par une source de tension triphasée. Le courant dans les conducteurs du *rotor*, partie tournante du moteur et équivalant au secondaire d'un transformateur, est produit par induction électromagnétique. On peut donc considérer le moteur asynchrone comme un transformateur dont le secondaire tourne et dans lequel l'énergie électrique est convertie en énergie mécanique.

Tableau 12.1   Divers types de moteurs

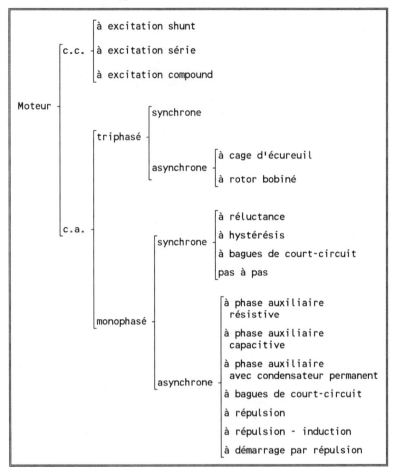

12.2 STATOR

Le stator consiste en un empilage de tôles d'acier.   Il a la forme d'un cylindre vide.   Les tôles comportent à leur périphérie intérieure des encoches dans lesquelles sont placés, à 120° l'un par rapport à l'autre, les enroulements d'un bobinage triphasé.   Ces enroulements peuvent se raccorder en étoile ou en triangle.

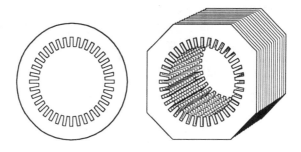

Figure 12.1   Circuit magnétique d'un stator.

12.3 ROTOR

Le rotor est constitué d'une pile de tôles formant un cylindre plein; ces tôles comportent à leur périphérie extérieure des encoches destinées à recevoir les conducteurs. Un mince *entrefer* sépare le rotor du stator.

Selon que les enroulements du rotor sont accessibles de l'extérieur ou sont fermés sur eux-mêmes en permanence, le rotor prend deux formes: le rotor bobiné et le rotor à cage d'écureuil.

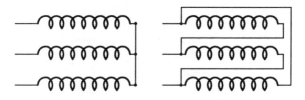

Figure 12.2 Types de connexion des
enroulements du circuit rotorique ou statorique.

12.3.1 Rotor bobiné (à bagues)

L'enroulement triphasé, relié en étoile ou en triangle, est connecté à trois bagues qui le rendent accessible de l'extérieur par l'intermédiaire de balais et permettent soit d'insérer des résistances dans le circuit du rotor lors du démarrage et dans certains cas spéciaux de fonctionnement, soit de le court-circuiter comme c'est le cas en marche normale.

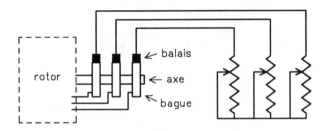

Figure 12.3 Moteur asynchrone à rotor
bobiné avec résistances extérieures.

12.3.2 Rotor à cage d'écureuil

Dans le cas des rotors à cage d'écureuil, les encoches renferment des
barres en cuivre ou en aluminium réunies entre elles de part et d'autre du
rotor par des anneaux (fig. 12.4). Les moteurs de faible et de moyenne
puissance ont en général des cages en aluminium coulé sous pression. Le
coulage permet d'obtenir en une seule opération les barres, les anneaux
de chaque extrémité et parfois même les ailettes servant à la ventilation.

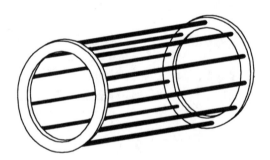

Figure 12.4 Barres et anneaux d'un moteur asynchrone
à cage d'écureuil.

12.4 CHAMP TOURNANT

Si on dispose adéquatement le bobinage du stator et qu'on l'alimente par une source triphasée, il en résulte un champ magnétique tournant qui induit à son tour une tension et un courant dans les conducteurs du rotor. L'interaction de ce courant induit et du champ tournant produit une force qui entraîne le rotor dans le même sens que le champ tournant. La figure 12.5 montre un tel système de courants circulant dans les phases du stator.

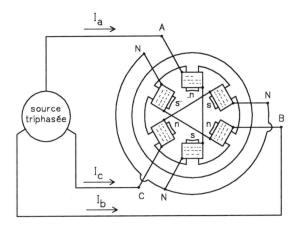

Figure 12.5 Représentation schématique
d'un moteur triphasé à deux pôles.

Chaque phase est représentée par un seul enroulement. Ainsi, les deux enroulements connectés en série entre la ligne a et le neutre représentent le bobinage entier de la phase a dont l'axe du flux magnétique est dirigé à la verticale, vers le haut ou vers le bas, selon la polarité du courant. On peut vérifier cet énoncé par la règle de la main droite. De la même façon, l'axe du flux de la phase b est tourné de 120° par rapport à celui de la phase a; l'axe de la phase c est tourné de 120° par rapport à celui de la phase b.

Le vecteur phaseur du flux résultant correspond à la somme vectorielle des vecteurs phaseurs des flux produits par les trois enroulements. Par ailleurs, on peut démontrer que la valeur maximale de ce flux résultant est égale à 1,5 fois la valeur maximale des flux créés par les courants des trois enroulements.

La figure 12.6 décrit la situation pour des instants particuliers. L'étude de toute autre situation intermédiaire permettrait de constater que le flux résultant est toujours de même amplitude et se déplace d'un angle correspondant à l'angle ou à un sous-multiple de l'angle de déplacement de l'onde électrique, suivant le nombre d'enroulements par phase ou le nombre de paires de pôles.

Lorsque les enroulements d'un stator sont disposés de façon à former deux pôles par phase (six pôles en tout) comme à la rangée supérieure de la figure 12.6, on obtient un champ tournant bipolaire ou une machine à deux pôles. En disposant convenablement plusieurs groupes de pôles sur le stator, on obtient un spectre magnétique multipolaire. La partie inférieure de la figure 12.6 montre le déplacement du champ magnétique résultant pour une machine à quatre pôles.

12.5 VITESSE SYNCHRONE

La vitesse constante à laquelle le flux tourne dans un moteur asynchrone s'appelle la *vitesse synchrone*. Comme on peut le voir à la figure 12.6, cette vitesse est directement proportionnelle à la fréquence de la source triphasée qui alimente le moteur et inversement proportionnelle au nombre de pôles. Notons qu'il y a autant de paires de pôles que d'enroulements par phase. La vitesse synchrone en tours par seconde d'un moteur à deux pôles est égale à la fréquence d'alimentation en hertz. Celle d'un moteur à quatre pôles est égale à la moitié de la fréquence d'alimentation, tandis que celle d'un moteur à six pôles correspond au tiers de la fréquence et ainsi de suite.

La relation suivante définit la vitesse synchrone:

$$n_s = \frac{60\ f}{p\,/\,2} = \frac{120\ f}{p}$$

où:

n_s = vitesse synchrone en tours par minute
f = fréquence en hertz du réseau d'alimentation
p = nombre de pôles

De cette relation, on peut tirer un tableau donnant la valeur de la vitesse synchrone en fonction du nombre de pôles d'un moteur asynchrone triphasé fonctionnant à 60 Hz (tabl. 12.2).

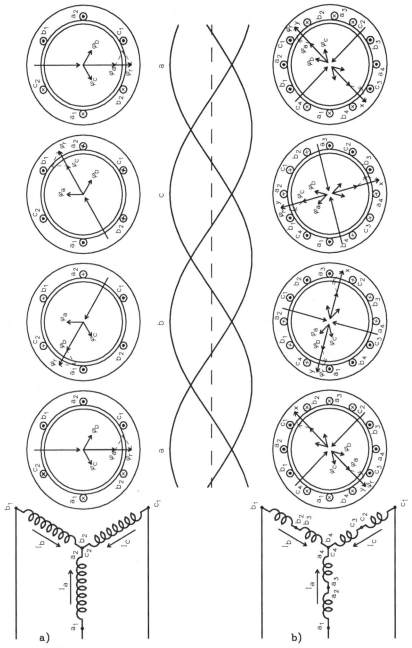

Figure 12.6 Champ tournant dans une machine triphasée:
a) à deux pôles; b) à quatre pôles.

Tableau 12.2 Vitesses synchrones en fonction
du nombre de pôles pour des moteurs asynchrones
triphasés fonctionnant à 60 Hz

p	n_s (r/min)
2	3600
4	1800
6	1200
8	900
.	.
.	.
.	.
24	300
.	.
.	.

12.6 MOTEUR ASYNCHRONE À ROTOR CALÉ

Si on bloque le rotor d'un moteur asynchrone de façon à l'empêcher de tourner, les conducteurs du rotor sont coupés par le champ tournant à un taux correspondant à la fréquence d'alimentation. Les tensions alternatives induites dans les conducteurs du rotor sont, par conséquent, de la même fréquence que l'alimentation. De plus, à un instant donné, l'orientation du champ résultant correspond à la position des conducteurs pour lesquels la tension induite est maximale.

La grandeur et la phase des courants circulant dans les conducteurs du rotor dépendent de l'impédance du circuit rotorique. Or, cette impédance est de nature inductive, car les conducteurs forment des boucles logées dans les encoches d'un cylindre de grande perméabilité; de plus, le module de cette impédance est petit. Ainsi, le courant dans les conducteurs du rotor est en retard d'un angle ϕ_2 par rapport à la tension induite; ϕ_2 correspond à l'angle de l'impédance du circuit rotorique.

Le courant qui circule dans les conducteurs produit des forces sur ces derniers. Ces forces génèrent un couple dans le même sens que le champ tournant. Si on débloque le rotor, il tourne dans le sens du couple. La valeur moyenne du couple résultant dépend de la valeur moyenne du courant du circuit rotorique et de la valeur moyenne du flux produit par le bobinage triphasé du stator. Puisque le courant et le flux sont déphasés d'un angle ϕ_2, on détermine le couple résultant par la relation suivante:

Or:

$$C_{dém} = K\, \varphi\, I_2 \cos \phi_2$$

$$\cos \phi_2 = \frac{R_2}{Z_2} = \frac{R_2}{\sqrt{R_2^2 + X_2^2}}$$

$$I_2 = \frac{E_2}{Z_2} = \frac{E_2}{\sqrt{R_2^2 + X_2^2}}$$

d'où

$$C_{dém} = \frac{K\varphi\, E_2\, R_2}{(R_2^2 + X_2^2)}$$

où:

E_2 = valeur efficace de la tension induite dans les conducteurs à rotor calé
R_2 = résistance équivalente totale des conducteurs du circuit rotorique
X_2 = réactance équivalente totale des conducteurs du circuit rotorique
à rotor calé et à la fréquence d'alimentation

La figure 12.7 fournit le modèle électrique du circuit rotorique pour chacune des trois phases.

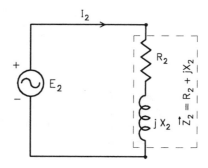

Figure 12.7 Modèle électrique du circuit rotorique
pour chacune des trois phases.

12.7 GLISSEMENT

Puisque la valeur moyenne du couple résultant développé sur le rotor bloqué d'un moteur asynchrone triphasé s'oriente dans le sens de rotation du champ tournant, le rotor libéré tourne dans cette direction. Cependant, à mesure que le rotor accélère, ses conducteurs coupent le champ tournant à un taux décroissant, ce qui résulte en une réduction de la grandeur et de la fréquence de la tension induite au rotor.

Si le rotor devait accélérer jusqu'à atteindre la vitesse synchrone, la vitesse relative entre le champ tournant et les conducteurs serait alors nulle et aucune tension ne serait induite au rotor. Dans ces conditions, il n'y aurait ni courant dans les conducteurs du rotor, ni couple. Puisqu'il faut toujours un couple pour entraîner le rotor même sans charge reliée à l'arbre, le rotor ne peut pas tourner à la vitesse synchrone et doit atteindre l'équilibre à une vitesse inférieure à la vitesse synchrone.

La différence entre la vitesse synchrone n_s (vitesse du champ tournant) et la vitesse actuelle n du rotor s'appelle le *glissement*. La valeur unitaire du glissement correspond au rapport entre le glissement en tours par minute et la vitesse synchrone; elle est symbolisée par la lettre *s*.

En p.u.:

$$s = \frac{n_s - n}{n_s}$$

En pourcentage:

$$s\% = \frac{n_s - n}{n_s} \cdot 100$$

À pleine charge, pour un moteur à cage d'écureuil de construction usuelle ou à rotor bobiné sans résistances extérieures, le glissement est de l'ordre de 0,5 % pour les gros moteurs (1000 kW et plus) et de 3 % pour les petits moteurs (10 kW et moins).

12.8 EFFETS DU GLISSEMENT

La valeur efficace de la tension induite dans les conducteurs du rotor est directement proportionnelle à la vitesse relative entre le champ tournant et les conducteurs du rotor; en d'autres termes, la tension induite au rotor est directement proportionnelle au glissement. Ainsi, la tension induite au rotor est maximale lorsque le rotor est calé ($s = 1$) et serait nulle pour un rotor tournant à la vitesse synchrone ($s = 0$). Si on considère E_2 comme la valeur efficace de la tension induite à rotor calé et s comme la valeur du glissement exprimée en fraction ou en valeur unitaire, la valeur efficace de la tension induite au rotor à n'importe quelle vitesse ou pour n'importe quelle condition de charge peut s'exprimer par $s\,E_2$.

Une analyse similaire de l'effet du glissement sur la fréquence de la tension induite au rotor à n'importe quelle vitesse ou pour n'importe quelle condition de charge peut se résumer par la relation:

$$f_2 = s\, f_1$$

Si on définit X_2 comme la réactance du rotor à rotor calé, pour un glissement donné, la valeur de la réactance devient $s\,X_2$.

La valeur moyenne du couple résultant pour n'importe quelle condition de charge du moteur asynchrone est donnée par l'expression:

$$C = K\,\varphi\,I_2\,\cos\,\phi_2$$

où I_2 est le courant porté par les conducteurs du rotor et ϕ_2, l'angle compris entre le courant et le flux φ pour n'importe quelle condition de charge du moteur asynchrone.

Or:

$$I_2' = \frac{s\,E_2}{\sqrt{R_2^2 + s^2\,X_2^2}}$$

$$\cos\,\phi_2 = \frac{R_2}{\sqrt{R_2^2 + s^2\,X_2^2}}$$

d'où
$$C = \frac{K\,\varphi\,s\,E_2\,R_2}{R_2^2 + s^2\,X_2^2}$$

12.9 CARACTÉRISTIQUES COUPLE-GLISSEMENT

Si on augmente la charge reliée à l'arbre d'un moteur, le couple doit aussi augmenter pour que le moteur continue de tourner. Si la tension d'alimentation est constante, on peut voir, d'après l'équation du couple, que le glissement est le seul facteur qui peut varier afin d'augmenter le couple. La figure 12.8 donne l'allure de la courbe du couple en fonction du glissement exprimé en valeur unitaire. Cette courbe est très utile pour évaluer rapidement les caractéristiques d'un moteur asynchrone.

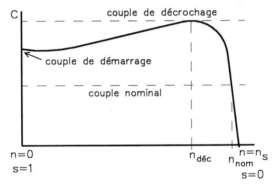

Figure 12.8 Relation couple-glissement (p.u.) et couple-vitesse.

La courbe du couple en fonction du glissement en p.u. est à toutes fins utiles linéaire entre un glissement nul et un glissement légèrement supérieur à celui correspondant à la charge nominale. Ceci s'explique par le fait que, pour des petites valeurs de s, le facteur $s^2(X_2)^2$ de l'équation du couple est négligeable par rapport à R_2. Ainsi, pour de petites valeurs du glissement, l'expression du couple peut s'écrire:

$$C \approx \frac{K \varphi s E_2 R_2}{R_2^2} = \frac{K \varphi s E_2}{R_2} \approx K's$$

Pour un glissement supérieur à celui correspondant à la charge nominale, le facteur $s^2(X_2)^2$ augmente rapidement, ce qui explique l'allure de la courbe au-delà du glissement à charge nominale.

On appelle *couple de décrochage* le couple maximal que peut fournir le moteur asynchrone parce que si le moteur entraîne une charge qui implique un couple supérieur à cette valeur, il *décroche*, c'est-à-dire qu'il s'arrête. On peut démontrer que le couple maximal ou couple de décrochage C_{max} est produit par le moteur lorsque la réactance sX_2 du rotor devient égale à la résistance R_2 du rotor.

12.10 PLAQUE SIGNALÉTIQUE

La plaque signalétique d'un moteur asynchrone triphasé fournit les renseignements suivants:

1. la puissance mécanique en horse-power (hp) ou en kilowatts,
2. la tension nominale de ligne,
3. le courant de ligne,
4. la vitesse à charge nominale,
5. la fréquence,
6. l'élévation de température.

```
Moteurs As-Tri
25 hp,   3 φ,    220 V
66 A,     855 r/min
60 Hz,    50°C
```

Figure 12.9 Plaque signalétique d'un moteur asynchrone triphasé.

La puissance mécanique en horse-power ou en kilowatts correspond à la puissance disponible à l'usager lorsque le moteur est alimenté à la tension et à la fréquence nominales et qu'il tourne à vitesse nominale. Dans ces conditions, le courant a la valeur mentionnée sur la plaque signalétique et l'élévation de température ne dépasse pas celle qui y est spécifiée.

La vitesse indiquée sur la plaque signalétique n'est pas la vitesse synchrone mais plutôt la vitesse nominale, c'est-à-dire la vitesse de l'arbre lorsque la charge nominale y est raccordée. Par exemple, si la plaque signalétique d'un moteur à 60 Hz indique une vitesse de 1710 r/min, cela signifie que la vitesse synchrone est de 1800 r/min et qu'il s'agit d'un moteur à quatre pôles dont le glissement à pleine charge est de 5 %.

12.11 PROBLÈMES DE DÉMARRAGE

Au moment du démarrage, la tension induite au rotor est maximale et, parce que l'impédance du rotor est faible, le courant dans les conducteurs du rotor est très élevé. Ce fort courant dans le rotor produit dans le stator un courant qui est de 4 à 10 fois plus grand que le courant nominal. Puisque le démarrage ne dure pas longtemps, ce courant n'endommage pas le moteur mais il entraîne toutefois une baisse importante de la tension pour tous les appareils branchés en parallèle avec le moteur. Dans les installations d'envergure, il est nécessaire de réduire le courant de démarrage des moteurs asynchrones.

12.11.1 Démarrage à tension réduite

Un examen de l'expression du courant de démarrage au rotor permet de constater que ce courant est directement proportionnel à la tension induite. Puisque la tension induite au rotor est elle-même fonction de la tension d'alimentation du stator, un premier moyen de diminuer le courant de démarrage consiste à faire démarrer le moteur à tension réduite. Toutefois, une réduction de la tension d'alimentation du stator résulte en une réduction du couple de démarrage qui, à tension nominale, est normalement entre 110 % et 150 % du couple nominal. Puisque le flux du champ tournant est proportionnel à la tension du stator, il en résulte que le couple de démarrage est proportionnel au carré de la tension du stator. Ainsi, une réduction de 50 % de la tension d'alimentation au démarrage entraîne une réduction de 75 % du couple de démarrage. C'est un point important à considérer lorsqu'on envisage de faire démarrer un moteur à tension réduite.

12.11.2 Démarrage à l'aide de résistances externes pour un moteur à rotor bobiné

On peut abaisser le courant de démarrage d'un moteur à rotor bobiné en ajoutant de la résistance dans le circuit du rotor. Cette méthode ne s'applique évidemment pas aux moteurs à cage d'écureuil.

L'ajout de résistances extérieures modifie le couple de démarrage, car une augmentation de la résistance du rotor a pour conséquence de déplacer vers la gauche (fig 12.10) la position du couple maximal.

Puisque le moteur asynchrone développe son couple maximal lorsque la résistance rotorique est égale à la réactance rotorique, $R_2 = s_{déc} X_2$, on peut ainsi ajouter de la résistance extérieure pour réduire le courant de démarrage tout en conservant un couple de démarrage élevé. On peut même obtenir le couple maximal lors du démarrage si la résistance du rotor est égale à la réactance du rotor.

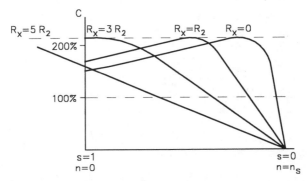

Figure 12.10 Effet de diverses valeurs de résistances extérieures sur la courbe du couple en fonction de la vitesse lorsque $X_2 = 4 R_2$.

On constate que l'insertion de résistances extérieures dans le circuit du rotor d'un moteur à rotor bobiné n'affecte pas la valeur du couple de décrochage mais diminue la vitesse à laquelle celui-ci se produit.

L'exemple 12.1 décrit le comportement en charge d'un moteur asynchrone triphasé.

Exemple 12.1 Comportement en charge

Les caractéristiques fournies sur la plaque signalétique d'un moteur asynchrone triphasé à cage d'écureuil sont les suivantes: 40 hp, 230 V, 60 Hz, 1710 r/min.

Calculer:

a) le glissement et le couple à pleine charge;

b) la vitesse du moteur lorsque celui-ci produit la moitié du couple nominal;

c) la vitesse du moteur lorsque celui-ci développe 10 hp.

Solution:

a) Visiblement, il s'agit d'un moteur à 4 pôles dont la vitesse synchrone est de 1800 r/min. Puisque la vitesse à pleine charge est de 1710 r/min, on obtient un glissement s de:

$$s = \frac{1800 - 1710}{1800} \cdot 100 = 5\%$$

Par ailleurs, la puissance en termes mécaniques s'exprime par le produit du couple et de la vitesse: $P = C\omega$. Si on exprime la puissance en watts et la vitesse en radians par seconde, on obtient un couple en newtons-mètres:

$$C_{nom} = \frac{P_{nom}}{\omega_{nom}} = \frac{40 \text{ hp } (746 \text{ W/hp})}{2\pi \ (1710 \text{ tr/min}) \ (1/60)}$$

$$= 166,6 \text{ N} \cdot \text{m}$$

Note: *Ne pas confondre ω, la vitesse angulaire de rotation et ω, la fréquence angulaire d'une tension alternative.*

b) Si le moteur développe la moitié du couple de pleine charge, sa vitesse est supérieure à 1710 r/min. Puisque le moteur opère dans la partie linéaire de la courbe, on peut poser que:

$$C = K' \ s$$

d'où

$$s = 0,05/2 = 0,025$$

$$n = n_s(1-s) = 1800 \ (1-0,025) = 1755 \text{ r/min}$$

c) Dans la relation $P = C\omega$, exprimons C et ω en fonction du glissement s:

$$P = (K's) \ \frac{n \ 2\pi}{60} = \frac{(K's) \ n_s \ (1-s) \ 2\pi}{60}$$

$$s \ (1-s) = \frac{(10 \text{ hp}) \ (746 \text{ W/hp}) \ 60}{K' \ (2\pi) \ (1800 \text{ r/min})}$$

Or:

$$K' = \frac{166,6}{0,05}$$

et

$$(1-s) \approx 1$$

d'où

$$s \approx \frac{(10 \text{ hp}) \ (746 \text{ W/hp}) \ 60}{(3332) \ (2\pi) \ (1800 \text{ r/min})} = 0,012$$

$$n = n_s(1-s) = 1800 \ (1-0,012) = 1779 \text{ r/min}$$

12.12 RENDEMENT D'UN MOTEUR ASYNCHRONE TRIPHASÉ

Le rendement d'un moteur asynchrone triphasé est égal au rapport entre la puissance mécanique (à la sortie) et la puissance active (électrique) fournie au stator:

$$\eta = \frac{P_{\text{mécanique}}}{P_{\text{électrique}}} = 1 - \frac{\text{Pertes}}{P_{\text{entrée}}}$$

$$P_{\text{mécanique}} = C\,\omega$$

$$P_{\text{électrique}} = \sqrt{3}\ E_\ell\ I_\ell\ \cos\phi$$

$\cos\phi$ = facteur de puissance du moteur

La figure 12.11 donne un schéma simplifié des puissances fournies, reçues et perdues.

Dans le stator, on trouve des pertes par effet Joule et des pertes dans le fer. Dans le rotor, on trouve des pertes par effet Joule ainsi que des pertes par friction et ventilation.

L'ordre de grandeur du rendement est de 60 % pour les petits moteurs (fraction de horse-power) et de 95 % pour de très gros moteurs.

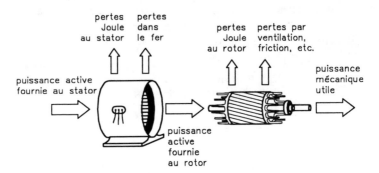

Figure 12.11 Cheminement de la puissance active dans un moteur asynchrone triphasé.

12.13 MOTEURS À HAUT RENDEMENT

Récemment, à la suite de la crise énergétique, un nouveau type de moteurs, appelés moteurs à haut rendement, a fait son apparition. Comme le nom l'indique, le rendement et le facteur de puissance de ces machines sont nettement meilleurs que ceux des moteurs équivalents de construction classique. Leur coût d'achat plus élevé est rapidement amorti par les économies d'énergie réalisées si le moteur fonctionne sur de longues périodes et à des charges se rapprochant de la pleine charge.

Le tableau 12.3 donne des valeurs typiques du rendement et du facteur de puissance pour des moteurs de diverses puissances de construction classique et des moteurs à haut rendement. On remarque une diminution importante des pertes et une amélioration sensible du facteur de puissance. Pour obtenir ces résultats, il a fallu réviser les critères de conception. En premier lieu, du côté magnétique, on utilise plus d'acier de meilleure qualité. Ces aciers ont des pertes spécifiques qui s'élèvent à seulement 3,3 W/kg au lieu de 6,6 W/kg pour de l'acier de qualité usuelle. De plus, on a réduit la densité de flux et accru l'isolation entre les tôles de façon à réduire à la fois les pertes par hystérésis et les pertes par courants de Foucault. Le nombre d'encoches et leur forme ont été optimisés. On utilise aussi des conducteurs de 35 % à 40 % plus gros afin de réduire les pertes par effet Joule. Deux critères importants ont toutefois été maintenus: les dimensions des carcasses et les caractéristiques des moteurs qui conservent le comportement des moteurs de type B. Ainsi, ces nouveaux moteurs sont interchangeables avec les moteurs classiques de même type.

Tableau 12.3 Comparaison entre certains moteurs à haut rendement (HR) et de type classique (CL)

Charge (%)		100 %		75 %		50 %	
hp	Type	η	F_p	η	F_p	η	F_p
1	HR	84,0	80,5	84,0	74,0	81,5	62,0
1	CL	72,0	78,0	72,0	70,0	68,0	58,0
10	HR	90,2	88,0	90,2	85,0	90,2	77,0
10	CL	84,0	85,5	84,0	80,5	81,5	75,0
50	HR	92,8	84,5	93,0	81,0	91,7	73,0
50	CL	91,7	84,0	91,7	81,0	90,2	71,5
100	HR	93,5	91,5	94,0	91,0	93,8	87,0
100	CL	91,7	83,5	91,7	80,5	90,2	73,0
200	HR	94,8	90,5	94,6	88,5	94,3	83,0
200	CL	93,0	88,5	91,7	86,5	89,5	80,0

12.14 CLASSIFICATION DES ROTORS À CAGE D'ÉCUREUIL

Les moteurs à cage d'écureuil sont classifiés par CEMA (Canadian Electrical Manufacturers Association) à partir de l'allure et de la valeur de la courbe du couple en fonction de la vitesse. Cette courbe est en relation avec la forme des encoches découpées dans les laminations qui entrent dans la fabrication du rotor.

La figure 12.12 donne les courbes typiques du couple en fonction du glissement tandis que la figure 12.13 donne l'allure de la forme des encoches au rotor pour les divers types de rotors.

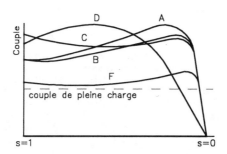

Figure 12.12 Caractéristiques couple-glissement pour divers types de rotors à cage d'écureuil.

12.14.1 Moteur à couple et courant de démarrage normaux

Le type A se construit habituellement avec de gros conducteurs placés à la périphérie du rotor. Le couple à rotor calé est relativement élevé, particulièrement pour les moteurs à quatre pôles (tabl. 12.4). Le couple maximal est de 2 à 2,5 fois le couple de pleine charge (tabl. 12.5). Le glissement à pleine charge est faible (tabl. 12.6). Le courant à rotor calé correspond à six à huit fois le courant de pleine charge.

12.14.2 Moteur à couple normal et courant de démarrage faible

Les encoches du rotor d'un moteur de type B sont allongées et vont plus en profondeur que celles de type A. En charge, il possède sensiblement les mêmes caractéristiques de couple que le type A, mais le courant au démarrage est moindre et le couple est généralement plus élevé.

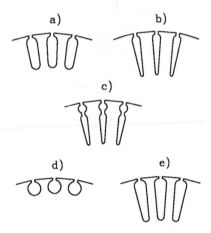

Figure 12.13 Divers types de laminations pour des rotors
de moteurs asynchrones triphasés:
a) couple normal, courant de démarrage normal;
b) couple normal, courant de démarrage faible;
c) couple élevé, courant de démarrage faible;
d) couple élevé, glissement élevé (Les moteurs de types
    A, B, C et D sont à cage d'écureuil);
e) moteur à rotor bobiné.

12.14.3 Moteur à couple élevé et courant de démarrage faible

Le type C comporte une double cage. Le couple de démarrage est
plus élevé que pour les types de moteurs précédents (tabl. 12.4) et le
courant de démarrage est plus faible. Le glissement à pleine charge est
légèrement supérieur à celui des types A et B.

12.14.4 Moteur à couple et glissement élevés

Le type D est un rotor à forte résistance constitué de barres relativement petites et placées à la périphérie du rotor, ce qui donne un très bon
couple de démarrage. Le glissement en charge normale est assez élevé,
soit de 5 % à 20 %, suivant l'usage auquel on le destine, comme
l'indique le tableau 12.6. C'est le type de moteur normalement employé
pour des monte-charge, des presses ou autres appareils du genre. C'est
aussi le type de moteur recommandé lorsqu'il y a de fréquents démarrages
ou renversements.

12.14.5 Moteur à couple de démarrage faible

Le type F est un rotor à faible résistance mais à réactance relativement élevée. Le glissement à pleine charge est faible. Le rendement est bon mais le facteur de puissance est plus bas que pour les types de moteurs précédents. Le courant de démarrage est relativement faible. Il en est de même pour le couple de démarrage: à peine 1,25 fois le couple de pleine charge; le couple maximal ne dépasse guère 1,35 fois ce dernier. C'est un type de moteur qu'on peut utiliser avantageusement pour entraîner des ventilateurs, des meules ou autres appareils dont le couple mécanique au démarrage est faible. La caractéristique de faible courant au démarrage est particulièrement intéressante lorsqu'il y a de fréquents départs à faible charge.

Tableau 12.4 Couple à rotor calé en pourcentage du couple à pleine charge pour les moteurs asynchrones à cage d'écureuil démarrant à tension nominale

hp	Classes A et B Vitesse (r/min)				Classe C Vitesse (r/min)			Classe D 4, 6 et 8 pôles	Classe F 4, 6 et 8 pôles
	3600	1800	1200	900	1800	1200	900		
1		275	175	150				275	
1,5	175	265	↓	↓				↓	
2	↓	250							
3	↓	↓	↓	↓		250	225		
5	150	185	160	130	250	↓	↓		
7,5	↓	175	150	125	↓	225	200		
10		↓	↓		↓	↓	↓		
15		165	140		225	↓			
20		150	135		200	200			
25									125
30									↓
40	135								
50	125								
60	↓								
75	110	↓	↓						
100	↓	125	125						
125	100	110							
150		↓							
200	↓	100	↓	↓	↓	↓	↓	↓	↓

Tableau 12.5 Couple maximal (de décrochage) en pourcentage du couple de pleine charge pour les moteurs à cage d'écureuil

hp	Classes A et B Vitesse (r/min)				Classe C Vitesse (r/min)			Classe D 4, 6 et 8 pôles	Classe F 4, 6 et 8 pôles
	3600	1800	1200	900	1800	1200	900		
1		300	275	250				275	
1,5	275	↓	↓	↓					
2	250	275	250	225					
3	↓	↓	↓			225	220		
5	225	225	225	↓	200	200	↓		
7,5	215	215	215	215	190	190	190		
10	200	200	200	200					
15									
20									
25									135
30									
40									
50									
60									
75									
100									
125									
150									
200	↓	↓	↓	↓	↓	↓	↓	↓	↓

Tableau 12.6 Glissement à pleine charge pour les moteurs à cage d'écureuil

	Vitesse à 60 Hz	Moteurs à faible glissement			Moteurs à fort glissement		
		Classe A ou B	Classe C 3 hp et plus	Classe F 25 hp et plus	Classe D		
					Presses à grande vitesse	Presses en général	Fréquents renversements
Normes de l'industrie	1-200 hp 1800-450 r/min	2-4 %	3-5 %	2-4 %	5 - 8 %	8 - 13 %	8 - 20 %
Normes de CEMA	1-200 hp 1800-450 r/min	Glissement de 5 % ou moins			Glissement de 5 % et plus		

12.15 OPÉRATION À VITESSE VARIABLE

Depuis quelques années, l'utilisation des moteurs asynchrones à vitesse variable est devenue courante dans les industries. Comme nous l'avons vu, ces moteurs, dont la vitesse de rotation est presque constante, ne se prêtent pas bien à un réglage de vitesse. La seule façon efficace de faire varier leur vitesse de façon appréciable consiste à faire varier la fréquence de la source d'alimentation. Une diminution de la fréquence entraîne une diminution proportionnelle de la vitesse. Par contre, pour éviter la saturation du noyau, il faut aussi faire varier la tension suivant le même rapport que la fréquence. La vitesse peut augmenter ou diminuer. Toutefois, si la fréquence est supérieure à la fréquence nominale, il est déconseillé d'augmenter la tension proportionnellement. Les pertes dans l'acier deviendraient alors trop importantes; il y aurait aussi risque de soumettre les isolations à des contraintes excessives qui pourraient entraîner la destruction du moteur. On limite donc la tension à la tension nominale du moteur. De la même façon, on ne doit jamais faire circuler des courants plus importants que les courants nominaux.

En résumé, un moteur asynchrone peut fonctionner à vitesse variable si, pour des vitesses inférieures à sa vitesse synchrone, le rapport entre la tension et la fréquence, couramment appelé rapport E/f, est maintenu constant. À des fréquences supérieures à la fréquence nominale, la tension doit demeurer constante. Donc:

$$\text{si} \quad f < f_{nom} \qquad E/f = E_{nom}/f_{nom} = cte$$
$$\text{si} \quad f > f_{nom} \qquad E = E_{nom}$$

La figure 12.14 montre ce qu'il advient de la caractéristique couple-vitesse lorsque la machine est alimentée à fréquence variable comme défini précédemment. On note que le couple de décrochage demeure le même à des vitesses inférieures à la vitesse nominale et que le glissement à pleine charge ne varie pas non plus. Par contre, si le moteur doit opérer à des vitesses supérieures à sa vitesse nominale, le couple disponible diminue. Dans cette région, la tension et le courant étant fixes, la puissance mécanique devient indépendante de la vitesse. Puisque la puissance mécanique est constante et que la vitesse augmente, le couple utile doit nécessairement diminuer.

Le tableau 12.7 donne la vitesse de rotation, la tension d'alimentation, le couple utile et la puissance mécanique disponible pour divers points d'opération entre 10 et 90 Hz pour un moteur de 50 hp, 600 V, dont la vitesse synchrone à 60 Hz est de 1800 r/min.

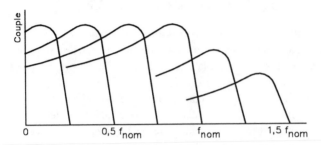

Figure 12.14 Caractéristique couple-vitesse
d'un moteur alimenté à diverses fréquences.

Tableau 12.7 Opération d'un moteur de 50 hp, 600 V, 60 Hz,
à fréquence variable.

Fréquence Hz	Tension V	Courant A	Vitesse de rotation r/min	Couple à l'arbre N•m	Puissance mécanique kW
10	100	48	290	204	6,2
20	200	48	580	204	12,4
30	300	48	872	204	18,6
40	400	48	1164	204	24,9
50	500	48	1455	204	31,1
60	600	48	1746	204	37,3
70	600	48	2037	175	37,3
80	600	48	2328	153	37,3
90	600	48	2619	136	37,3

Dans l'industrie, des sources électroniques appelées onduleurs fournissent l'alimentation requise à fréquence et tension variables. Un simple
potentiomètre ou un lien de communication avec un ordinateur permet de
régler la vitesse de la machine. Habituellement, on peut ajuster cette
dernière entre un faible pourcentage et 150 % de la vitesse nominale.

Certains problèmes peuvent cependant apparaître lorsqu'on utilise un
moteur à vitesse variable. À très faible vitesse, le ventilateur interne
devient insuffisant et il faut prévoir un ventilateur auxiliaire. À des
vitesses supérieures à la vitesse nominale, il faut surveiller les roule-
ments, leur lubrification, les vibrations mécaniques et le niveau de bruit
audible. De plus, la tension produite par les onduleurs n'est souvent pas
parfaitement sinusoïdale, ce qui cause des pertes additionnelles et un
couple pulsatoire avec comme résultat l'obligation de déclasser le moteur.

EXERCICES

12.1 Pour un moteur asynchrone triphasé de 8 pôles, 480 V, 75 hp, 60 Hz dont la vitesse nominale est de 855 r/min, calculer:

a) la vitesse synchrone, le glissement à charge nominale et le couple nominal;

b) le couple du moteur pour une vitesse de 882 r/min;

c) le courant nominal du moteur sachant que le rendement et le facteur de puissance atteignent respectivement 89 % et 87 %;

d) la valeur des condensateurs raccordés en étoile à ajouter pour améliorer le facteur de puissance à +0,95.

12.2 Un moteur asynchrone triphasé de 10 hp, 220 V, 60 Hz a une vitesse à charge nominale de 1125 r/min.

a) Calculer:

- le nombre de pôles de ce moteur,
- le glissement nominal en pourcentage,
- le couple nominal.

b) À une certaine charge, quand le moteur est alimenté par une tension de ligne de 220 V, le rotor tourne à 1150 r/min. En supposant que le moteur opère dans la partie linéaire de la courbe, calculer pour cette charge:

- le glissement en pourcentage,
- le couple,
- la puissance mécanique,
- le courant de ligne tiré par le moteur si les pertes totales sont égales à 300 W et que le facteur de puissance du moteur est égal à +0,8,
- les condensateurs raccordés en triangle requis pour améliorer le facteur de puissance à +0,90.

12.3 Un moteur asynchrone triphasé de 120 hp, 600 V, 60 Hz, 860 r/min décroche à une vitesse de 765 r/min lorsque le couple développé atteint 2,5 fois son couple nominal.

a) Quel est le nombre de pôles de ce moteur?

b) Quelle est la valeur du glissement à charge nominale et au décrochage?

c) Quel est le couple nominal?

d) Quelle est la vitesse de rotation pour une charge mécanique de 60 hp?

e) Quelle est la puissance fournie par le moteur juste avant le décrochage?

f) En pourcentage du couple à tension nominale, quel est le couple de démarrage si la tension est diminuée à 300 V?

g) À pleine charge, dans les conditions nominales, la puissance apparente consommée est de 110 kVA et le facteur de puissance est de 0,9. Quel est le rendement?

12.4 Un moteur asynchrone triphasé de 15 hp, 440 V a un couple de démarrage 1,5 fois plus grand que le couple à charge nominale lorsqu'on le fait démarrer à pleine tension. Dans les mêmes conditions, le courant de démarrage est 4,5 fois plus grand que le courant nominal.

a) Calculer le courant et le couple au démarrage, en termes de valeurs nominales, si on applique 80 % de la tension nominale au démarrage.

b) Calculer la tension qu'on doit appliquer pour que le couple au démarrage ait la même valeur que le couple à charge nominale. Déterminer alors la valeur du courant de démarrage.

c) Calculer la tension qu'on doit appliquer pour que le courant au démarrage ait la même valeur que le courant nominal. Déterminer alors la valeur du couple de démarrage.

12.5 D'après le tableau 12.3, calculer la puissance réelle et réactive consommée par un moteur qui entraîne une charge de 47 hp. Quelles sont ses pertes (réelles et réactives) si on utilise:

a) un moteur de 50 hp de construction classique,

b) un moteur de 100 hp de construction classique.

Que peut-on conclure?

12.6 Un moteur de 50 hp, 1750 r/min à haut rendement coûte 1650 $ et son équivalent classique coûte 1350 $.

Si le coût de l'énergie électrique est de 0,06 $ le kWh et que chaque kvarh additionnel consommé coûte 0,04 $, calculer le nombre d'heures d'opération requis pour que le coût additionnel du moteur à haut rendement soit compensé par son coût d'opération moindre.

12.7 On désire opérer un moteur de 100 hp, 600 V, 60 Hz, 1140 r/min à vitesse variable au moyen d'un onduleur à fréquence variable. Le rendement de ce moteur à pleine charge et à 60 Hz atteint 84,5 % et son facteur de puissance s'élève à +0,93.

a) Quelle est la fréquence de l'onduleur si la vitesse est exactement 1200 r/min?

b) Dans les conditions de a), quelle devrait être la tension maximale appliquée et quel serait le couple maximal de charge?

c) Si l'onduleur fournit une tension de 240 V à 24 Hz et que le couple produit par le moteur est son couple nominal, quels sont la vitesse de rotation du moteur, la puissance mécanique développée et l'amplitude des courants statoriques?

12.8 Refaire le tableau 12.7 en fonction du moteur de l'exercice 12.7.

12.9 Les caractéristiques d'un moteur asynchrone triphasé sont les suivantes: 600 V, 4 pôles, 50 hp.

a) Sachant que le glissement à pleine charge atteint 3 %, calculer la vitesse de rotation et le couple développé lorsque le moteur fournit sa puissance nominale.

b) Quelle est la vitesse de rotation (r/min) si le moteur fournit une puissance de 25 hp à la charge mécanique?

c) Calculer, en utilisant les données du tableau 12.3, le courant et la puissance fournis par la source triphasée lorsque le moteur développe 50 % et 100 % de sa puissance nominale, si ce moteur est
   i) de construction classique,
   ii) du type à haut rendement.

d) Ce moteur fonctionne 8 heures par jour à demi-charge et 16 heures à pleine charge. Sachant que le kWh coute 0,06 $ et que le coût équivalent du kvarh s'élève à 0,02 $, calculer en combien de temps les économies d'énergie justifieront une différence de 750 $ entre un moteur de construction classique et un moteur à haut rendement.

e) Calculer la puissance réactive totale que doit fournir une banque de condensateurs si le moteur est de construction classique et développe sa puissance nominale pour compenser le facteur de puissance à 0,96.

Chapitre 13

MOTEUR ASYNCHRONE MONOPHASÉ

13.1 INTRODUCTION

Le moteur monophasé est le type de moteurs qu'on retrouve dans les applications domestiques et mêmes industrielles. Il convient aux appareils qui ne nécessitent qu'une faible puissance comme les appareils électroménagers, les machines-outils portatives, etc. D'une façon générale, on l'utilise dans les installations ne disposant pas de source triphasée.

Le principe de fonctionnement d'un moteur monophasé est plus complexe que celui d'un moteur polyphasé. Il existe plusieurs types de moteurs monophasés. Toutefois, le présent chapitre ne traite que du type le plus usuel: le moteur asynchrone.

13.2 PRINCIPE DE FONCTIONNEMENT

Les composantes principales du moteur asynchrone monophasé sont le stator à bobinage monophasé et le rotor à cage d'écureuil.

Lorsque le bobinage du stator est alimenté par une source alternative monophasée, il y a production d'un flux pulsatoire perpendiculaire à l'axe du bobinage (fig. 13.1). Ce flux magnétique pulsatoire induit une tension dans les conducteurs du rotor. Cette tension est à l'origine des courants rotoriques. Enfin, les courants rotoriques interagissent avec le flux pour produire les forces qui agissent sur les conducteurs du rotor.

Le fonctionnement du moteur monophasé en marche normale s'explique par la théorie du *double champ tournant*. On peut représenter le flux oscillant produit par un bobinage monophasé par la somme de

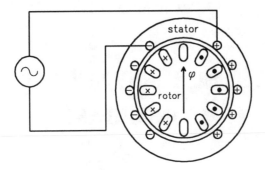

Figure 13.1 Représentation schématique
d'un moteur monophasé.

deux flux magnétiques tournant à la même vitesse mais en sens inverse
l'un de l'autre, chacun des deux flux étant égal en grandeur à la moitié de
la valeur maximale du flux monophasé (fig. 13.2).

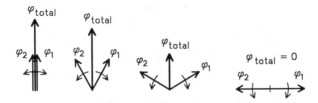

Figure 13.2 Deux champs tournants de même amplitude
et de même fréquence, mais de sens contraire.

Ces deux couples agissent l'un contre l'autre (fig. 13.3), cherchant à
entraîner le rotor, l'un dans une direction, l'autre dans l'autre.

Le couple résultant développé sur le rotor correspond à la somme
algébrique des couples produits par les deux champs tournants. Ces deux
couples ayant la même forme, il en résulte un couple de valeur nulle pour
un glissement unitaire, c'est-à-dire à rotor calé ou au démarrage. Par
contre, si la rotation est amorcée par un moyen quelconque dans un sens
ou dans l'autre, le couple résultant n'est plus nul et le moteur continue à
tourner dans ce sens.

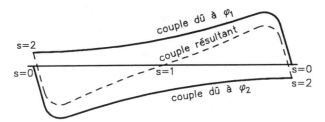

Figure 13.3 Couple résultant dû à deux couples produits
par deux champs tournants de sens opposés.

La courbe du couple résultant a une valeur nulle et même négative
pour un glissement voisin de zéro, de sorte que le glissement à pleine
charge d'un moteur monophasé est légèrement supérieur à celui d'un
moteur triphasé.

13.3 ENROULEMENT DE DÉMARRAGE

On classe les moteurs asynchrones monophasés d'après le moyen
auxiliaire qui fournit le couple de démarrage: à phase auxiliaire résistive,
à phase auxiliaire capacitive, à condensateur permanent, à bagues de
court-circuit.

Les trois premières méthodes de démarrage utilisent un enroulement
auxiliaire pour générer un second flux pulsatoire déphasé par rapport au
flux principal (fig. 13.4). Ces deux champs stationnaires produisent un
champ tournant qui réagit avec le rotor à cage d'écureuil et engendre le
couple de démarrage. Un des champs est produit par l'enroulement
principal tandis que l'autre est produit par l'enroulement auxiliaire, aussi
appelé enroulement de démarrage.

Si l'enroulement principal et l'enroulement auxiliaire sont physiquement placés à 90° l'un par rapport à l'autre, ils produisent des champs
égaux en grandeur et déphasés de 90°. Le champ résultant est alors
tournant et constant en grandeur, décrivant ainsi un cercle à chaque
cycle de l'alimentation monophasée.

Si l'enroulement principal et l'enroulement auxiliaire sont déplacés de
90° dans l'espace mais qu'ils produisent des champs inégaux en grandeur ou qui ne sont pas déphasés de 90° (fig. 13.5), le champ résultant
est alors un champ tournant non constant en grandeur suivant le contour

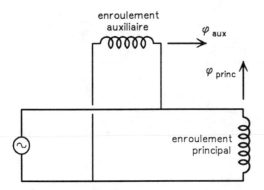

Figure 13.4 Flux produits par deux enroulements
physiquement placés à 90° l'un par rapport à l'autre.

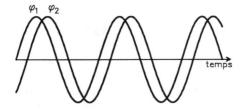

Figure 13.5 Deux ondes de flux déphasées.

d'une ellipse d'autant plus allongée que la grandeur des deux champs est
différente et que leur déphasage est différent de 90°.

Une des conséquences importantes de la production, au démarrage,
d'un champ non uniforme est la diminution du couple de démarrage. En
pratique, on est toujours plus ou moins loin d'un champ circulaire uniforme.

13.4 MOTEURS À PHASE AUXILIAIRE

Le moteur à phase auxiliaire comprend un enroulement principal et un
enroulement auxiliaire placés dans l'espace à 90° l'un par rapport à
l'autre. Le déphasage entre les flux des deux enroulements dépend du
type d'enroulement auxiliaire utilisé.

13.4.1 Moteur à phase auxiliaire résistive

La construction la plus simple consiste à bobiner l'enroulement de démarrage avec du fil plus petit que celui utilisé pour l'enroulement de marche et souvent avec un nombre différent de tours. L'enroulement de démarrage présente ainsi un effet moins réactif ou plus résistif que l'enroulement de marche (fig. 13.6). Le déphasage entre les courants dans les deux enroulements est peu important. Le champ tournant prend ainsi une forme très elliptique et le couple au démarrage est relativement faible.

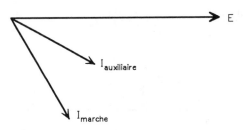

Figure 13.6 Courants de démarrage dans un moteur à phase auxiliaire.

Le fil de l'enroulement de démarrage est de faible section; il a une résistance élevée et produit des pertes considérables. Par conséquent, il ne peut rester en permanence dans le circuit sans surchauffer et se détruire. Par contre, la constante thermique permet de le laisser assez longtemps en circuit pour que le moteur atteigne une vitesse assez élevée, après quoi il n'est plus requis. On utilise à cette fin un interrupteur centrifuge (fig. 13.7) qui s'active aux environs de 75 % de la vitesse synchrone.

13.4.2 Moteur à phase auxiliaire capacitive

Pour obtenir un couple de démarrage meilleur que celui que fournit un moteur à phase auxiliaire résistive, il s'agit de créer un déphasage, idéalement de 90° (fig. 13.8), entre les courants dans les deux enroulements. En pratique, un déphasage de 90° est assez difficile à réaliser avec exactitude, mais on peut toutefois s'approcher raisonnablement de la valeur idéale en plaçant un condensateur approprié (fig. 13.9) en série avec l'enroulement de démarrage.

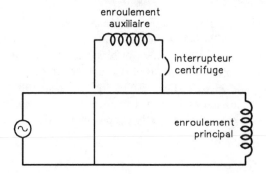

Figure 13.7 Interrupteur centrifuge dans la phase auxiliaire.

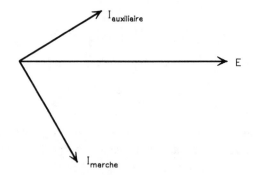

Figure 13.8 Courants de démarrage dans un moteur
à démarrage par condensateur.

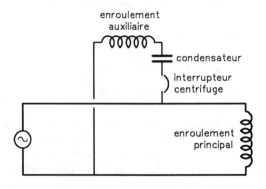

Figure 13.9 Interrupteur centrifuge et condensateur
dans le circuit de la phase auxiliaire.

Comme dans le cas du moteur à phase auxiliaire résistive, il est nécessaire d'inclure un interrupteur centrifuge pour ouvrir le circuit de l'enroulement de démarrage en marche normale, car le condensateur requis au démarrage est tout à fait inapproprié en marche normale. Le moteur à phase auxiliaire capacitive a cependant un coût de fabrication plus élevé que le moteur à phase auxiliaire résistive en raison de la présence du condensateur.

13.4.3 Moteur à phase auxiliaire avec condensateur permanent

Comme on l'a vu au chapitre 8, la puissance est pulsatoire dans un circuit monophasé. Le moteur monophasé a donc tendance à accélérer durant la période où il reçoit de la puissance électrique et à ralentir durant la période où il restitue de la puissance à la source. De cet échange de puissance, de l'inertie du rotor et de la charge mécanique entraînée, il résulte un niveau de vibrations et de bruit qu'on ne retrouve pas chez les moteurs polyphasés pour lesquels la puissance électrique instantanée est constante.

Le moteur à condensateur permanent est similaire au moteur à phase auxiliaire capacitive à la différence qu'en parallèle avec le condensateur de démarrage et l'interrupteur centrifuge, un second condensateur demeure dans le circuit en marche normale. Ce moteur est particulièrement silencieux puisque son comportement se rapproche beaucoup de celui du moteur à deux phases. Par contre, le fil de l'enroulement auxiliaire doit être de section assez grande pour porter le courant en régime permanent; de plus, le condensateur requis est une composante volumineuse et onéreuse.

13.5 MOTEUR À BAGUES DE COURT-CIRCUIT

Le moteur à bagues de court-circuit s'emploie fréquemment dans les applications requérant moins d'une centaine de watts. Ce moteur, de construction très simple, ne comprend qu'un seul enroulement monté autour de deux pôles entre lesquels se trouve un rotor à cage d'écureuil (fig. 13.10).

Le couple de démarrage résulte de l'action des bagues de court-circuit qui entourent une partie de chaque pôle. L'effet des deux bagues consiste à s'opposer à la variation du flux magnétique que subit le rotor.

Lorsque le champ stationnaire augmente, les tensions induites dans les bagues sont telles que le champ se concentre surtout entre les portions de pôle non court-circuitées. D'autre part, lorsque le champ stationnaire diminue, il se concentre entre les portions de pôle court-circuitées. Ce mouvement de balayage du flux agit comme un champ partiellement tournant de forme elliptique très allongée. Le couple de démarrage ainsi produit est très faible mais suffisant pour faire démarrer certaines charges mécaniques comme de petits ventilateurs. C'est pour cette raison qu'on retrouve couramment ce type de moteur dans des ventilateurs domestiques.

Ce moteur offre un rendement et une performance très médiocres mais son utilisation est très répandue en raison de son coût de fabrication très bas.

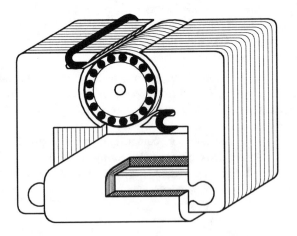

Figure 13.10 Circuit magnétique d'un moteur
à bagues de court-circuit.

Chapitre 14

APPAREILS DE MESURE

14.1 INTRODUCTION

On peut classer les appareils de mesure en deux catégories principales: les appareils analogiques et les appareils numériques. Leur construction et leurs principes de fonctionnement diffèrent totalement.

En ce qui concerne les appareils analogiques, nous ne traiterons que des trois types les plus usuels: le type à aimant permanent, le type à fer mobile et le type électrodynamique.

Quant aux appareils numériques dont le principe de fonctionnement est basé sur l'électronique et l'informatique, nous nous limiterons à les décrire de façon générale sans examiner en détail les algorithmes d'échantillonnage.

14.2 APPAREILS À AIMANT PERMANENT

Les appareils à aimant permanent, aussi appelés appareils à mouvement d'Arsonval ou appareils à cadre mobile, sont principalement utilisés pour la mesure du courant et de la tension en courant continu. Toutefois, on peut les utiliser pour prendre des mesures en courant alternatif si on respecte certaines restrictions.

14.2.1 Description physique

Deux composantes principales sont à la base du fonctionnement des appareils à aimant permanent: un aimant permanent, partie fixe du mouvement, et une bobine faite de plusieurs tours de fil placés sur un cadre rectangulaire en aluminium ou autre matériau léger supporté par des tiges et monté de façon à pouvoir tourner librement (fig. 14.1).

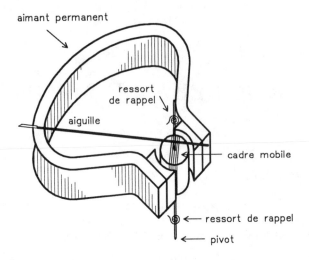

Figure 14.1 Vue d'ensemble d'un mouvement à aimant permanent.

Un certain nombre de pièces ou composantes secondaires mais essentielles complètent l'ensemble mécanique. Le cylindre de fer doux est fixe et se trouve à l'intérieur du cadre mobile de façon à réduire au minimum les entrefers tout en permettant au cadre de tourner librement. Le cadre, quant à lui, est supporté et maintenu en place par deux tiges terminées en pointe. Les extrémités pointues de ces tiges reposent sur des supports fixes et creux. Les cavités coniques qui reçoivent les extrémités des tiges permettent un positionnement précis et réduisent au minimum la surface de contact (fig. 14.2). Pour assurer une friction minimale et une haute

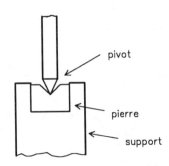

Figure 14.2 Vue détaillée d'un support de pivot.

précision, les supports sont généralement fabriqués en saphir, aussi employé en horlogerie.

Dans certains appareils récents, ce sont des fils fins légèrement tendus plutôt que des tiges qui supportent les mouvements. On élimine ainsi tout frottement, toute usure et toute infiltration de poussière entre le pivot et le support.

Pour assurer un meilleur équilibre mécanique, deux ressorts placés de part et d'autre du cadre mobile servent à ramener ou à positionner le cadre dans une orientation de repos lorsqu'il ne subit pas de force de déplacement. Ces ressorts sont suffisamment longs pour que, lors du déplacement maximal du cadre, leur déformation reste nettement en deçà de leur limite élastique. De plus, ils servent de lien électrique entre le cadre et le circuit extérieur.

La rotation du cadre, et par conséquent la force qu'il subit, sont indiquées par une aiguille solidaire du cadre qui se déplace devant une échelle graduée. Dans les instruments de laboratoire, un miroir disposé à proximité de l'échelle graduée et parallèle à cette dernière permet d'éliminer les erreurs de parallaxe. Cette caractéristique ne se retrouve généralement pas dans les instruments de panneau.

14.2.2 Principe de fonctionnement

Le principe de fonctionnement d'un appareil à aimant permanent se base sur une loi de la physique selon laquelle deux champs magnétiques situés dans la même région de l'espace tendent à s'orienter dans la même direction et produisent une force proportionnelle au produit de leurs intensités. Le champ produit par l'aimant permanent est constant et uniformément distribué dans l'espace dans lequel se déplace le cadre mobile (fig. 14.3). Il en résulte que le couple exercé sur le cadre mobile est proportionnel au champ produit par ce dernier, donc au nombre d'ampères-tours et, de ce fait, au courant circulant dans le cadre. Compte tenu de la constante de rappel des ressorts, la rotation du cadre et, par conséquent, le déplacement de l'extrémité de l'aiguille sont proportionnels au courant qui circule dans la bobine formant le cadre (fig. 14.4).

Pour assurer une grande sensibilité de l'appareil, le cadre doit être aussi léger que possible. On utilise à cette fin du fil très petit, ce qui limite le courant admissible à de faibles valeurs: 10 ou 15 mA dans les instruments habituellement utilisés en électrotechnique; quelques dizaines de microampères dans les instruments utilisés en électronique et dans les multimètres.

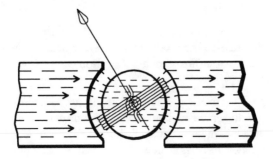

Figure 14.3 Distribution du flux produit par l'aimant permanent dans ce dernier, dans l'entrefer et dans le cylindre de fer doux.

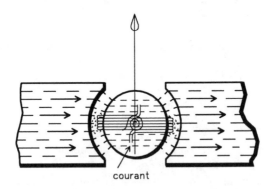

courant

Figure 14.4 Couple exercé sur le cadre mobile en raison de la présence du courant dans ce dernier.

14.2.3 Utilisation comme ampèremètre

En raison de la résistivité, de la longueur et de la section du fil qui entre dans sa fabrication, le cadre a une certaine résistance, habituellement de 5 Ω pour les instruments à 10 ou 15 mA. Cette résistance peut atteindre plusieurs dizaines et même plusieurs centaines d'ohms pour les instruments à plus faible courant.

Lorsqu'on veut utiliser un tel appareil pour mesurer des courants supérieurs aux valeurs admises par l'appareil, il faut relier une résistance shunt en parallèle avec le cadre pour former un diviseur de courant. La valeur de cette résistance doit être d'autant plus petite que le courant à mesurer est grand.

Dans les appareils à échelles multiples tels les multimètres, on choisit l'échelle en plaçant une résistance shunt appropriée en parallèle avec le mouvement (fig. 14.5).

Pour des mesures allant de quelques dizaines à plusieurs milliers d'ampères, la partie résistive du shunt se compose d'un ensemble de lamelles en parallèle habituellement faites en manganin ou en constantan. On utilise de préférence ces matériaux parce qu'ils possèdent une résistivité assez élevée en plus d'une constante thermique très faible et d'une force électromotrice thermique suffisamment faible avec le cuivre ou le laiton, ce qui assure une bonne stabilité et une bonne précision tout au long de la plage d'utilisation. L'utilisation de lamelles plutôt que d'un bloc unique favorise la dissipation de chaleur et permet d'obtenir une valeur stable de la résistance. Ces lamelles sont soudées entre deux blocs de cuivre ou de laiton aux extrémités desquels sont connectés les fils de ligne. Par contre, les bornes de mesure auxquelles se raccorde le milliampèremètre sont placées aussi près que possible des lamelles résistives; de cette façon, on ne voit que la chute de tension produite par ces dernières et on évite des erreurs dues aux résistances de contact et à la répartition non uniforme du courant aux points de raccordement.

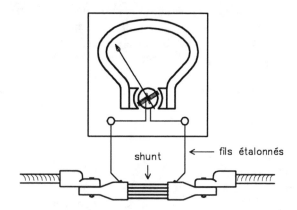

Figure 14.5 Milliampèremètre avec résistance shunt pour la mesure de courants forts.

14.2.4 Utilisation comme voltmètre

Un appareil à aimant permanent peut aussi servir à mesurer des tensions. La mesure est directe si la tension ne dépasse pas le courant qu'admet le bobinage du cadre. Si on veut mesurer une tension supérieure à cette valeur, on peut le faire en reliant cette fois une résistance en série avec le cadre (fig. 14.6). La valeur de cette résistance détermine l'échelle de tension. C'est ainsi qu'on choisit une échelle de tension plutôt qu'une autre dans un multimètre.

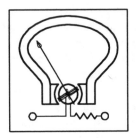

Figure 14.6 Mouvement à aimant permanent avec résistance
série pour mesurer la tension.

14.2.5 Utilisation en courant alternatif

En courant continu, la polarité du courant qui circule dans le cadre définit le sens de la déviation. Par contre, si l'appareil est alimenté en courant alternatif, le mouvement tend à se déplacer d'un côté pour un demi-cycle et de l'autre pour le second demi-cycle. Toutefois, l'inertie du mouvement atténue les déplacements de part et d'autre. Il en résulte que pour des fréquences de quelques dizaines de hertz et plus, les oscillations du mouvement deviennent des vibrations d'autant plus faibles que la fréquence est élevée. La valeur indiquée par l'appareil correspond ainsi à la valeur moyenne du courant qui circule dans la bobine. Si le courant a une forme symétrique, comme une sinusoïde, la valeur moyenne est nulle et l'aiguille demeure à toutes fins utiles immobile au zéro de la graduation. Pour remédier à cette situation, on peut redresser l'onde à l'aide d'une diode ou d'un pont de diodes. On obtient ainsi une position de l'aiguille qui correspond à la valeur moyenne de l'onde redressée simple ou double alternance. En pratique, la valeur utile est la valeur efficace et non la valeur moyenne. On peut convertir la valeur moyenne fournie par l'appareil en valeur efficace en utilisant le facteur de conversion approprié. Dans la plupart des multimètres, ce facteur de conversion est intégré à l'appareil.

Il est très important de se rappeler que le facteur de conversion utilisé n'est valable que pour une forme d'onde bien particulière. Par conséquent, plus l'onde diffère de l'onde de référence, habituellement une sinusoïde, plus la lecture est erronée. Le facteur de conversion pour une onde sinusoïdale est généralement valable pour les tensions. Par contre, les courants sont très souvent plus ou moins déformés et différents d'une sinusoïde en raison de la présence, dans le circuit, d'éléments inductifs à noyau ferromagnétique ou de charges non linéaires. Dans ces cas, l'information obtenue est erronée et de ce fait pas ou peu valable. Pour cette raison, les multimètres possèdent habituellement des échelles de tension et de courant en courant continu, mais uniquement des échelles de tension en courant alternatif.

14.3 APPAREILS À FER MOBILE

Les appareils à fer mobile sont principalement utilisés pour la mesure du courant et de la tension en courant alternatif même si on peut les utiliser en courant continu.

14.3.1 Description physique

L'appareil à fer mobile est, jusqu'à un certain point, à l'opposé de l'appareil à aimant permanent en ce sens que, comme l'indique son appellation, c'est la partie en fer ou partie magnétique qui est mobile tandis que la bobine de forme circulaire est fixe (fig. 14.7).

On retrouve deux plaques métalliques courbées en arc de cercle à l'intérieur de la bobine. Une de ces plaques est de forme rectangulaire ou légèrement trapézoïdale. Elle est fixée à un axe rigide terminé par des pointes ou à une suspension à fil comme dans l'instrument à aimant permanent. La partie mobile du mouvement comporte aussi d'autres pièces comme les ressorts de rappel, l'aiguille et les contrepoids d'équilibre de même qu'un amortisseur.

L'autre partie métallique placée à l'intérieur de la bobine est fixe mais de forme plutôt complexe et souvent composite (fig. 14.8).

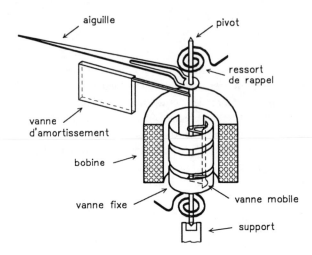

Figure 14.7 Vue d'ensemble d'un appareil à fer mobile.

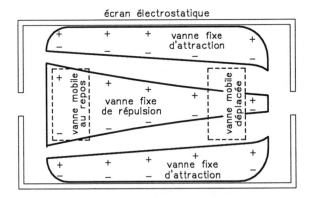

Figure 14.8 Représentation plane des parties
métalliques placées à l'intérieur de la bobine.

14.3.2 Principe de fonctionnement

Lorsqu'un courant circule dans la bobine, les ampères-tours ainsi produits génèrent un champ magnétique à l'intérieur de la bobine et magnétisent les pièces métalliques qui s'y trouvent. Comme toutes ces pièces sont sous l'influence du même champ magnétique, elles sont toutes magnétisées avec la même polarité. Des forces de répulsion s'exercent alors entre les régions présentant les mêmes polarités magnétiques alors qu'il y a attraction entre les régions de polarités magnétiques différentes. Il en résulte un couple exercé sur la partie mobile. Ce couple a une valeur d'autant plus grande que la partie fixe et la partie mobile sont fortement magnétisées. Puisqu'elles sont toutes deux magnétisées simultanément par le même courant circulant dans la bobine, le couple instantané exercé sur la partie mobile est donc fonction du carré du courant.

La polarité magnétique des pièces métalliques est fonction du sens du courant. Si on inverse le sens du courant, la polarité des pièces magnétiques change, mais elle change en même temps pour toutes les pièces. La polarité relative reste ainsi toujours la même. Par suite de la présence des ressorts de rappel, de l'inertie du mouvement et de l'amortissement supplémentaire ajouté, on obtient un appareil qui répond à la moyenne des carrés du courant traversant la bobine.

Puisque la valeur efficace d'une onde correspond à la racine carrée de la moyenne des carrés, l'appareil à fer mobile est donc un appareil qui répond à la valeur efficace, valeur intéressante et habituellement recherchée en courant alternatif.

En principe, un instrument à fer mobile répond tout aussi bien à une onde continue, quelle que soit sa polarité, qu'à une onde alternative de forme sinusoïdale ou non. En pratique, les appareils à fer mobile sont principalement destinés à des usages en courant alternatif, car au début de l'échelle et à un degré moindre vers la fin de l'échelle, leur sensibilité est atténuée. Ce phénomène est dû à la forme de la courbe de magnétisation. Ces appareils sont aussi un peu moins précis à cause de l'hystérésis des matériaux magnétiques utilisés; on tente de réduire au minimum l'hystérésis en utilisant des matériaux appropriés, mais elle ne disparaît jamais tout à fait.

L'impédance de l'instrument est à toutes fins utiles exclusivement résistive à basse fréquence. Par contre, la composante réactive peut devenir relativement importante à des fréquences plus élevées, soit 1000 Hz et plus, et fournir alors une information inférieure à la valeur réelle. Pour cette raison, les appareils prévus pour opérer à 60 Hz portent l'inscription 15-65 Hz ou 25-125 Hz. Cette considération s'applique à une onde de forme quelconque qu'on peut considérer comme une onde sinusoïdale de base à laquelle se superposent des ondes à des fréquences plus élevées.

Pour mesurer des tensions allant jusqu'à 240 V et parfois jusqu'à 600 V, on utilise des résistances en série avec le mouvement de base comme dans le cas des appareils à aimant permanent. Pour des tensions plus élevées, la puissance dissipée dans les résistances placées en série avec la bobine du mouvement serait trop importante; on utilise plutôt, comme on le fait normalement aussi à 600 V, des transformateurs de potentiel prévus pour des instruments ayant des échelles à 125 ou 150 V. L'utilisation de transformateurs de potentiel présente un double avantage: la dissipation de puissance est moindre et l'instrument de mesure est électriquement isolé du circuit à haute tension, ce qui accroît la sécurité.

Pour la mesure de courant, même s'il n'y a pas vraiment de limite étant donné que la bobine est fixe, on s'en tient toutefois à des instruments construits pour des courants inférieurs à une dizaine d'ampères. Contrairement à ce qu'on fait en courant continu avec les appareils à cadre mobile, il est hors de question d'utiliser ici des résistances en parallèle avec l'appareil. En effet, un shunt présente une caractéristique à toutes fins utiles purement résistive, donc indépendante de la fréquence, tandis que la bobine de l'ampèremètre présente une caractéristique inductive importante et de ce fait une impédance fortement influencée par la fréquence et, par conséquent, par la forme de l'onde. La précision serait très fortement amoindrie. La solution consiste à utiliser un transformateur de courant qui agit comme source de courant vis-à-vis l'ampèremètre. Si l'impédance de ce dernier est suffisamment faible, c'est-à-dire quelques centièmes d'ohm ou moins, on obtient une lecture très fiable et indépendante de la fréquence. Un transformateur de courant est habituellement fabriqué pour fonctionner avec un ampèremètre ayant une échelle normalisée de 5 A. Tout comme le transformateur de potentiel, le transformateur de courant présente aussi l'avantage d'isoler électriquement l'appareil de mesure du circuit haute tension.

Pour atténuer les oscillations et stabiliser le mouvement, on utilise un amortisseur. Le type utilisé le plus souvent consiste en une plaquette en aluminium mince et très légère (fig. 14.7). Cette plaquette, à l'instar d'une vanne, se déplace en arc de cercle à l'intérieur d'un tube de dimensions à peine supérieures à celles de la plaquette et fermé à ses deux extrémités. La vanne ne touche pas au tube. Il n'y a donc aucune influence sur la position d'équilibre, mais tout déplacement crée une pression sur un côté de la vanne et une dépression sur l'autre côté. Ce phénomène s'oppose d'autant plus au déplacement de la vanne, donc de l'aiguille, que le déplacement est rapide. Le système d'amortissement est habituellement conçu pour stabiliser l'aiguille à des fréquences supérieures à 25 Hz.

Un autre type d'amortisseur consiste en une plaquette d'aluminium encore ici solidaire de l'aiguille mais se déplaçant cette fois devant les faces polaires d'une rangée d'aimants permanents (fig. 14.9). Tout déplacement de la plaquette dans le champ magnétique produit par les aimants permanents génère des courants induits d'autant plus intenses que le déplacement est rapide. Ces courants induits produisent des champs magnétiques qui tendent à s'aligner sur celui des aimants permanents et à stabiliser le mouvement.

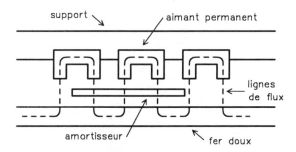

Figure 14.9 Amortissement magnétique.

14.4 APPAREILS ÉLECTRODYNAMIQUES

Le principe d'opération des électrodynamomètres, ou instruments électrodynamiques, se base sur l'interaction des champs magnétiques produits par des bobines voisines les unes des autres. Dans un appareil électrodynamique, on a une ou plus généralement deux bobines fixes et une bobine mobile supportée par un axe ou des fils tendus (comme dans les types d'appareils précédents) et à laquelle sont associés les ressorts de rappel, l'aiguille, les contrepoids d'équilibre et l'amortisseur.

Ce type d'appareil est très versatile: on peut s'en servir pour fabriquer aussi bien un voltmètre qu'un ampèremètre. Cependant, on en restreint en général l'emploi à la mesure de puissance dans les circuits à courant alternatif.

La bobine mobile doit être légère pour avoir une bonne sensibilité. Elle consiste en plusieurs tours de fil fin et léger (fig. 14.10), tandis que les bobines fixes n'ont pas vraiment de restriction quant à leur volume et à leur masse. Il en résulte que dans un wattmètre, la bobine mobile est reliée en série avec une résistance appropriée et est associée au circuit potentiel; quant à la bobine fixe (unique ou habituellement dédoublée pour mieux uniformiser le champ magnétique), elle se compose de quelques tours de fil assez gros pour porter le courant requis et est associée au circuit courant du wattmètre.

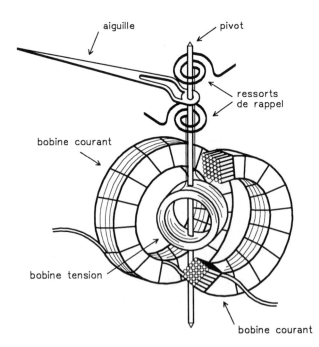

Figure 14.10 Mouvement électrodynamique utilisé comme wattmètre.

Le couple exercé sur la bobine potentiel est proportionnel au produit instantané des deux champs magnétiques. Si le courant est important dans la bobine potentiel parce que la tension appliquée est grande en même temps que le courant traversant la bobine courant est lui-même important, le couple alors exercé est grand. À l'inverse, si le courant est nul dans l'une ou l'autre des bobines même s'il est considérable dans l'autre bobine, aucun couple n'est exercé.

La polarité non pas absolue mais relative des deux champs produits est alors importante. Suivant que les deux champs sont de même polarité relative ou de polarité contraire, le couple s'exerce dans un sens ou dans l'autre.

Si les champs varient continuellement dans le temps, comme c'est le cas en courant alternatif, le couple produit varie lui aussi continuellement en grandeur et en direction. On peut représenter le couple en fonction du temps par une courbe qui, à des facteurs d'échelle près, est exactement la même que celle de la puissance instantanée en fonction du temps (fig. 14.11).

En pratique, l'information utile n'est pas la valeur instantanée mais la valeur moyenne de la puissance. Par suite de son inertie propre et du système d'amortissement supplémentaire, le mouvement électrodynamique donne une indication stable et l'information qu'on en retire correspond exactement à la valeur moyenne de la puissance réelle dans le circuit.

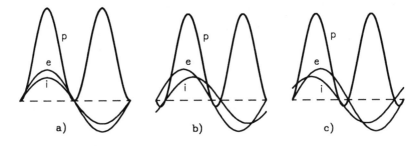

Figure 14.11 Courbes: a) du courant et de la tension en phase;
b) du courant en retard sur la tension;
c) du courant en avance sur la tension.

14.5 CAPTEUR À EFFET HALL

Si un bloc formé d'alliages appropriés d'éléments appelés *Terres rares* dans le tableau des éléments chimiques est traversé par un courant dans une certaine direction et est soumis en même temps à un champ magnétique de direction orthogonale à celle du courant, une tension proportionnelle au produit du courant et du flux (fig. 14.12) apparaît dans une troisième direction orthogonale au plan formé par les deux premières. On appelle ce phénomène *effet Hall*.

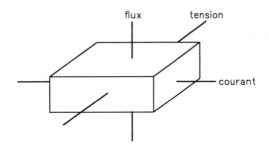

flux   tension

courant

Figure 14.12 Parallélépipède et axes associés
à l'effet Hall.

Si le parallélépipède de la figure 14.12 est placé dans un circuit magnétique dont le flux résulte du courant passant dans la bobine entourant le circuit magnétique et si on maintient constant le courant traversant le bloc à effet Hall (fig. 14.13), il en résulte, à tout instant, une tension qui est fonction du flux qui circule à ce même instant dans le circuit magnétique.

La bobine du circuit magnétique peut se composer de quelques tours de gros fil et se trouver en série dans un circuit électrique comme un ampèremètre standard. On obtient ainsi une tension de forme et d'amplitude associées au flux et, de ce fait, au courant circulant dans la bobine.

La bobine du circuit magnétique peut par contre consister en un grand nombre de tours de petit fil et être reliée en série avec une résistance de grande valeur. Le tout présente alors les caractéristiques d'un voltmètre classique. Selon la loi d'Ohm, le courant dans la bobine est à tout instant directement proportionnel à la tension appliquée. Le module à effet Hall

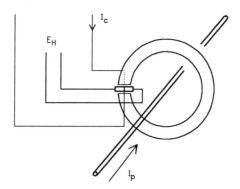

Figure 14.13 Circuit de base pour un capteur à effet Hall.

fournit alors une tension qui est fonction de la tension appliquée aux bornes de la bobine placée sur le circuit magnétique.

Dans l'un et l'autre des deux cas précédents, ce montage simple pose un problème: un circuit magnétique n'est pas linéaire. La tension fournie par le module à effet Hall est fonction du flux circulant dans le circuit magnétique, ce qui diffère des ampères-tours fournis par la bobine.

Pour corriger cette anomalie, on utilise une deuxième bobine entourant le circuit magnétique (fig. 14.14). Le rôle de cette seconde bobine est de produire à tout instant des ampères-tours qui compensent ou annulent l'effet des ampères-tours produits par la bobine principale. On arrive à ce résultat à l'aide d'un amplificateur opérationnel dont la fonction est de faire circuler dans l'enroulement secondaire un courant tel que la tension fournie par le module à effet Hall soit constante. Une résistance de faible valeur en série avec l'enroulement secondaire permet alors d'obtenir un signal en tension qui est l'image exacte à tout instant du courant circulant dans l'enroulement principal.

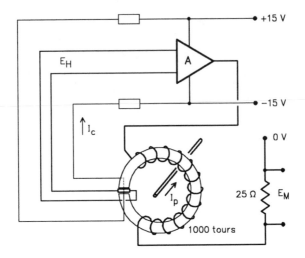

Figure 14.14 Circuit complet d'un capteur à effet Hall.

14.6 APPAREILS NUMÉRIQUES

Les appareils à affichage numérique se retrouvent de plus en plus fréquemment dans les installations industrielles.

Utilisés comme ampèremètres, ils ont à l'entrée une résistance de faible valeur (quelques millièmes d'ohm) en dérivation (shunt); s'ils sont utilisés comme voltmètres, ils ont à l'entrée des résistances en série de grande valeur (plusieurs mégohms). Dans les deux cas, on obtient un signal en tension représentant fidèlement le courant ou la tension à mesurer. Au moyen d'un amplificateur différentiel, on isole électriquement le signal d'entrée. Le signal de sortie de l'amplificateur est modifié en amplitude selon l'échelle choisie et converti du mode analogique au mode numérique par un processus d'échantillonnage. Un microprocesseur traite ensuite l'information numérique pour affichage et, possiblement, pour transmission par lien sériel ou parallèle. Ainsi, avec des appareils multifonctionnels à deux entrées, une entrée tension et une entrée courant (fig. 14.15), on peut traiter chacun des signaux de façon isolée et indépendante ou les conjuguer pour obtenir, entre autres, la puissance réelle, la puissance réactive, la puissance apparente ou le facteur de puissance.

Selon le degré de sophistication du logiciel utilisé, on peut aussi obtenir le facteur de crête, le facteur de distorsion harmonique, le contenu harmonique, et ce tant pour la tension que pour le courant.

Les appareils à double entrée s'utilisent et s'insèrent dans un circuit comme un wattmètre de type analogique avec des plages d'utilisation pouvant s'étendre de 20 mA à 20 A pour l'entrée courant et de 2 V à 700 V pour l'entrée tension. Au-delà de ces valeurs, on utilise des transformateurs de courant ou de tension comme on le ferait avec des appareils analogiques standard.

Lorsqu'on utilise un appareil numérique pour obtenir le contenu harmonique d'un signal, la valeur du fondamental, c'est-à-dire du premier harmonique, est habituellement donnée directement en ampères ou en volts selon le cas; les harmoniques d'ordre supérieur sont donnés en volts ou en ampères ou en pourcentage du fondamental. En plus de l'importance de l'harmonique, certains appareils donnent aussi la phase exprimée par rapport au fondamental ou par rapport à une référence de tension.

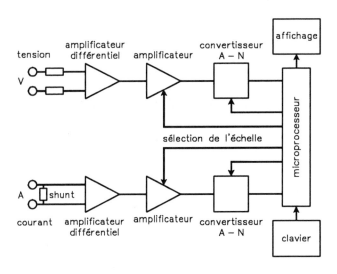

Figure 14.15 Représentation schématique d'un appareil à affichage numérique.

Dans les textes de travaux pratiques qui suivent, on utilise la représentation indiquée à la figure 14.16 pour un appareil numérique.

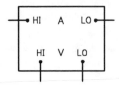

Figure 14.16 Représentation simplifiée
d'un appareil numérique.

TEXTES
DE TRAVAUX PRATIQUES

CHARGES PASSIVES

Les charges variables utilisées au laboratoire sont, selon les besoins de l'essai, de nature résistive, inductive, capacitive ou mixte, c'est-à-dire composées d'une partie résistive et d'une partie inductive ou capacitive.

Composante résistive

Comme composante résistive, on utilise des lampes. Le nombre inscrit à côté de chaque interrupteur indique combien de lampes l'interrupteur contrôle simultanément. En monophasé, il s'agit de lampes de 100 W à 120 V, ce qui correspond à un peu moins de 1 A par lampe. En triphasé, il s'agit de lampes de 100 W à 230 V.

Composante inductive

Comme composante inductive, on utilise le secondaire (*output*) d'un autotransformateur. En triphasé, on utilise les trois enroulements du secondaire; par contre, en monophasé, il est préférable d'utiliser deux enroulements en série (fig. 1). On peut ainsi obtenir un courant inductif très faible lorsque le curseur est à la position 100, qui correspond à tout l'enroulement, donc à la charge minimale. Plus on abaisse le curseur, plus la tension sur la borne *input* augmente, pouvant atteindre plusieurs centaines de volts.

Composante capacitive

Comme composante capacitive, on utilise l'autotransformateur comme dans le cas inductif en reliant un banc de condensateurs au côté *input* de l'autotransformateur (fig. 1). On doit éviter d'abaisser le curseur à une position inférieure à 50 dans le but de conserver un courant de magnétisation négligeable.

En monophasé, il est préférable de relier les trois condensateurs en parallèle. En triphasé, on peut les relier en étoile, mais la connexion en triangle est préférable.

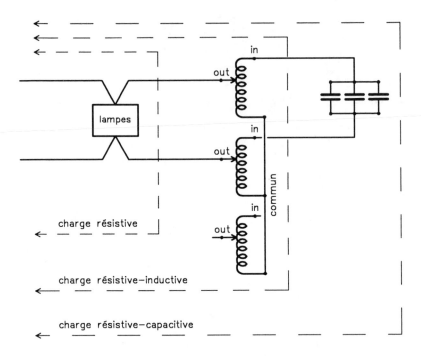

Figure 1 Connexions typiques produisant des charges résistives,
résistives-inductives ou résistives-capacitives
variables et ajustables en circuit monophasé.

Travail pratique 1

MESURES DANS UN CIRCUIT À COURANT ALTERNATIF

1.1 OBJECTIFS

Mesurer la tension, l'intensité du courant et la puissance. Déterminer la valeur du facteur de puissance dans les circuits à courant alternatif comportant une composante résistive, inductive ou capacitive ou une combinaison de deux ou des trois composantes précédentes connectées en parallèle ou en série.

1.2 CONSIDÉRATIONS THÉORIQUES

1.2.1 Résistance

Dans un circuit résistif, la loi d'Ohm permet de poser la relation:

$$E = R\,I$$

Le courant est en phase avec la tension et la puissance dissipée dans la résistance sous forme de chaleur est une puissance purement réelle, aussi appelée puissance active. On obtient les relations:

$$P = R\,I^2$$
$$= E\,I$$

1.2.2 Inductance

Une inductance a pour propriété de s'opposer à une variation de courant de sorte que, sous une alimentation sinusoïdale, le courant est sinusoïdal comme la tension, mais en retard de 90°.

De façon semblable au cas du circuit résistif, on peut poser:

$$E = X_L I$$

où: $X_L = \omega L$

et $\omega = 2\pi f$

Puisque le courant est en retard de 90° sur la tension, la réactance inductive X_L est donc un vecteur à +90° par rapport à la référence.

Dans une inductance idéale, il n'y a pas de dissipation de puissance réelle, mais plutôt un emmagasinage pendant un demi-cycle suivi d'une restitution pendant le demi-cycle suivant. On utilise alors l'expression puissance réactive (Q). Cette puissance réactive s'exprime en vars par une relation semblable à celle de la puissance réelle:

$$Q_L = X_L I^2 = E I_L$$

1.2.3 Condensateur

Un condensateur a pour propriété de s'opposer à une variation de tension de sorte que, sous une alimentation sinusoïdale, le courant est sinusoïdal comme la tension, mais en avance de 90°.

De façon semblable au cas d'un circuit inductif, on peut poser:

$$E = X_C I$$

où: $X_C = 1 / (\omega C)$

Le courant étant +90° par rapport à la tension, il en résulte que la réactance capacitive X_C est un vecteur à -90° par rapport à la référence.

Dans un condensateur idéal, il n'y a pas de dissipation de puissance réelle, mais alternance d'emmagasinage et de restitution de puissance comme dans le cas de l'inductance, d'où la similitude dans l'équation de la puissance:

$$Q_C = X_C I^2 = E I_C$$

Puisque le courant dans une inductance et le courant dans un condensateur sont décalés l'un par rapport à l'autre de 180° (2 fois 90°), les échanges de puissance entre la source et l'inductance, d'une part, et entre la source et le condensateur, d'autre part, sont eux aussi décalés de 180° : l'un retourne de la puissance tandis que l'autre en absorbe et vice versa de telle sorte que, si une inductance et un condensateur sont en parallèle dans un circuit, il y a échange de courant et de puissance entre ces deux composantes.

On peut représenter les valeurs de puissance réactive Q_L et Q_C par des vecteurs en quadrature avec l'axe réel correspondant à la puissance réelle P. Les deux vecteurs s'opposent l'un à l'autre: Q_L est à +90° et Q_C est à -90°.

1.2.4 Circuit mixte

S'il y a plusieurs éléments en même temps dans un circuit (une ou des résistances, une ou des inductances, un ou des condensateurs), la puissance apparente fournie par la source comporte une composante réelle en watts, égale à la somme arithmétique des puissances réelles dissipées dans chacun des éléments, et une composante réactive en vars, égale à la somme algébrique des puissances réactives individuelles.

On obtient les relations:

$$P = \Sigma\, P_{\text{individuelles}}$$

$$Q = \Sigma\, Q_L - \Sigma\, Q_C$$

$$S = P + jQ$$

où S est appelée puissance apparente (VA).

La relation ou le rapport entre la puissance réelle et la puissance apparente correspond à ce qu'on appelle le facteur de puissance. Du point de vue trigonométrique, cette valeur correspond au cosinus de l'angle entre le vecteur puissance apparente et le vecteur puissance réelle:

$$F_p = \cos\phi = P/S$$

1.3 CONSIDÉRATIONS PRATIQUES

Dans les cas précédents, on a décrit des éléments parfaits. On considère généralement les lampes à incandescence, les éléments chauffants ou autres résistances du genre comme des éléments purement résistifs. En réalité, une lampe à incandescence comporte une très légère composante inductive parce que le fil qui compose le filament est enroulé pour occuper moins de place à l'intérieur de l'ampoule.

Dans les condensateurs, le courant de fuite et les pertes dans le diélectrique sont très faibles, habituellement bien en deçà de la précision des instruments de mesure, de sorte qu'ils se comportent comme des condensateurs idéaux. C'est aussi, à toutes fins utiles, le cas pour les condensateurs industriels même si une résistance de quelques dizaines de mégohms est placée en parallèle de façon à les décharger avec une constante de temps sécuritaire de quelques minutes.

Le cas des inductances est différent. Les pertes ohmiques dans le fil du bobinage et les pertes par hystérésis et par courants induits dans l'acier, même si elles sont faibles, ne sont pas négligeables. Par conséquent, une inductance physique comporte en pratique deux composantes: une composante inductive et une composante résistive.

1.4 MANIPULATION

1. a) Effectuer le montage illustré à la figure 1.1a.
   Relever les valeurs de tension, de courant et de puissance (E, I et P) à l'aide des instruments analogiques et les valeurs de tension, de courant, de puissance réelle et apparente et du facteur de puissance (E, I, P, S et F_p) à l'aide de l'appareil numérique, avec la lampe dans le circuit.
   Comparer les deux séries de lectures.

   b) Remplacer l'élément résistif par l'inductance (fig. 1.1b). Refaire et comparer les lectures comme en a).

   c) Remplacer l'élément inductif par un condensateur (fig. 1.1c). Refaire et comparer les lectures comme en a).

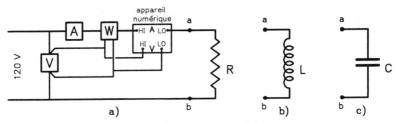

Figure 1.1 Charge: a) résistive;
b) inductive;
c) capacitive.

2. Effectuer le montage illustré à la figure 1.2.
   Relever successivement, pour les montages a) et b), les valeurs de I_R, P_R, I_L, P_L, E, I_t, et P_t de manière à déterminer la répartition des courants dans les branches R et L ainsi que le courant total I_t.

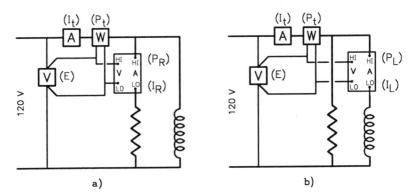

Figure 1.2 Circuit RL parallèle:
a) mesure dans la branche résistive;
b) mesure dans la branche inductive.

3. Ajouter un condensateur en parallèle avec R et L (fig. 1.3).
   Relever les valeurs du courant et de la puissance dans chacune des
   branches R, L et C successivement ainsi que I_t, P_t et E.

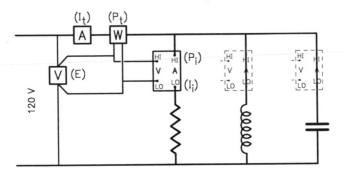

Figure 1.3 Circuit RLC parallèle.

4. Effectuer le montage RLC en série (fig. 1.4).
   Relever les valeurs de I, P, E_t, E_R entre a et b, de E_L entre b et c, de
   E_C entre c et d, de E_{LC} entre b et d.

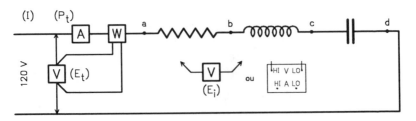

Figure 1.4 Circuit RLC série.

1.5 RAPPORT

Compléter le rapport de la façon suivante:

- Titre.
- But.
- **Pour la partie 1:**
  - calculer la valeur de la résistance de la lampe (R = E / I) et la valeur du facteur de puissance (cos ϕ);
  - calculer la valeur de l'impédance Z_L de l'inductance où:

    $$Z_L = R + jX_L = E / I_L$$

  - calculer le facteur de puissance de l'inductance:

    $$F_p = P / S = P_L / (E\ I_L) = \cos\phi$$

  - calculer la résistance et la réactance inductive de l'inductance:

    $$R = Z_L \cos\phi$$
    $$X_L = Z_L \sin\phi$$

  - calculer la valeur de l'inductance:

    $$L = X_L / 2\pi f$$

  - calculer l'impédance Z_c, le facteur de puissance, la résistance et la réactance capacitive X_c;
  - calculer la capacité du condensateur:

    $$C = \frac{1}{2\pi\ f\ X_c}$$

- **Pour la partie 2:**
  - calculer la puissance totale à l'aide des valeurs mesurées dans chaque branche et comparer le résultat à la valeur mesurée;
  - calculer le facteur de puissance dans chaque branche et le facteur de puissance global;
  - tracer, à l'échelle, le graphique de la somme vectorielle des courants I_R et I_L, et comparer cette somme à la valeur mesurée de I_t.

- Pour la partie 3:

- calculer la puissance totale à l'aide des valeurs mesurées dans chaque branche et comparer le résultat à la valeur mesurée;
- calculer le facteur de puissance dans chaque branche et celui vu par la source;
- tracer, à l'échelle, le graphique des courants et comparer la somme vectorielle de I_R, I_L et I_C à la valeur mesurée de I_t.

- Pour la partie 4:

- comparer la somme vectorielle partielle $E_L + E_C$ à la valeur mesurée de E_{LC};
- comparer la somme vectorielle totale $E_R + E_L + E_C$ à la valeur mesurée de E_t;
- tracer, à l'échelle, le graphique des tensions.

- Donner une interprétation des résultats.

- Fournir une conclusion concise et pertinente.

- Fournir la liste des instruments utilisés, leur numéro et leurs principales caractéristiques.

- Remettre un rapport de groupe dans les 15 jours qui suivent ce travail pratique.

MESURES DANS LES CIRCUITS À COURANT ALTERNATIF
DONNÉES ET RÉSULTATS

Essai n° 1

Lampe (R):

$E_{Analog} =$	$I_{Analog} =$	$P_{Analog} =$
$E_{Num} =$	$I_{Num} =$	$P_{Num} =$
$S_{Num} =$	$\cos \phi_{Num} =$	
$R_R =$	$X_R =$	$\cos \phi_R =$

Inductance (L):

$E_{Analog} =$	$I_{Analog} =$	$P_{Analog} =$
$E_{Num} =$	$I_{Num} =$	$P_{Num} =$
$S_{Num} =$	$\cos \phi_{Num} =$	
$R_L =$	$X_L =$	$\cos \phi_L =$
$Z_L =$	$L =$	$\phi_L =$

Condensateur (C):

$E_{Analog} =$	$I_{Analog} =$	$P_{Analog} =$
$E_{Num} =$	$I_{Num} =$	$P_{Num} =$
$S_{Num} =$	$\cos \phi_{Num} =$	
$R_C =$	$X_C =$	$\cos \phi_C =$
$Z_C =$	$C =$	$\phi_C =$

Essai n° 2

$E =$

$I_t =$	$P_t =$	$\cos \phi_t =$
$I_R =$	$P_R =$	$\cos \phi_R =$
$I_L =$	$P_L =$	$\cos \phi_L =$

$P_t = P_R + P_L =$

$\overline{I_t} = \overline{I_R} + \overline{I_L} =$

MESURES DANS LES CIRCUITS À COURANT ALTERNATIF
DONNÉES ET RÉSULTATS

Essai n° 3

$E =$ $I_t =$ $P_t =$ $\cos \phi_t =$

$I_R =$ $P_R =$ $\cos \phi_R =$

$I_L =$ $P_L =$ $\cos \phi_L =$

$I_C =$ $P_C =$ $\cos \phi_C =$

$P_t = P_R + P_L + P_C =$

$\overline{I_t} = \overline{I_R} + \overline{I_L} + \overline{I_C} =$

Essai n° 4

$I =$ $P_t =$ $E_t = E_{ad} =$ $\cos \phi_t =$

$E_{ab} =$ $P_{ab} =$ $\cos \phi_{ab} =$

$E_{bc} =$ $P_{bc} =$ $\cos \phi_{bc} =$

$E_{bd} =$ $P_{bd} =$ $\cos \phi_{bd} =$

$E_{cd} =$ $P_{cd} =$ $\cos \phi_{cd} =$

$P_{bd} = P_{bc} + P_{cd} =$ $P_t = P_{ab} + P_{bc} + P_{cd} =$

$\overline{E}_{bd} = \overline{E}_{bc} + \overline{E}_{cd} =$ $\overline{E}_{ad} = \overline{E}_{ab} + \overline{E}_{bc} + \overline{E}_{cd} =$

TRANSFORMATEUR MONOPHASÉ

2.1 OBJECTIF

Déterminer le rendement et la chute de tension interne d'un transformateur de puissance.

2.2 CONSIDÉRATIONS THÉORIQUES

L'expression générale du rendement d'une machine correspond à:

$$\eta = P_2 / P_1 = 1 - \frac{\Sigma \text{ pertes}}{\text{entrée}}$$

La chute de tension interne correspond à la différence arithmétique entre la tension à vide et la tension en charge par rapport à la tension en charge, la tension d'alimentation demeurant constante:

$$e = \frac{|E_{\text{à vide}}| - |E_{\text{en charge}}|}{|E_{\text{en charge}}|} \cdot 100$$

Ceci revient à poser:

$$e = \frac{|E_s| - |a\, E_c|}{|a\, E_c|} \cdot 100$$

Le rapport de transformation se définit de la façon suivante:

$$a = \frac{N_1}{N_2} = \frac{E_1}{E_2} \approx \left(\frac{E_s}{E_c} \text{ à vide}\right)$$

où: N_1 = nombre de tours de l'enroulement primaire
N_2 = nombre de tours de l'enroulement secondaire
E_1 = tension induite aux bornes de l'enroulement primaire
E_2 = tension induite aux bornes de l'enroulement secondaire
E_s = tension de la source
E_c = tension de la charge

On peut calculer la chute de tension interne à partir des valeurs relevées lors d'un essai en charge ou à partir des paramètres du circuit équivalent (fig. 2.2):

$$\overline{E}_s = \overrightarrow{Z}_{éq1} \bullet \overline{I}_1 + a\overline{E}_c$$

2.3 MANIPULATION

2.3.1 Tension réduite pour essai en court-circuit

Avant de connecter le transformateur sous essai à la sortie du transformateur abaisseur, relever et noter (sect. 2.4, point 1) la valeur de la tension disponible en fonction de la position du curseur de l'autotransformateur. Si l'alimentation et les connexions sont correctes, la tension disponible à la sortie du transformateur abaisseur devrait être entre 7 V et 8 V lorsque le curseur est en position maximale (position 100). Relever la position du curseur pour laquelle on obtient 6 V.

2.3.2 Essai en court-circuit

Le montage de la figure 2.1 permet de déterminer les pertes dans le cuivre et la réactance de fuite du transformateur, valeurs représentées par la résistance $R_{éq}$ et la réactance $X_{éq}$ du circuit équivalent (fig. 2.2).

L'enroulement secondaire est court-circuité et, à l'aide d'un autotransformateur, on applique une tension *réduite* au primaire.

Attention: Bien s'assurer que l'autotransformateur est à la position ZÉRO (0) avant d'enclencher le disjoncteur.

Augmenter lentement la tension jusqu'à ce que le courant corresponde à la valeur nominale du courant et relever les valeurs de I_{cc}, de P_{cc} et de E_{cc} (fig. 2.2).

2.3.3 Essai à vide

Le montage de la figure 2.3 permet de déterminer les pertes dans l'acier par hystérésis et par courants induits.

L'essai se fait à tension nominale avec le secondaire en circuit ouvert.

La valeur de la puissance lue sur le wattmètre représente, à toutes fins utiles, les pertes P_{fe} dans l'acier du transformateur.

Relever les valeurs de E (qui doit correspondre à la valeur nominale), de I et de P. Avec un appareil numérique, on peut aussi relever S et le facteur de puissance.

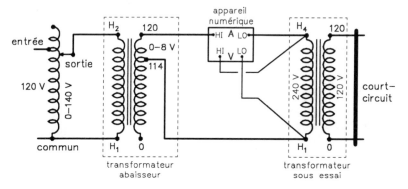

Figure 2.1 Montage pour essai en court-circuit.

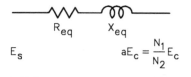

Figure 2.2 Circuit équivalent simplifié.

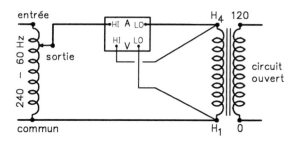

Figure 2.3 Montage pour essai à vide.

2.3.4 Harmoniques

À vide et à tension nominale, le courant de magnétisation d'un transformateur est déformé.

Relever à l'aide de l'analyseur numérique et noter, pour la tension nominale sur l'enroulement à 240 V, la valeur efficace du courant de magnétisation, l'amplitude du fondamental et la valeur, exprimée en pourcentage du fondamental, des harmoniques 2, 3, 5, 7, 9, 11 et 13 ainsi que le coefficient de distorsion.

2.3.5 Essai en charge

Effectuer le montage illustré à la figure 2.4.

Charger le transformateur en reliant des lampes (charge résistive) à l'enroulement secondaire.

Prendre des lectures pour des courants secondaires (I_2) de 0 %, 10 %, 25 %, 50 %, 75 % et 100 % du courant nominal.

Relever les valeurs de E_c, de I_2, de P_2, de I_1 et de P_1 dans chaque cas. Il est important de s'assurer que E_s est constant et égal à la tension nominale.

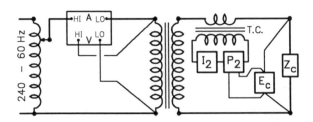

Figure 2.4 Montage pour essai en charge.

2.4 RAPPORT

1. Tracer la courbe de la tension réduite disponible en fonction de la position du curseur de l'autotransformateur.

2. Calculer les valeurs $R_{éq1}$ et $X_{éq1}$ du circuit équivalent simplifié du transformateur.

   La puissance lue (P_{cc}) représente les pertes dans le cuivre.

   $$R_{éq1} = P_{cc} / I_{cc}^2$$
   $$Z_{éq1} = E_{cc} / I_{cc}$$
   $$X_{éq1} = \sqrt{Z_{éq1}^2 - R_{éq1}^2}$$

3. Calculer les valeurs R_{fe} et X_φ du circuit équivalent du transformateur.

   $$\cos \phi_0 = \frac{P_{fe}}{E\,I_m}$$
   $$I_{fe} = I_m \cos \phi_0$$
   $$I_\varphi = I_m \sin \phi_0$$
   $$R_{fe} = \frac{E}{I_{fe}}$$
   $$X_\varphi = \frac{E}{I_\varphi}$$

4. Calculer l'amplitude, en valeurs absolues, des harmoniques 2, 3, 5, 7, 9, 11 et 13.

   Vérifier si:

   $$I_{eff} = \sqrt{I_o^2 + I_1^2 + I_2^2 + \ldots + I_{13}^2}$$

   De plus, vérifier si la valeur affichée pour le coefficient de distorsion est bien égale à:

   $$d_f = \frac{\sqrt{I_{eff}^2 - I_1^2}}{I_1}$$

5. Tracer la courbe des pertes dans le cuivre en fonction du courant.

6. Calculer le rendement et la chute de tension du transformateur pour des charges résistives de 0 %, 10 %, 25 %, 50 %, 75 % et 100 % de la charge nominale à partir de l'essai en charge et à partir du circuit équivalent. Comparer les résultats.

À partir de l'essai en charge:

$$\eta = P_2 / P_1$$

À partir du circuit équivalent:

$$\eta = \frac{E_c \, I_2 \cos \phi}{E_c \, I_2 \cos \phi + R_{éq1} \, I_1^2 + P_{fe}}$$

où $\cos \phi$ est le facteur de puissance de la charge.

7. Tracer, sur un même graphique, les deux courbes du rendement en fonction de la charge et les comparer.

8. Remettre un rapport dans les 15 jours qui suivent la manipulation. Le rapport doit comporter:
   – le titre,
   – le but,
   – un calcul type pour chaque essai,
   – tous les calculs mentionnés ci-dessus,
   – une conclusion concise et pertinente,
   – la liste des appareils de mesure utilisés.

ESSAI D'UN TRANSFORMATEUR MONOPHASÉ
DONNÉES ET RÉSULTATS

Essai à vide

$E_{co} =$ $\qquad$ $I_{co} \approx I_m =$ $\qquad$ $P_{co} =$

$S_{co} =$ $\qquad$ $\cos \phi_{lu} =$

$P_{fe} =$ $\qquad$ $\cos \phi_o =$ $\qquad$ $\sin \phi_o =$

$I_{fe} =$ $\qquad$ $I_\phi =$

$R_{fe} =$ $\qquad$ $X_\phi =$

$a = N_1/N_2 \approx E_s/E_{c \text{ à vide}} =$

Essai en court-circuit

$E_{cc} =$ $\qquad$ $I_{cc} =$ $\qquad$ $P_{cc} =$

$Z_{éq1} =$ $\qquad$ $R_{éq1} =$ $\qquad$ $X_{éq1} =$

Harmoniques

$I_{eff} =$ $\qquad$ $I_{h1} =$ $\qquad$ $I_{h2} =$

$I_{h3} =$ $\qquad$ $I_{h5} =$ $\qquad$ $I_{h7} =$

$I_{h9} =$ $\qquad$ $I_{h11} =$ $\qquad$ $I_{h13} =$

$d_f =$

ESSAI D'UN TRANSFORMATEUR MONOPHASÉ
DONNÉES ET RÉSULTATS

Essai en charge

E_s	I_1	P_1	E_c	I_2	P_2	rendement	chute de tension

Comportement à partir du circuit équivalent

I_2	E_2	$P_2 = E_c I_2 \cos\phi_2$	I_1	$R_{éq} I_1^2$	P_{fe}	$P_1 = P_2 + \text{pertes}$	E_s calc	chute de tension	rende-ment

MESURE DE PUISSANCE EN TRIPHASÉ

3.1 OBJECTIFS

L'essai a pour objectifs de se familiariser avec la méthode des deux wattmètres pour mesurer la puissance en triphasé et de constater que les lectures sur les wattmètres varient selon le genre ou la nature de la charge.

3.2 RAPPEL THÉORIQUE

$$P_{tot} = P_1 + P_2 = \sqrt{3}\, E_\ell\, I_\ell\, \cos\phi$$

3.3 MANIPULATION

1. Effectuer le montage illustré à la figure 3.1 ou 3.2, suivant le type d'instruments à votre disposition.

2. Mesurer P_a, P_c, I_a, I_c, E_{ab} et E_{cb} pour les charges suivantes:

   a) Charge résistive (chariot de lampes):

   – en triangle, avec 0, 10 et 20 lampes par phase;

   – en étoile, avec 0, 10, 20 et 30 lampes par phase. Mesurer de plus la tension de phase et comparer cette valeur à la valeur théorique;

   – en étoile, avec 30 lampes dans la phase A, 30 lampes dans la phase B et 10 lampes dans la phase C. Mesurer la tension de phase de chacune des trois phases. Noter que les lectures des ampèremètres et des wattmètres sont différentes l'une de l'autre même si le facteur de puissance est unitaire.

b) Charge résistive-inductive:

En parallèle avec la charge résistive, comme composante inductive, on utilisera le secondaire (*output*) d'un autotransformateur.

Remarque: S'assurer que le curseur est à la position 100 avant d'appliquer la tension.

Ajuster l'autotransformateur pour que l'un des wattmètres soit à zéro lorsqu'on a 15 lampes en étoile et noter les lectures.

Sans faire varier la composante inductive, relever des lectures pour 0, 10, 20 et 30 lampes en étoile.

c) Charge résistive-capacitive:

– avec les condensateurs reliés en étoile, en parallèle avec les lampes, faire des lectures pour 0, 10, 20 et 30 lampes en étoile.

– avec les condensateurs reliés en triangle, faire des lectures pour 0, 10, 20 et 30 lampes en étoile.

Remarque: À cause du déphasage de 30° entre la tension de ligne et la tension de phase, la valeur du facteur de puissance lue sur un appareil numérique se trouve faussée et, par conséquent, ne saurait être retenue.

De plus, et pour cette même raison, la puissance apparente totale n'est pas la somme des deux valeurs de puissance apparente lue sur les instruments.

3.4 RAPPORT

1. Présentation claire, logique et concise des valeurs obtenues au laboratoire. Pour chaque cas, ajouter la puissance totale et le facteur de puissance.

2. Quelles auraient été les lectures de puissance et de courant pour 40 lampes en étoile:
a) pour la charge inductive comme en 2b?
b) pour la charge capacitive en triangle comme en 2c, deuxièmement?
Justifier les réponses.

3. Pour une charge triphasée équilibrée, quelle est la relation entre la puissance apparente totale et la somme des valeurs lues sur les appareils numériques?

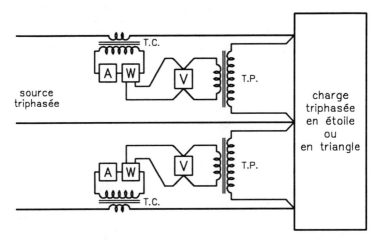

Figure 3.1 Montage schématique complet pour la mesure de la puissance dans un circuit triphasé à trois fils, avec des appareils analogiques.

T.P. = transformateur de potentiel (si requis)
T.C. = transformateur de courant (si requis)

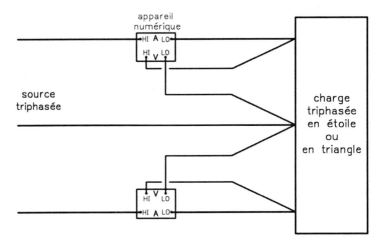

Figure 3.2 Montage schématique pour la mesure de la puissance dans un circuit triphasé à trois fils, avec des appareils numériques.

MOTEUR ASYNCHRONE TRIPHASÉ

4.1 OBJECTIF

Dans l'industrie, on emploie très fréquemment le moteur asynchrone triphasé. Il est donc important d'en connaître le comportement et les caractéristiques en charge.

Les caractéristiques importantes à relever sont les suivantes:
- tension d'alimentation;
- courant de ligne;
- puissance fournie au moteur;
- vitesse;
- couple;
- puissance mécanique entraînée;
- rendement;
- facteur de puissance.

4.2 RAPPELS THÉORIQUES

4.2.1 Mesure de la puissance fournie au moteur

Dans un système triphasé à trois fils, on peut mesurer la puissance par la méthode des deux wattmètres.

Rappelons que:

$- P_t = P_1 + P_2 = \sqrt{3} \, E_\ell \, I_\ell \, \cos \phi$

- si le facteur de puissance ($\cos \phi$) est plus grand que 0,5 ($\phi < 60°$), la lecture sur chacun des deux wattmètres est positive;

- si le facteur de puissance est égal à 0,5 ($\phi = 60°$), un des wattmètres donne une lecture nulle;

– si le facteur de puissance est plus petit que 0,5 ($\phi > 60°$), la lecture sur un des wattmètres est négative de telle sorte que la somme algébrique des lectures devient une différence arithmétique.

4.2.2 Harmoniques

À vide et à tension nominale, le courant de magnétisation d'un moteur asynchrone est quelque peu déformé.

Pour la tension nominale, relever à l'aide de l'analyseur numérique la valeur efficace du courant de magnétisation, l'amplitude du fondamental, la valeur, exprimée en pourcentage du fondamental, des harmoniques 2, 3, 5, 7, 9, 11 et 13, ainsi que le coefficient de distorsion.

4.2.3 Mesure de la puissance de sortie du moteur

Pour mesurer la puissance de sortie du moteur, il suffit de mesurer la vitesse et le couple. La mesure du couple se fait à l'aide d'un frein électromagnétique. La vitesse est mesurée à l'aide d'une sonde électromagnétique et d'un compteur numérique.

Rappelons que:

$$P = \frac{2\pi\ n\ C}{60}$$

où   n   = vitesse en r/min
     C   = couple en N•m
     1 hp   = 746 W
     1 kg•m = 9,81 N•m

4.3 MANIPULATION

1. Effectuer les montages illustrés aux figures 4.1 et 4.2.

Attention: *Avant d'enclencher le disjoncteur, bien s'assurer que l'autotransformateur est à la position ZÉRO (0).*

Démarrer le moteur en augmentant graduellement la tension, à l'aide de l'autotransformateur, jusqu'à la valeur indiquée sur la plaque signalétique du moteur. Maintenir cette tension constante pendant toute la manipulation.

2. Calculer la masse requise pour charger le moteur à sa puissance nominale à la vitesse nominale indiquée sur la plaque signalétique.

3. Placer sur le frein 1,15 à 1,25 fois la masse calculée en 2.

4. Équilibrer le frein en ajustant le courant dans les électro-aimants à l'aide du potentiomètre et relever une première série de lectures sur tous les instruments.

5. Diminuer la masse sur le frein d'environ 10 à 15 % de la masse nominale à la fois afin d'obtenir au moins 8 à 10 points différents d'opération. Répéter chaque fois l'étape 4.

6. Relever des lectures lorsqu'il ne circule aucun courant dans les électro-aimants.

4.4 RAPPORT

Le rapport doit être remis dans les 15 jours qui suivent la manipulation et comprendre au moins:

- le titre;
- le but;
- les caractéristiques nominales du moteur;
- un calcul type pour chacune des caractéristiques du moteur;
- sur une même feuille graphique, les courbes des diverses caractéristiques du moteur (rendement, facteur de puissance, courant, vitesse, couple et puissance à l'entrée) en fonction de la puissance de sortie;
- un schéma du montage;
- une explication justifiant que les harmoniques d'ordre 2 ainsi que 3 et 9 sont à toutes fins utiles absents et que les harmoniques 5 et 7 sont très faibles;
- une conclusion pertinente et succincte;
- le numéro et les principales caractéristiques ou échelles des appareils utilisés.

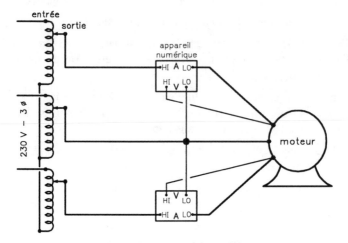

Figure 4.1 Alimentation et mesure en triphasé.

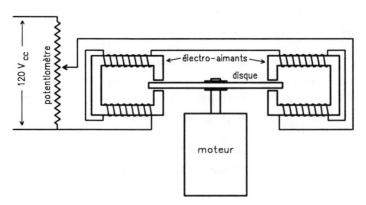

Figure 4.2 Alimentation et contrôle du frein électromagnétique.

ESSAI D'UN MOTEUR ASYNCHRONE TRIPHASÉ
DONNÉES ET RÉSULTATS

Moteur n°:

Bras de levier: cm

E_ℓ	I_a	I_c	I_{moyen}	P_a	P_c	$P_t = P_a + P_c$	masse	couple	vitesse	hp	rendement	cos ø

Réponses aux exercices

1.1   a) 0,05 J

b) De 0 à 20 ms: 15 V

   De 20 à 30 ms: -20 V

1.2   Courant dans l'inductance: 1 A

Énergie dans l'inductance: 0,5 mJ

Tension aux bornes du condensateur: 3 V

Énergie dans le condensateur: 0,45 mJ

1.3 $e_c(0 \text{ ms}) = -8$ V

$e_c(4 \text{ ms}) = 0$ V

$e_c(6 \text{ ms}) = 10$ V

$W_c(6 \text{ ms}) = 0,1$ mJ

1.4 $W_c = 0,05$ mJ

$W_L = 2$ mJ

$P_{10\Omega} = (10 \text{ V})^2 / 10 \,\Omega = 10$ W

$P_{2\Omega} = 2 \,\Omega \cdot (2 \text{ A})^2 = 8$ W

$P_{10V} = 10 \text{ V} \cdot -1 \text{ A} = -10$ W

$P_{2A} = 2 \text{ A} \cdot 14 \text{ V} = 28$ W

1.5 $R_{éq} = 2 \,\Omega$

$$P_t = \frac{E^2}{R_{éq}} = \frac{6^2}{2} = 18 \text{ watts}$$

1.6   a)

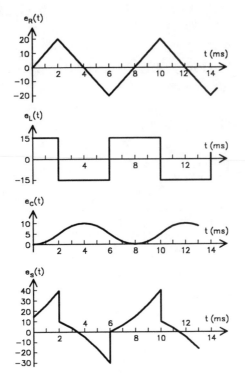

Figure R1.6 Tensions aux bornes des éléments.

b) À t = 9 ms:
   P_R = 10 V • 5 A = 50 W
   P_L = 15 V • 5 A = 75 W
   P_C = 1,25 V • 5 A = 6,25 W
   Tension de la source de courant
      = $e_R + e_L + e_C$ = 10 + 15 + 1,25 = 26,25 V

c) W_C = 1/2 C e_C^2 (à t = 9 ms)
      = 1/2 • 2 • 10^{-6} • 1,25² = 1,57 mJ

   W_L = 1/2 L i² (à t = 9 ms)
      = 1/2 • 3 • 25 = 37,5 mJ

1.7   a) 20 s
   b) W(t) = 5 (t - 10)² • 10^{-6} J
   c) e_c(t) = t - 10 V
   d) De 0 à 10 s, la source absorbe de l'énergie.
      De 10 à 20 s, la source fournit de l'énergie.

1.8 $C_{éq} = 10 \ \mu F$
$W_{C_{éq}} = 0,05 \ J$

1.9 9,5 mJ

1.10 $R_{20°C} = 10,6 \ \Omega$
$R_{2575°C} = 132 \ \Omega$

2.1 $I_1 = 114 \ / \ 29 \ A$
$I_2 = \quad 43 \ / \ 29 \ A$

2.2 $E_1 = 32,4 \ V$
$E_2 = 25,2 \ V$

2.3 a) E = 0
b) E = 5 V
c) E = 4 V
d) E = 5 V
e) E = 5 V
f) I = 15 A
g) E = 0
h) E = -25 V
i) I = 5 A
j) E = 0 V

2.4 a) $I_x = -10 \ A$
$E_{ab} = 9 \ V$
P = -270 W
b) $I_x = -8 \ A$
$E_{ab} = 24 \ V$
P = 144 W
c) $I_x = -10 \ A$
$E_{ab} = 5 \ V$
P = -25 W
d) $I_x = -20 \ A$
$E_{ab} = 40 \ V$
P = 600 W

3.1   On résout ce problème en exprimant les tensions E_A et E_B en fonction des diverses résistances et en posant ces deux tensions égales lorsque le pont est en équilibre.

3.2   a) E_{th} = 10 V   et R_{th} = 5 Ω
     b) 5 Ω
     c) 5 W

3.3 E_{th} = 10 V
     R_N = 10 Ω
     I_N = 1 A

3.4   a) E_{th} = -5 V   et R_{th} = 1 Ω
     b) R = 1 Ω

3.5 I_{1A} = 0,4 A
     I_{2A} = 0,8 A
     I_{6V} = -1,2 A

3.6 E_R = 0 V

3.7 I_N = 0,5 A
     R_N = 30 Ω
     P_{max} = 1,88 W

3.8   a) E_{th} = 15,6 V   et R_{th} = 5,43 Ω
     b) I_N = 2,88 A
     c) R_c = 5,43 Ω
     d) R_c = 75,64 Ω ou 0,39 Ω
           (Deux solutions possibles et valables)

3.9   a) E_{AB} = -9,03 V
     b) I_x = 1,9 A
     c) E_x = 9,7 V
     d) P = 2,6 W
     e) E_{th} = -9,03 V   et R_{th} = 1,42 Ω
           (Point A négatif par rapport au point B)
     f) P = 4,54 W

3.10 $E_{AB} = 2$ V

$E_{th} = 2$ V   et $R_{th} = 2,4$ Ω

$I_N = 0,833$ A   et $R_N = 2,4$ Ω

3.11 a) $E_{BA} = 2$ V

b) $I_{BA} = 0,5$ A

c) $E_{th} = -2$ V   et $R_{th} = 4$ Ω

d) $I_n = -0,5$ A   et $R_N = 4$ Ω

e) $R_c = 4$ Ω   et $P_{max} = 0,25$ W

3.12 a) $E_{th} = 6$V   et $R_{th} = 4$ Ω

b) $I_n = 1$ A   et $R_N = 8$ Ω

c) $P_{48Ω} = 3$ W

d) $0,5$ mJ

e) absorbe 8 W

3.13 a) $I_{10Ω} = 0$ A

b) $P_I = 121$ W   et $P_E = 121$ W

c) $P_{R1} = 121$ W, $P_{R2} = 0$ W   et $P_{R3} = 121$ W

d) $E_{th} = 0$ V   et $R_{th} = 1$ Ω

e) $R_{P_{max}} = 1$ Ω   et $P_{max} = 0$ W

4.2 $I = 3/2$ A

4.3 a)

$$\begin{bmatrix} R_1 + R_2 & -R_2 & 0 \\ -R_2 & R_2 + R_3 + R_4 + R_5 & -R_5 \\ 0 & -R_5 & R_5 + R_6 \end{bmatrix} \begin{bmatrix} I_1 \\ I_2 \\ I_3 \end{bmatrix} = \begin{bmatrix} E_A \\ 0 \\ -E_B \end{bmatrix}$$

b)

$$\begin{bmatrix} \dfrac{1}{R_1} + \dfrac{1}{R_2} + \dfrac{1}{R_3} & -\dfrac{1}{R_3} & -\dfrac{1}{R_1} - \dfrac{1}{R_2} \\ -\dfrac{1}{R_3} & \dfrac{1}{R_3} + \dfrac{1}{R_5} + \dfrac{1}{R_6} & 0 \\ -\dfrac{1}{R_1} - \dfrac{1}{R_2} & 0 & \dfrac{1}{R_1} + \dfrac{1}{R_2} + \dfrac{1}{R_4} \end{bmatrix} \begin{bmatrix} E_1 \\ E_2 \\ E_3 \end{bmatrix} = \begin{bmatrix} E_A / R_1 \\ E_B / R_6 \\ -E_A / R_1 \end{bmatrix}$$

4.6 $I_1 = 4,90$ A
$I_2 = 3,45$ A
$I_3 = 2,87$ A
$I_4 = 3,45$ A
$I_5 = 6,04$ A

4.7 $E_1 = 204,8$ V
$E_2 = 62,5$ V
$E_3 = 58,5$ V
$E_4 = 56,0$ V
$E_5 = 54,1$ V

5.1 a) $10 / 2\pi$ V
b) 1,2 V
c) 0 V
d) 1 V

5.2 $E = \sqrt{\dfrac{1}{3}}$ V

5.3 $I = \sqrt{\dfrac{2}{3}}$ A

5.7 60 Hz
$I_{fond} = 30,4$ A   et $I_{total} = 30,8$ A
$F_c = 1,5$ $d_f = 16,2\,\%$ $F_d = 98,7\,\%$
La valeur crête (46,1) doit se lire sur le graphique
de la figure 5.9.

5.8 a) $I_1 = 1,7$ A et $I_{1_{crête}} = 2,4$ A
b) $I_{crête} = 7,5$ A
c) $f_d = 0,68$ et $d_f = 108\,\%$
d) 660 Hz
e) À vous de deviner...
f) $12 / 2,5 = 4$ ordinateurs

6.1 $A + B = 10 + j14$
$A - B = -2 - j4$
$A \bullet B = 69{,}1 \underline{/108°}$
$A / B = 0{,}59 \underline{/-5°}$

6.2 $P_1 = 14 \underline{/30°} = 12{,}1 + j7$
$ = 14 \cos 30° + j\, 14 \sin 30° = 14\ e^{j\pi/6}$
$P_2 = -20 + j20 = \ldots$
$P_3 = 20 \underline{/-75°}$

6.3 $C \bullet X = -17 + j17$
$D / C = 5{,}3 + j1{,}8$
$D \bullet X = -120 + j60$
$D + X = 37{,}2 \underline{/66{,}2°}$
$C - X = 4{,}2 \underline{/3{,}24°}$

6.4 $A = 11 + j4 = 11{,}7 \underline{/20°} = \ldots$
$B = -4 - j11 = \ldots$

6.5   a) $\overline{E} = 5 / \sqrt{2} \underline{/30°}$
$\overline{F} = 6 \underline{/-45°}$
$\overline{G} = 10 / \sqrt{2} \underline{/23°}$
$\overline{H} = 8 \underline{/-165°}$
$\overline{I} = 7 / \sqrt{2} \underline{/+35°}$

b)   1,6 Hz
60 Hz
31,8 Hz
50 Hz
400 Hz

c)   Ils n'ont pas la même fréquence.

6.8   d) $12{,}7 \underline{/-32°}\ \Omega$
e) $8{,}5 \underline{/11°}\ \Omega$
f) $5{,}6 \underline{/-9°}\ \Omega$
g) $3{,}7 \underline{/-22°}\ \Omega$

6.9 $R_1 = 19{,}2\ \Omega$
$X_1 = 14{,}4\ \Omega$

6.11 $\vec{Z} = 36{,}1 \underline{/73{,}9°}\ \Omega$
$\overline{I} = 3{,}32 \underline{/-43{,}9°}\ A$

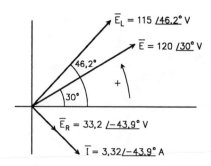

Figure R6.11 Phaseurs de tension et de courant.

6.12 $\vec{Z}_{ad} = 21{,}0 \ \angle{-8{,}5°} \ \Omega$

i(t) = 20 cos (5000t + 8,5°) A

$e_{cd}(t) = 211 \cos (5000t + 26°)$ V

6.13   a) X = $X_L + X_C$ = 56,55 - 56,55 = 0 Ω

b) $e_R(t) = 120 \ \sqrt{2} \cos (377t)$ V

$e_L(t) = 135{,}7 \ \sqrt{2} \cos (377t + 90°)$ V

$e_C(t) = 135{,}7 \ \sqrt{2} \cos (377t - 90°)$ V

c)

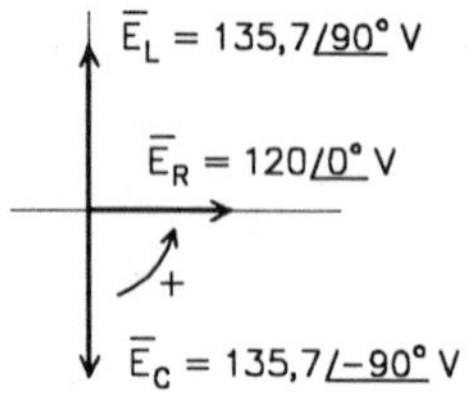

$$\bar{E}_L = 135{,}7\underline{/90°} \ V$$

$$\bar{E}_R = 120\underline{/0°} \ V$$

$$\bar{E}_C = 135{,}7\underline{/-90°} \ V$$

Figure R6.13 Phaseurs de tension dans le plan complexe.

6.14 $\bar{E}_{AB} = 170 \ \underline{/75°}$ V

$\bar{I}_1 = 17 \ \underline{/-15°}$ A

6.15 a) 2 + j0 Ω

b) 40 $\underline{/0°}$ V

20 $\underline{/0°}$ A

20 $\underline{/-90°}$ A

20 $\underline{/+90°}$ A

20 $\underline{/0°}$ A

8.1 a) La charge est capacitive avec $F_p = 0,73$.

b) La charge est capacitive avec $F_p = 0,73$.

c) La charge est inductive avec $F_p = 0,77$.

d) La charge est capacitive et
$\overline{S} = 120 \underline{/-12°}$ VA.

e) La charge est inductive avec $F_p = 0,92$.

8.2 a) $P = 71,3$ kW
$Q = 50,5$ kvar
$S = 87,4$ kVA

b) $F_p = 0,82$

c) $P_{R3} = 10,8$ kW

d) $C = 536$ μF

8.3 a) $I_1 = 4 / \sqrt{2} \underline{/-36,9°}$ A
$I_2 = 4 / \sqrt{2} \underline{/+53,1°}$ A

b)

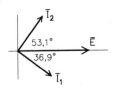

c) $P_1 = 32$ W
$Q_1 = 24$ var
$S_1 = 40$ VA

d) $P_2 = 24$ W
$Q_2 = -32$ var
$S_2 = 40$ VA

e) $P_{tot} = 56$ W
$Q_{tot} = -8$ var
$S_{tot} = 56,6$ VA

f) $F_p = -0,99$

8.4 a) $1400 \underline{/59°}$ VA

b) 221 μF

8.5 a) 10 Ω

b) $12 \underline{/0°}$ A

c) 1440 W et 0 var

d) 1440 var

8.6 a) $L = 15,9$ mH

b) $I_L = 13,8 \underline{/30°}$

$I_R = 11,0 \underline{/-6,9°}$ A

$I_C = 8,24 \underline{/83,1°}$ A

c) $Q_C = -1133$ var

d) $P = 1512$ W   et $Q = 0$

e) $P_1 = P_2 = 1512$ W

8.7 a) 155 A

b) 72 kvar

c) 0,93

d) 21,2 kvar

e) $-6,62 \Omega$

8.8

Variable	Phaseur tension (V)	Phaseur courant (A)	P (W)	Q (var)
R_1	$120 + j0$	$1 + j0$	120	0
R_2	$60 + j0$	$4 + j0$	240	0
R_3	$60 + j0$	$4 + j0$	240	0
C_1	$0 - j20$	$1 + j0$	0	-20
C_2	$60 + j0$	$0 + j4$	0	-240
L_1	$0 + j20$	$1 + j0$	0	$+20$
L_2	$60 + j0$	$0 - j4$	0	$+240$
E	$120 + j0$	$5 + j0$	600	0

9.1 $\overline{E}_{ab} = 208 \underline{/124°}$ V

9.2 $\overline{I}_a = 26 \underline{/220°}$ A

$\overline{I}_c = 26 \underline{/-20°}$ A

$\overline{I}_{ab} = 15 \underline{/250°}$ A

$\overline{I}_{bc} = 15 \underline{/130°}$ A

$\overline{I}_{ca} = 15 \underline{/10°}$ A

9.3 $P_1 = 1500$ W et $P_2 = 1500$ W

9.4 $P_1 = -357$ W et $P_2 = 3357$ W

9.5 a) À 4 fils, car le neutre doit être disponible.

b) $I_\ell = 105,5$ A

9.6 En prenant $\overline{E}_{ab} = 600 \;\underline{/0°}$ V,

$I_a = 17,3 \;\underline{/-53°}$ A

$P = 16,5$ kW

$P_{\text{indiquée}} = 4,1$ kW

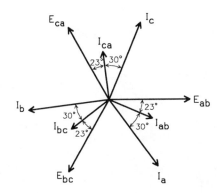

Figure R9.6 Tensions et courants de l'exercice 9.6.

9.7 a)

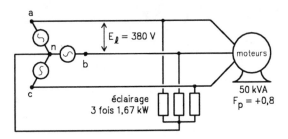

Figure R9.7 Circuit équivalent de l'exercice 9.7.

b) 45 kW

c) 30 kvar

d) 54,1 kVA

e) 551 μF

9.8 a) 220 V

b) 38,1 A

c) 11,6 kW

   8,7 kvar

   0,80

d) 46,5 A

e) 5,4 kW

9.9 a) 132,8 V

b) 62,8 A

c) 248,1 V

d) 36,2 A

f) +0,77

g) 8661 W

h) 827 W, 2130 var

9.10 a) $I_a = 24 \underline{/-36,9°}$ A

   $I_b = 24 \underline{/-156,9°}$ A

   $I_c = 24 \underline{/83,1°}$ A

   $I_n = 0$

b) $P = 6912$ W

   $Q = 5184$ var

   $F_p = +0,8$

c) Oui, parce que $I_n = 0$

d) $W_1 = 1960$ W

   $W_2 = 4950$ W

e) $E_{\ell\ source} = 225$ V

f) $C = 105,9$ μF

9.11 $S_{charge} = 2500 + j822$ kVA

$Q_{cond.\ à\ la\ charge} = -750$ kvar

$I_{ligne} = 57,8$ A

$S_{ligne} = 100 + j150$ kVA

$E_{source} = 26,1$ kV

$Q_{cond.\ à\ la\ source} = -816$ kva

$S_{source} = 2600 - j594$ kVA

$I_{source} = 59,0$ A

$F_{p\ source} = -0,97$

$W_1 = 1,47$ MW

$W_2 = 1,13$ MW

11.1 a) $R_{éq} = 7,2\ \Omega$
b) $X_{éq} = 9,6\ \Omega$
c) $Z_{éq} = 12,0\ \Omega$

11.2 a) $R_{fe2} = 240\ \Omega$
b) $X_{\varphi2} = 138\ \Omega$

11.3 a) 751 A
b) 96,8 %
c) 0,60
d) — Les pertes dans le fer restent inchangées, les conditions magnétiques sont les mêmes.
— Les pertes dans le cuivre sont diminuées, car elles dépendent du carré des courants.

11.4 a) $R_{éq1} = 36,0\ \Omega$
$X_{éq1} = 76,0\ \Omega$
$Z_{éq1} = 84,1\ \Omega$
b) $E_s = 14,7\ kV$
c) $e = 2,0\ \%$
d) $F_p = 0,96$

11.5 a) $R_{éq1} + X_{éq1} = 36 + j76\ \Omega = 84,1\ \underline{/64,7°}\ \Omega$
b) $R_{éq1} = 1,30\ \%,\quad X_{éq1} = 2,75\ \%,\quad Z_{éq1} = 3,04\ \%$
c) $R_{éq2} + X_{éq2} = 0,0100 + j0,0210\ \Omega = 0,0234\ \underline{/64,7°}\ \Omega$
d) $R_{éq2} = 1,30\ \%,\quad X_{éq2} = 2,75\ \%,\quad Z_{éq2} = 3,04\ \%$

11.6 a) $R_{éq1} = 0,65\ \Omega$
$X_{éq1} = 1,32\ \Omega$
b) $Z_{1base} = 13,23\ \Omega$
c) $Z_{éq} = 11,1\ \%$

11.7 $E_c = 114,9\ V \qquad \cos\phi = +0,83$
$e = 4,4\ \% \qquad \eta = 98,4\ \%$

11.8 $\cos\phi = +0,59 \qquad e = 2,4\ \%$

11.9 $\cos\phi = 0,763$ en avance $\qquad e = 0\ \%$

11.10

a)

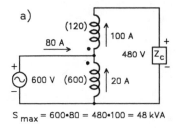

$S_{max} = 600 \cdot 80 = 480 \cdot 100 = 48$ kVA

b)

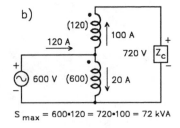

$S_{max} = 600 \cdot 120 = 720 \cdot 100 = 72$ kVA

c)

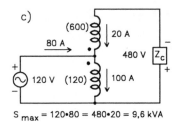

$S_{max} = 120 \cdot 80 = 480 \cdot 20 = 9,6$ kVA

d)

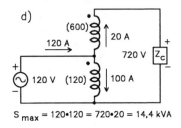

$S_{max} = 120 \cdot 120 = 720 \cdot 20 = 14,4$ kVA

Figure R11.10 Types de connexions d'autotransformateurs.

12.1 a) $n_s = 900$ tr/min

$s_{nom} = 0,05$

$C_{nom} = 625$ N•m

b) $C = 250$ N•m

c) $I_\ell = 86,9$ A

d) $C_Y = 172$ μF

12.2 a) $p = 6$

$s_{nom} = 6,25 \%$

$C_{nom} = 63$ N•m

b) $s = 4,16 \%$

$C = 42$ N•m

$P_{méc} = 5,06$ kW

$I_\ell = 17,6$ A

$C_\Delta = 25,6$ μF

12.3 a) $p = 8$
b) $s_{nom} = 4,44\%$
$s_{déc} = 15\%$
c) $C_{nom} = 994$ N•m
d) $n = 880$ r/min
e) $P_{déc} = 199$ kW
f) 25%
g) $90,0\%$

12.4 a) $I = 360\%$ $C = 96\%$
b) $E = 359$ V $I = 367\%$
c) $E = 97,8$ V $C = 7,4\%$

12.5 a) $P_{50} = 38,2$ kW
$Q_{50} = 24,7$ kvar
Pertes $= 3,2$ kW
b) $P_{100} = 38,9$ kW
$Q_{100} = 36,4$ kvar
Pertes $= 3,9$ kW

Conclusion: Le moteur de 100 hp par rapport au moteur de 50 hp:
  - plus de pertes,
  - facteur de puissance moins bon,
  - coût d'exploitation plus grand.

12.6 - $P_{HR} = 40,2$ kW
$Q_{HR} = 25,5$ kvar
  - $P_{CL} = 40,7$ kW
$Q_{CL} = 26,2$ kvar
  - $P_{add} = 500$ W
$Q_{add} = 700$ vars
  - Nombre d'heures $= 5172$, soit environ 215 jours à raison de 24 heures par jour.

12.7 $I_{nom} = 91,3$ A
$C_{nom} = 625$ N•m
a) $f_{onduleur} = 63$ Hz
b) $E_{max} = 600$ V
$C_{max} = 594$ N•m
c) $n = 456$ r/min
$P = 29,8$ kW
$I_{\ell} = 91$ A

12.9   a) $S_{nom} = 3\%$
n = 1746 r/min
$C_{nom} = 204$ N•m
b) 1773,8 tr/min
c) 50 % CL: 20,7 kW et 27,9 A
HR: 20,3 kW et 26,8 A
100 % CL: 40,7 kW et 46,7 A
HR: 40,2 kW et 45,8 A
d) 1,10 $ / jour, donc 682 jours
e) 14,4 kvar

Références

BOUCHARD, R.P., *Circuits Polyphasés*, Montréal, École Polytechnique de Montréal, 1993, 109 p.

BOUCHARD, R.P., *Électrotechnique*, Montréal, École Polytechnique de Montréal, 1994, 143 p.

CUNNINGHAM, D.R., STULLER, J.A., *Basic Circuit Analysis*, Boston, Houghton Mifflin, 1991, 882 p.

SARMA, M.S., *Electric Machines*, Dubuque, Wm. C. Crown, 1985, 631 p.

SMITH, R.J., DORF, R.C., *Circuits, Devices and Systems*, New York, John Wiley, 5e édition, 1992, 868 p.

THOMAS, R.E., ROSA, A.J., *The Analysis and Design of Linear Circuits*, Englewood Cliffs, Prentice Hall, 1994, 963 p.

WILDI, T., *Électrotechnique*, Sainte-Foy, Les presses de l'Université Laval, 1991, 908 p.

AGMV Marquis

MEMBRE DE SCABRINI MEDIA

Québec, Canada
2002

Formule chap 12

glissement : $S_u = \dfrac{(u_s - u)}{u_s}$

vitesse u_s : $\dfrac{120f}{P}$

P électrique $= \sqrt{3}\, E\ell\, I\ell \cos\phi$

couple : $C_u = \dfrac{P}{\omega} = \dfrac{HP(746)(60)}{2\pi u}$ $\longleftarrow$ puissance fournie à la charge

$\eta = \dfrac{P_{méc}}{P_{élec}} = HP(746)$

$\dfrac{C}{\phi} = K'$

$\dfrac{E}{E_u} = \dfrac{f}{f_u}$ $f < f_{nom}$ $f > f_{nom}$ $E = E_u$

$u_f - u_{sf} = u_{fu} - u_{sfu}$

Rendement d'un moteur est constant

$\sum$ Resistance en parallèle $\dfrac{x}{+}$